KB085647

HIGHTOP
하이탑
과학 고수들의 필독서

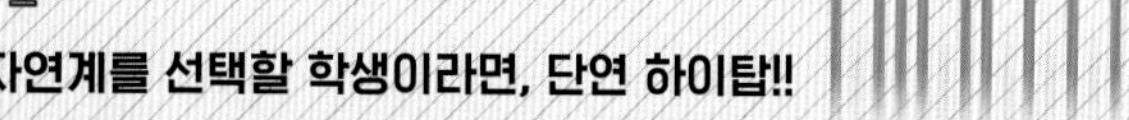
자연계를 선택할 학생이라면, 단연 하이탑!!
HIGHTOP

High Top

3권

화학 Ⅱ

Structure

이 책의 구성과 특징

지금껏 선생님들과 학생들로부터 고등 과학의 바이블로 명성을 이어온 하이탑의 자랑거리는 바로,

- 기초부터 심화까지 이어지는 튼실한 내용 체계
- 백과사전처럼 자세하고 빈틈없는 개념 설명
- 내용의 이해를 돕기 위한 풍부한 자료
- 과학적 사고를 훈련시키는 논리정연한 문장

이었습니다. 이러한 전통과 장점을 이 책에 이어 담았습니다.

1 개념과 원리를 익히는 단계

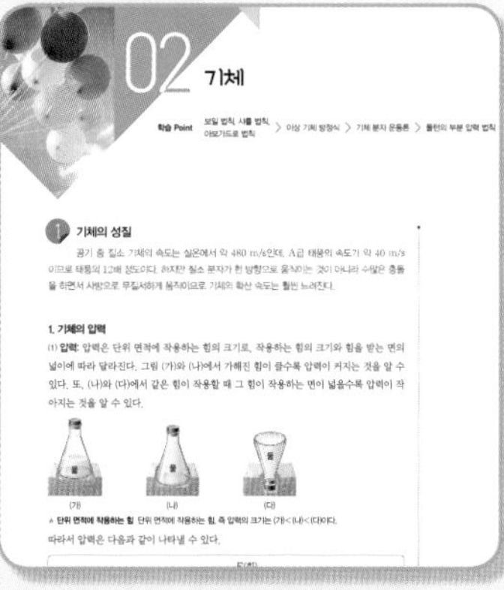

●개념 정리

여러 출판사의 교과서에서 다루는 개념들을 체계적으로 다시 정리하여 구성하였습니다.

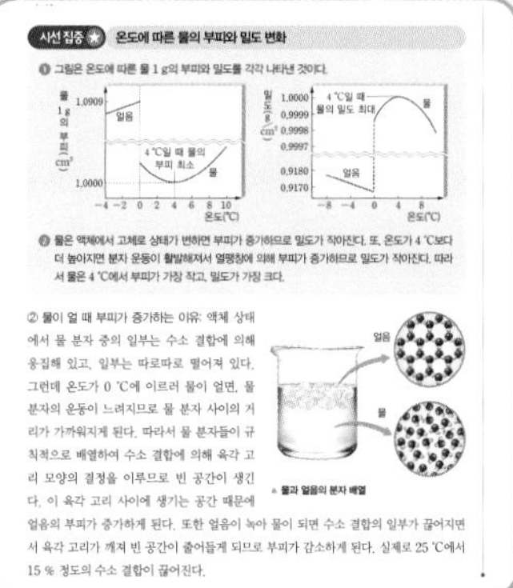

●시선 집중

중요한 자료를 더 자세히 분석하거나 개념을 더 잘 이해할 수 있도록 추가로 설명하였습니다.

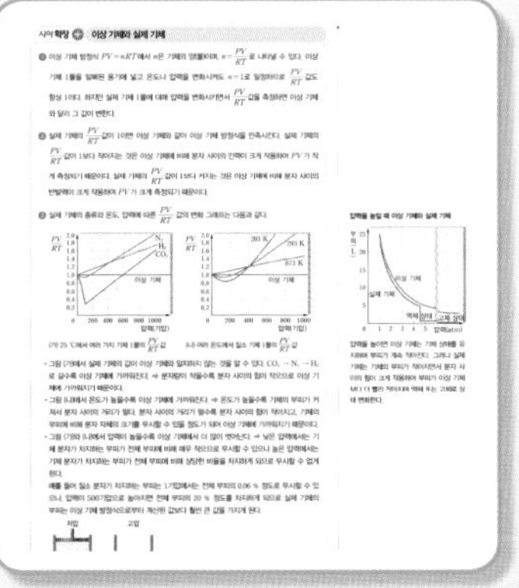

●시야 확장

심도 깊은 내용을 이해하기 쉽도록 원리나 개념을 자세히 설명하였습니다.

●탐구

교과서에서 다루는 탐구 활동 중에서 가장 중요한 주제를 선별하여 수록하고, 과정과 결과를 철저히 분석하였습니다.

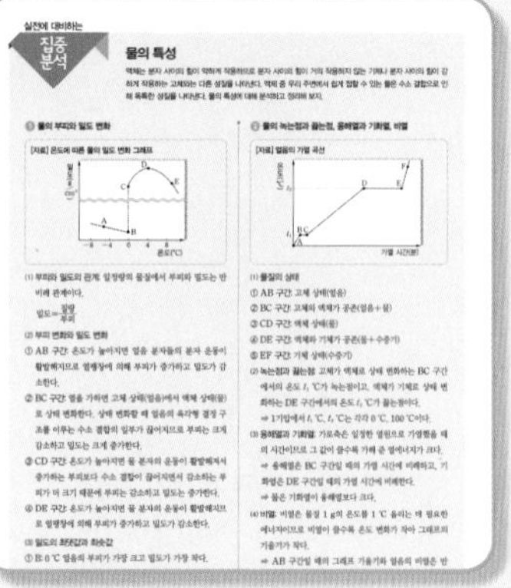

●집중 분석

출제 빈도가 높은 주요 주제를 집중적으로 분석하고, 유제를 통해 실제 시험에 대비할 수 있도록 하였습니다.

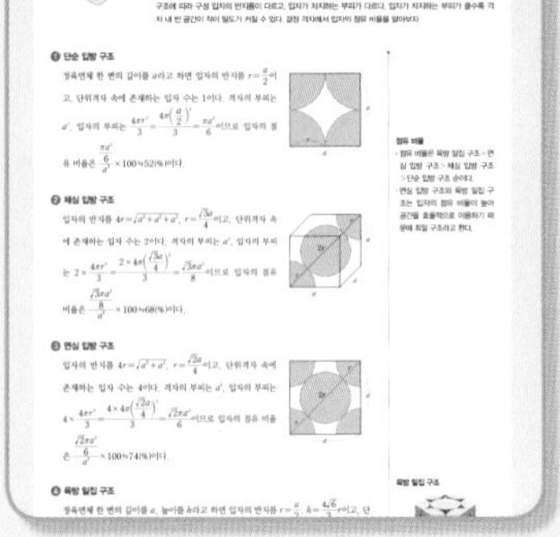

●심화

깊이 있게 이해할 필요가 있는 개념은 따로 발췌하여 심화 학습할 수 있도록 자세히 설명하고 분석하였습니다.

2 다양한 유형과 수준별 문제로 실력을 확인하는 단계

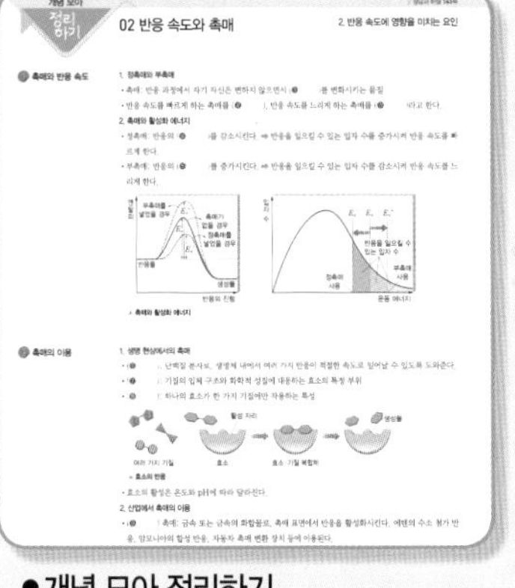

●개념 모아 정리하기

각 단원에서 배운 핵심 내용을 빈칸에 채워 나가면서 스스로 정리하는 코너입니다.

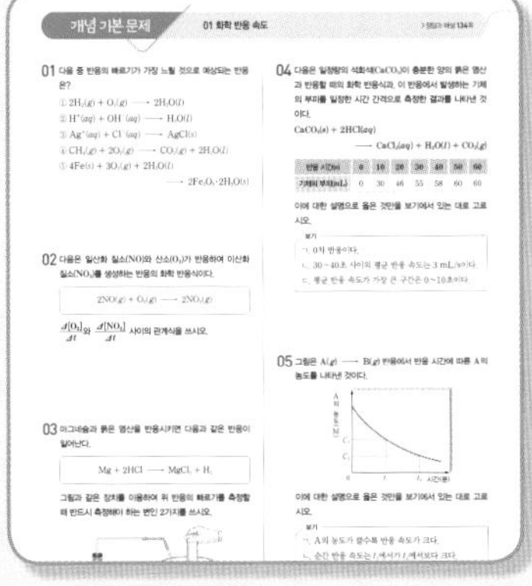

●개념 기본 문제

각 단원의 기본적이고 핵심적인 내용의 이해 여부를 평가하기 위한 코너입니다.

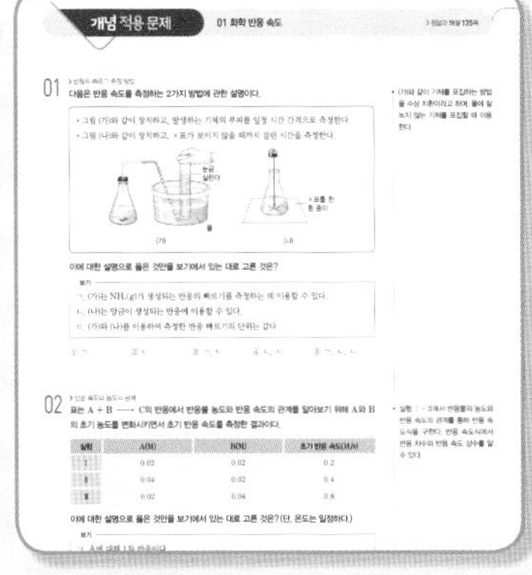

●개념 적용 문제

기출 문제 유형의 문제들로 구성된 코너입니다. '고난도 문제'도 수록하였습니다.

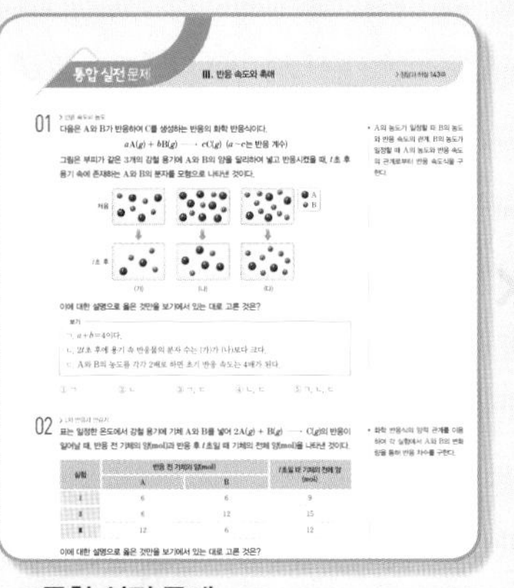

●통합 실전 문제

대단원별로 통합된 개념의 이해 여부를 확인함으로써 실전을 대비할 수 있도록 구성하였습니다.

●사고력 확장 문제

창의력, 문제 해결력 등 한층 높은 수준의 사고력을 요하는 서술형 문제들로 구성하였습니다.

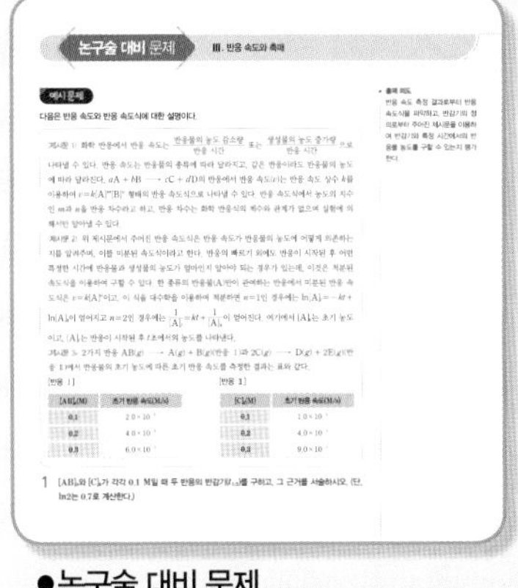

●논구술 대비 문제

논구술 시험에 출제되었거나, 출제 가능성이 높은 예상 문제로서, 답변 요령 및 예시 답안과 함께 제시하였습니다.

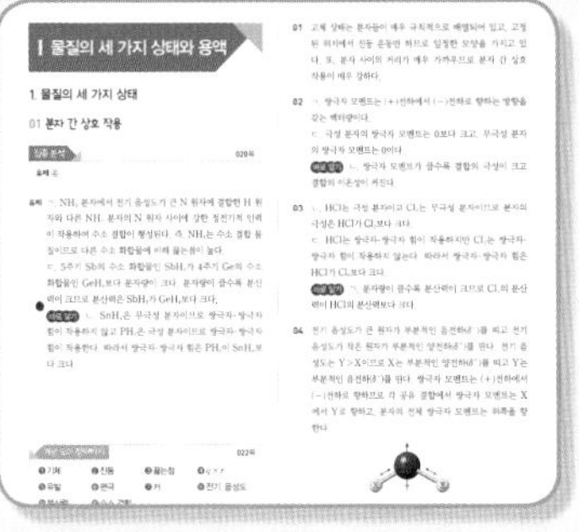

●정답과 해설

정답과 오답의 이유를 쉽게 이해할 수 있도록 자세하고 친절한 해설을 담았습니다.

"하이탑은
과학에 대한 열정을 지닌 독자님의
실력이 더욱 향상되길 기원합니다."

Contents

이 책의 차례 – 화학

“자세하고 짜임새 있는 설명과 수준 높은 문제로 실력의 차이를 만드는 High Top”

물질의 세 가지 상태와 용액

반응 엔탈피와 화학 평형

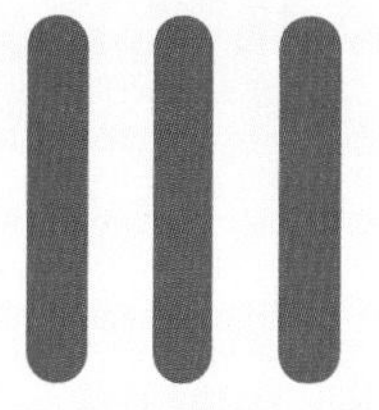

반응 속도와 촉매

전기 화학과 이용

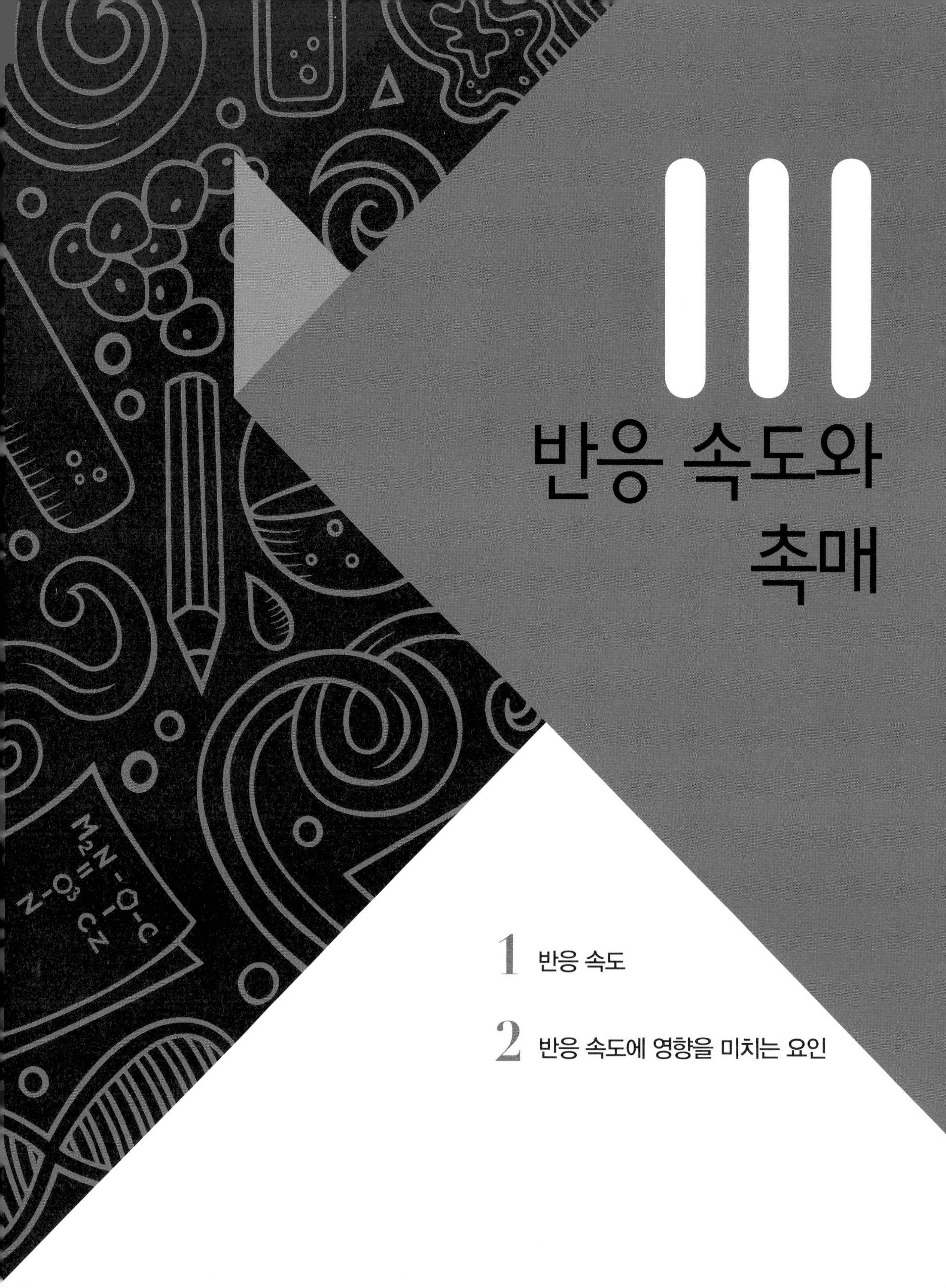

III 반응 속도와 촉매

1 반응 속도

2 반응 속도에 영향을 미치는 요인

1 반응 속도

단원 Preview

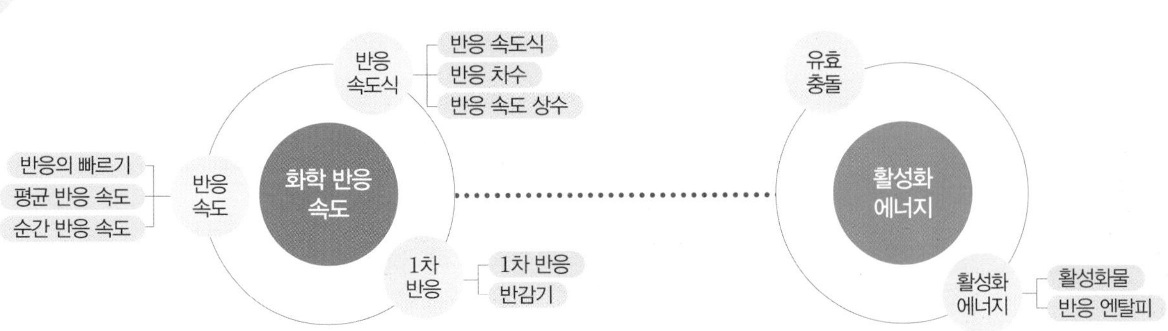

화학 반응 속도

활성화 에너지

01 화학 반응 속도

학습 Point 빠른 반응과 느린 반응 > 반응 속도의 정의 > 반응 차수와 반응 속도 상수 > 1차 반응과 반감기

1 빠른 반응과 느린 반응

거북이, 나무늘보, 토끼, 치타 등 다양한 동물들의 움직이는 속도가 다르듯이 우리 주변에서 일어나는 수많은 화학 변화들도 변화가 일어나는 빠르기가 다르다. 석회 동굴의 생성, 철의 부식 등과 같이 변화를 감지할 수 없을 정도로 느리게 일어나는 변화가 있는 반면, 폭발이나 연소와 같이 매우 빠르게 일어나는 변화들도 있다.

1. 빠른 반응

화학 반응은 원자의 재배열이 일어나는 과정으로, 반응물을 구성하는 원자 사이의 결합이 끊어지고 다른 원자 사이에 새로운 결합이 형성되는 과정이다. 일반적으로 수용액 속 이온 사이의 반응은 빠르게 일어나는데, 이는 반응물이 물에 녹아 양이온과 음이온으로 해리되어 존재하기 때문에 원자 사이의 결합을 끊을 필요가 없기 때문이다.

빠른 반응과 느린 반응의 구분
빠른 반응과 느린 반응은 실제로 명확하게 구분하기 어렵다. 예를 들어 연소 반응의 경우에는 빠른 반응으로 구분하지만 실제로 보통의 조건에서는 일어나지 않으며, 불꽃과 같은 조건이 가해졌을 때 빠르게 일어난다. 반면에 철의 부식은 일반적으로 느리게 진행되지만 조건에 따라서는 빠르게 진행될 수도 있다. 여기서 빠른 반응과 느린 반응은 일상 수준에서 관찰되는 현상을 이용한 구분이다.

(1) **앙금 생성 반응**

$Ag^+(aq) + Cl^-(aq) \longrightarrow AgCl(s)$

(2) **금속과 산의 반응**

$Mg(s) + 2HCl(aq) \longrightarrow MgCl_2(aq) + H_2(g)$

(3) **산과 염기의 중화 반응**

$HCl(aq) + NaOH(aq) \longrightarrow NaCl(aq) + H_2O(l)$

➡ 알짜 이온 반응식: $H^+(aq) + OH^-(aq) \longrightarrow H_2O(l)$

(4) **금속과 금속 염 수용액의 반응**

$Mg(s) + Cu^{2+}(aq) \longrightarrow Mg^{2+}(aq) + Cu(s)$

(5) **연소 반응**

$CH_4(g) + 2O_2(g) \longrightarrow CO_2(g) + 2H_2O(l)$

불꽃놀이

연료의 연소

폭발

▲ **빠른 반응의 예**

2. 느린 반응

일반적으로 공유 결합 분자 사이에 반응이 일어날 때는 반응물을 이루는 공유 결합이 끊어지는 데 에너지가 필요하기 때문에 느리게 일어난다.

(1) **암모니아의 합성**

$N_2(g) + 3H_2(g) \longrightarrow 2NH_3(g)$

(2) **아이오딘화 수소의 분해**

$2HI(g) \longrightarrow H_2(g) + I_2(g)$

(3) **철의 부식**

$4Fe(s) + 3O_2(g) + 2H_2O(l) \longrightarrow 2Fe_2O_3 \cdot 2H_2O(s)$

(4) **석회 동굴의 생성**

$CaCO_3(s) + CO_2(g) + H_2O(l) \longrightarrow Ca(HCO_3)_2(aq)$

(5) **요소의 합성**

$NH_4^+(aq) + OCN^-(aq) \longrightarrow (NH_2)_2CO(s)$

철의 부식 석회 동굴 생성 단풍

▲ **느린 반응의 예**

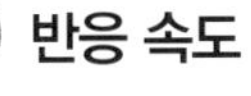

반응 속도

움직이는 물체의 빠르기, 즉 속력은 일정 시간 동안 이동한 거리로 나타낼 수 있다. 같은 시간 동안에 먼 거리를 이동할수록 속력이 빠르다. 그렇다면 화학 반응의 빠르기는 어떻게 나타낼 수 있을까?

1. 반응의 빠르기

화학 반응이 일어나면 반응물의 양은 감소하고 생성물의 양은 증가한다. 따라서 반응의 빠르기는 일정 시간 동안 감소한 반응물의 양 또는 일정 시간 동안 증가한 생성물의 양으로 나타낼 수 있다.

$$\text{반응의 빠르기} = \frac{\text{반응물의 감소량}}{\text{반응 시간}} \text{ 또는 } \frac{\text{생성물의 증가량}}{\text{반응 시간}}$$

과산화 수소(H_2O_2)의 분해 반응($2H_2O_2 \longrightarrow 2H_2O + O_2$)에서 5분 동안 100 mL의 산소($O_2$) 기체가 발생하였다면 반응의 빠르기는 $\frac{100\text{ mL}}{5\text{ min}} = 20\text{ mL/min}$으로 나타낼 수 있다.

철의 부식

철이 공기 중의 산소, 수분과 반응하여 급격히 강도가 약해지는 현상이다. 철을 공기 중에 놓아두면 표면에 붉은색 녹($Fe_2O_3 \cdot nH_2O$)이 생긴다.

석회 동굴의 생성

주성분이 탄산 칼슘($CaCO_3$)인 석회암 지대에는 크고 작은 수많은 석회 동굴이 존재한다. 탄산 칼슘은 물에 거의 녹지 않는 고체이지만, 이산화 탄소가 녹아 있는 물에는 다음과 같은 반응에 의해 서서히 녹는다.

$CaCO_3(s) + H_2O(l) + CO_2(g) \longrightarrow Ca(HCO_3)_2(aq)$

즉, 석회암 지대의 석회 동굴은 오랜 세월 동안 이산화 탄소가 녹은 빗물에 탄산 칼슘이 녹아 탄산수소 칼슘으로 변하는 과정에서 생성된 것이다.

2. 반응의 빠르기의 측정 방법

탐구 017쪽

(1) **기체가 발생하는 반응:** 기체가 발생하는 반응은 반응 시간에 따라 생성되는 생성물의 양을 측정하기 쉽기 때문에 반응의 빠르기를 측정할 때 많이 이용된다.

① **발생하는 기체의 부피 측정:** 반응에서 발생하는 기체를 주사기나 수상 치환의 방법으로 모아 일정 시간 동안 생성된 기체의 부피를 측정한다.

$$\text{반응의 빠르기}=\frac{\text{발생한 기체의 부피}}{\text{반응 시간}}$$

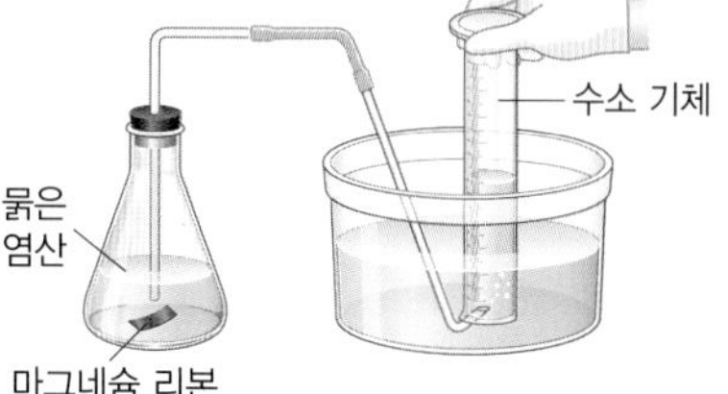

▲ **주사기를 이용하는 방법**　▲ **수상 치환을 이용하는 방법**

② **발생하는 기체의 질량 측정:** 반응에서 발생하는 기체는 용기 밖으로 빠져나가기 때문에 반응이 진행될수록 반응 용기의 전체 질량이 감소한다. 반응 용기를 저울 위에 올려놓고 질량 감소량을 측정하면 발생한 기체의 질량을 구할 수 있다.

▲ **기체의 질량을 측정하는 방법**

$$\text{반응의 빠르기}=\frac{\text{발생한 기체의 질량}}{\text{반응 시간}}=\frac{\text{감소한 반응물의 질량}}{\text{반응 시간}}$$

(2) **앙금이 생성되는 반응:** 앙금이 생성되는 반응의 경우 생성되는 앙금의 양을 직접 측정하기는 어렵다. 이 경우 앙금이 생성되면 용액이 점차 불투명해지므로 ×표를 한 종이 위에 반응 용기를 올려놓고 ×표가 보이지 않을 때까지 걸린 시간을 측정하여 반응의 빠르기를 구할 수 있다.

$$\text{반응의 빠르기}=\frac{1}{\text{×표가 보이지 않을 때까지 걸린 시간}}$$

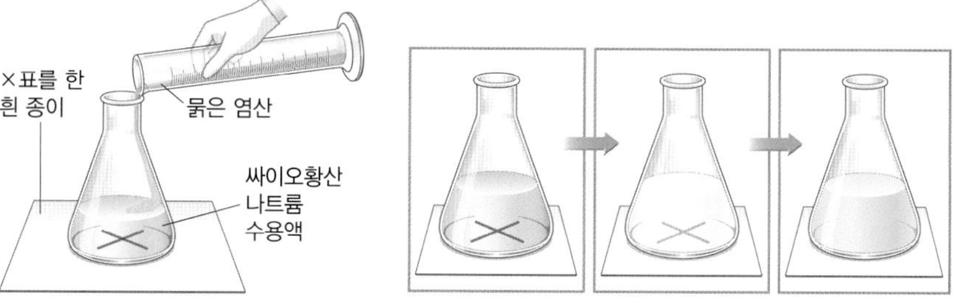

▲ **앙금 생성 반응을 이용하는 방법** $Na_2S_2O_3 + 2HCl \longrightarrow 2NaCl + H_2O + SO_2 + S\downarrow$ 반응에 의해 노란색 황(S)의 앙금이 생성되므로 플라스크 위에서 내려다볼 때 용액이 점점 불투명해져 ×표가 보이지 않게 된다.

수상 치환
물에 대한 용해도가 매우 작은 기체를 포집할 때 사용하는 방법이다.

반응의 빠르기 측정과 기체의 양
기체가 발생하는 반응에서 반응의 빠르기를 구하기 위해 기체의 부피 또는 질량을 측정할 때 수소(H_2)와 같이 분자량이 작은 기체가 발생하는 반응은 질량 변화가 작기 때문에 기체의 부피를 측정하고, 이산화 탄소(CO_2)와 같이 분자량이 큰 기체가 발생하는 반응은 기체의 질량을 측정한다.

발생하는 기체의 질량 측정
플라스크 입구를 솜으로 느슨하게 막은 것은 수증기가 빠져나가는 것을 막기 위한 것이며, 발생한 기체의 질량=감소한 전체 질량이다.

앙금이 생성되는 반응
앙금이 생성되면 용액이 점차 불투명해지며, 일정량 이상의 앙금이 생성되면 ×표가 보이지 않게 된다.

3. 반응 속도의 표현

대부분의 화학 반응에서 생성물은 반응물과 분리되지 않고 혼합물의 형태로 존재하기 때문에 생성물의 양을 측정할 때는 질량이나 부피보다 농도를 측정하는 것이 편리하다. 따라서 일반적으로 일정 시간 동안 변화한 반응물이나 생성물의 몰 농도를 측정하여 화학 반응 속도를 구한다.

(1) **반응 속도:** 반응 속도는 일정 시간 동안 감소한 반응물의 농도 변화량 또는 일정 시간 동안 증가한 생성물의 농도 변화량으로 나타낸다.

$$\text{반응 속도} = \frac{\text{반응물의 농도 감소량}}{\text{반응 시간}} \text{ 또는 } \frac{\text{생성물의 농도 증가량}}{\text{반응 시간}}$$

$H_2(g) + I_2(g) \longrightarrow 2HI(g)$ 반응에서 시간에 따른 농도 변화 그래프는 다음과 같다.

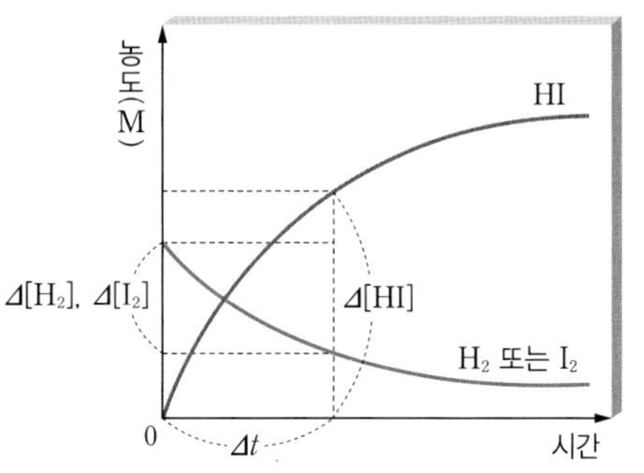

▲ **시간에 따른 물질의 농도 변화** 반응이 진행될수록 반응물의 농도는 감소하고, 생성물의 농도는 증가한다.

반응이 진행되는 동안 반응물인 H_2와 I_2의 농도는 감소하고, 생성물인 HI의 농도는 증가하므로 반응 속도는 다음과 같이 나타낼 수 있다.

- H_2의 반응 속도$= -\dfrac{\Delta[H_2]}{\Delta t}$
- I_2의 반응 속도$= -\dfrac{\Delta[I_2]}{\Delta t}$
- HI의 생성 속도$= \dfrac{\Delta[HI]}{\Delta t}$

H_2와 I_2의 농도는 감소하기 때문에 $\Delta[H_2]$와 $\Delta[I_2]$는 음의 값을 갖는데 반응 속도는 항상 양의 값이므로 반응물의 농도로 반응 속도를 나타낼 때는 (−) 부호를 붙인다.

또, 이 반응은 H_2 1몰과 I_2 1몰이 반응하여 HI 2몰이 생성되므로 같은 시간 동안 농도 변화량은 HI가 H_2 또는 I_2의 2배가 되어 HI의 생성 속도는 H_2 또는 I_2의 감소 속도의 2배가 된다. 하지만 같은 반응에서 반응 속도는 어느 물질을 기준으로 해도 같아야 하므로 이 반응의 반응 속도는 다음과 같이 나타낼 수 있다.

$$\text{반응 속도}(v) = -\frac{\Delta[H_2]}{\Delta t} = -\frac{\Delta[I_2]}{\Delta t} = \frac{1}{2}\frac{\Delta[HI]}{\Delta t}$$

따라서 일반적인 반응에서는 다음과 같이 반응 속도를 표현할 수 있다.

$$aA + bB \longrightarrow cC + dD$$

$$\text{반응 속도}(v) = -\frac{1}{a}\frac{\Delta[A]}{\Delta t} = -\frac{1}{b}\frac{\Delta[B]}{\Delta t} = \frac{1}{c}\frac{\Delta[C]}{\Delta t} = \frac{1}{d}\frac{\Delta[D]}{\Delta t}$$

반응 속도와 농도

반응 속도에서 사용하는 농도는 몰 농도이다. 이는 일반적으로 반응은 용액이나 기체 혼합물의 형태로 주로 진행되고, 화학 반응식에서 계수가 물질의 양(mol)과 관련이 있어 몰 농도를 사용하는 것이 편리하기 때문이다. 즉, $[H_2]$는 H_2의 몰 농도, $[I_2]$는 I_2의 몰 농도, [HI]는 HI의 몰 농도를 뜻한다.

반응 속도의 부호

움직이는 물체의 속도를 나타낼 때는 방향에 따라 속도가 양의 값을 갖기도 하고 음의 값을 갖기도 한다. 하지만 반응 속도에서는 한 방향으로 반응이 진행될 때 반응의 빠르기를 나타내는 것이므로 반응 속도는 항상 양의 값을 갖는다.

(2) **평균 반응 속도와 순간 반응 속도:** 자동차가 200 km를 달리는 데 2시간이 걸렸다면 자동차의 속력은 100 km/h로 나타내며, 이는 2시간 동안의 평균 속력을 뜻한다. 실제로 자동차는 시시각각 속력이 변화하기 때문에 속도계를 보면 특정 순간에서의 자동차의 속력을 알 수 있는데, 이러한 특정 순간에서의 속력이 순간 속력이다.

① **평균 반응 속도:** 일정 시간 동안(Δt)의 농도 변화로, 다음의 시간-농도 그래프에서 $-\frac{\Delta[\mathrm{A}]}{\Delta t}$로 나타낼 수 있으며, 이는 a점과 b점을 지나는 직선의 기울기와 같다.

② **순간 반응 속도:** 반응 시간(Δt)이 0이 될 정도로 매우 작으면 평균 반응 속도는 시간 t'에서의 순간 반응 속도가 되며, 이 값은 t'에서의 접선의 기울기$\left(-\frac{d[\mathrm{A}]}{dt}\right)$와 같다. 따라서 특정 시간에서의 순간 반응 속도는 시간-농도 그래프에서 접선의 기울기와 같으며, $t=0$일 때의 접선의 기울기를 초기 반응 속도라고 한다. 일반적으로 반응 속도를 비교할 때는 초기 반응 속도를 측정하여 비교한다.

평균 반응 속도

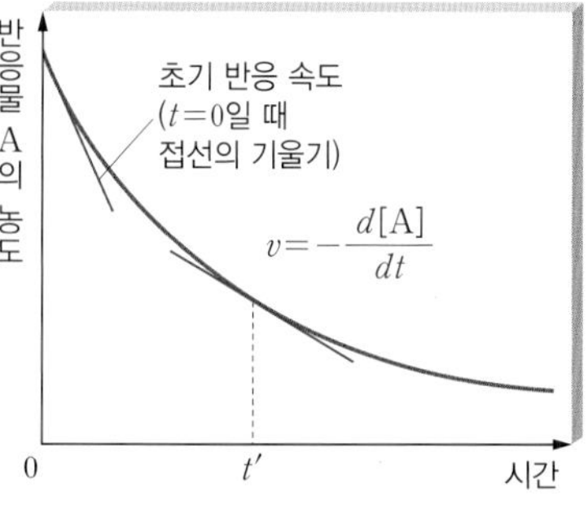

순간 반응 속도

▲ 시간-농도 그래프에서 평균 반응 속도와 순간 반응 속도

3 반응 속도식

일정한 온도에서 화학 반응이 일어나는 속도는 반응물의 종류와 농도에 따라 달라진다. 반응물의 농도와 반응 속도의 관계는 식으로 나타낼 수 있다.

1. 반응 속도식

일반적으로 반응 속도는 반응물의 농도에 비례한다. 일정한 온도에서 반응 속도와 반응물의 농도와의 관계를 나타낸 식을 반응 속도식이라고 하며 다음과 같이 나타낸다.

$$a\mathrm{A} + b\mathrm{B} \longrightarrow c\mathrm{C} + d\mathrm{D}$$

반응 속도(v)$=k[\mathrm{A}]^m[\mathrm{B}]^n$ (k: 반응 속도 상수, m과 n: 반응 차수)

2. 반응 차수

반응 속도가 반응물의 농도에 어떻게 비례하는지를 나타내는 것으로, 위 식에서 m과 n은 각각 A와 B에 대한 반응 차수이다. 이 반응은 A에 대해 m차, B에 대해 n차 반응이며, 전체 반응 차수는 $(m+n)$차이다. 반응 차수는 화학 반응식의 계수와는 관련이 없고 실험을 통해 결정된다.

반응 속도의 변화

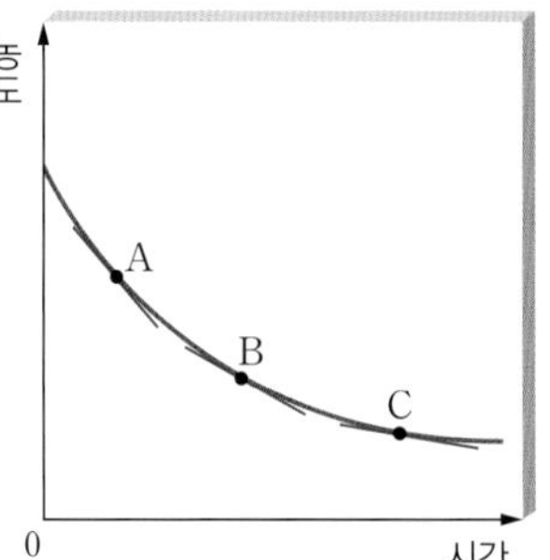

접선의 기울기는 A → B → C로 갈수록 작아지므로 반응 속도는 A>B>C이다. 즉, 시간이 지날수록 반응 속도가 느려진다. 그 이유는 반응 속도는 반응물의 농도에 비례하는데 시간이 지날수록 반응물의 농도가 감소하기 때문이다.

반응 차수

반응 차수는 대부분 정수인 경우만 다루고 있지만 항상 정수인 것은 아니다. 예를 들어 450 K에서 CH_3CHO 분해 반응의 반응 속도식은 $v=k[CH_3CHO]^{\frac{3}{2}}$이며, 이때 반응 차수는 $\frac{3}{2}$이다.

반응 차수는 대부분 화학 반응식의 계수와 무관하지만, 단일 단계 반응의 경우에는 화학 반응식의 계수와 반응 차수가 일치한다. 단일 단계 반응은 반응물이 충돌하여 중간 생성물을 거치지 않고 직접 생성물을 생성하는 반응이다.

예 반응 속도식이 $v=k[A]^2[B]$인 경우, 반응 속도는 [A]의 제곱에 비례하고 [B]에 정비례하며, A에 대해 2차, B에 대해 1차이므로 전체 반응은 3차 반응이다.

3. 반응 속도 상수

집중 분석 018쪽

반응 속도식에서 k는 반응 속도 상수라고 하는 비례 상수이고, 반응물의 농도와는 무관하며, 반응의 종류와 온도에 따라 달라진다.

반응 속도 상수의 단위

반응 속도 상수(k)의 단위는 정해져 있는 것이 아니라 반응 차수에 따라 달라진다.

반응 속도식	반응 차수	k의 단위
$v=k[A]$	1	1/s
$v=k[A][B]$	2	L/(mol·s)
$v=k[A]^2[B]$	3	$L^2/(mol^2 \cdot s)$

전체 반응 차수가 n차일 때 k의 단위는 $L^{(n-1)}/(mol^{(n-1)} \cdot s)$이다.

시선 집중 ★ 반응 차수의 결정

일산화 질소와 산소가 반응하여 이산화 질소를 생성하는 반응의 화학 반응식과 반응물의 초기 농도에 따른 반응 속도 측정 결과는 다음과 같다.

$$2NO(g) + O_2(g) \longrightarrow 2NO_2(g)$$

실험	[NO](mol/L)	$[O_2]$(mol/L)	초기 반응 속도(mol/(L·s))
Ⅰ	0.020	0.010	0.028
Ⅱ	0.020	0.020	0.056
Ⅲ	0.020	0.040	0.112
Ⅳ	0.040	0.020	0.224
Ⅴ	0.010	0.020	0.014

- 실험 Ⅰ, Ⅱ, Ⅲ에서 NO의 농도를 일정하게 하고 O_2의 농도를 2배씩 증가시켰을 때, 초기 반응 속도가 2배씩 증가한다. ➡ 반응 속도가 $[O_2]$에 정비례하므로 $[O_2]$에 대해 1차 반응이다.
- 실험 Ⅱ, Ⅳ, Ⅴ에서 O_2의 농도를 일정하게 하고 NO의 농도를 2배씩 증가시켰을 때, 초기 반응 속도가 4배씩 증가한다. ➡ 반응 속도가 $[NO]^2$에 비례하므로 [NO]에 대해 2차 반응이다.
- 반응 속도식은 $v=k[NO]^2[O_2]$이고, 전체 반응 차수는 3차이다.
- 반응 속도식에 실험 Ⅰ~Ⅴ 중 하나의 자료를 대입하면 k를 구할 수 있다. ➡ 실험 Ⅰ을 이용하면

$$k=\frac{v}{[NO]^2[O_2]}=\frac{0.028\ mol/(L \cdot s)}{(0.020\ mol/L)^2(0.010\ mol/L)}=7.0\times10^3\ L^2/(mol^2 \cdot s)$$이다.

예제

표는 $2A(g) + B(g) \longrightarrow 2C(g)$ 반응에서 A와 B의 초기 농도를 변화시키면서 초기 반응 속도를 측정한 결과이다. (단, 온도는 일정하다.)

실험	[A](mol/L)	[B](mol/L)	초기 반응 속도(mol/(L·s))
Ⅰ	0.1	0.1	2.0×10^{-3}
Ⅱ	0.1	0.2	2.0×10^{-3}
Ⅲ	0.2	0.1	4.0×10^{-3}

(1) 반응 속도식을 구하시오.

(2) 반응 속도 상수(k)를 구하시오.

해설 (1) 실험 Ⅰ과 Ⅱ에서 [B]를 2배로 증가시켰는데도 반응 속도는 변하지 않으므로 이 반응의 반응 속도는 [B]와 무관하다. 따라서 [B]에 대해 0차 반응이다. 실험 Ⅰ과 Ⅲ에서 [A]를 2배 증가시켰을 때 반응 속도도 2배로 증가하므로 [A]에 대해 1차 반응이다. 따라서 반응 속도식은 $v=k[A]$이다.

(2) 반응 속도식에 실험 Ⅰ의 결과를 대입하면 $k=\frac{v}{[A]}=\frac{2.0\times10^{-3}\ mol/(L \cdot s)}{0.1\ mol/L}=2.0\times10^{-2}\ /s$이다.

정답 (1) $v=k[A]$ (2) 2.0×10^{-2} /s

4 1차 반응과 반감기

화학 반응이 일어날수록 반응물의 농도가 감소하므로 반응 속도가 점점 느려지는데, 반응물의 농도가 감소하는 경향은 반응 차수에 따라 달라진다.

1. 1차 반응의 속도 변화

심화 019~020쪽

오산화 이질소(N_2O_5)의 분해 반응인 $2N_2O_5(g) \longrightarrow 4NO_2(g) + O_2(g)$은 1차 반응이므로 반응 속도식은 $v=k[N_2O_5]$로 나타낼 수 있다. 이때 반응 속도가 N_2O_5의 농도에 정비례하므로 농도-속도 그래프는 직선으로 나타나며, 직선의 기울기는 반응 속도 상수 k와 같다.

반응 속도 / 기울기$=k$ / 0 / 반응물의 농도

▲ 1차 반응의 농도-속도 그래프

2. 반감기

N_2O_5의 분해 반응에서 반응물인 N_2O_5의 농도를 반응 시간에 따라 측정하여 나타낸 그래프에서 N_2O_5의 농도가 반으로 줄어드는 데 걸리는 시간은 100초로 일정하며, 이 시간을 반감기($t_{1/2}$)라고 한다. 1차 반응에서 반감기는 농도와 상관없이 항상 일정하기 때문에 반감기가 일정한 반응은 1차 반응이라고 판단할 수 있다.

반응물의 농도 / 16 / 8 / 4 / 2 / 0 / $t_{1/2}$ / $t_{1/2}$ / $t_{1/2}$ / 100 / 200 / 300 / 400 / 반응 시간(s)

◀ **1차 반응의 시간-농도 그래프** 1차 반응은 반감기($t_{1/2}$)가 일정하다.

반감기
반응물의 농도가 처음의 반으로 감소하는 데 걸리는 시간을 반감기라고 한다. 반감기는 반응 차수에 따라 다른 특성을 나타내기 때문에 반감기를 측정하여 반응 차수를 판단할 수도 있다.

반감기를 이용한 연대 측정
방사성 동위 원소의 붕괴 반응은 1차 반응으로 반감기가 일정하므로 화석의 연대 측정에도 이용된다. 방사성 동위 원소인 ^{14}C는 끊임없이 분해되고 우주선(cosmic rays)에 의해 생성되므로 대기 중에 일정한 비율로 존재한다. 생물체는 호흡을 통해 끊임없이 대기와 물질을 교환하기 때문에 ^{14}C의 비율은 대기와 같은 비율을 유지한다. 그러나 죽은 생물체는 호흡을 하지 않기 때문에 물질의 교환이 중단되고 ^{14}C는 사체 내에서 더 이상 생성되지 않고 분해가 일어나 양이 감소한다. 따라서 대기 중의 ^{14}C 비율과 사체 내의 ^{14}C 비율을 비교하면 반감기로부터 화석이 생성된 연대를 계산할 수 있다.

시야 확장 **0차 반응의 특징**

❶ 일산화 이질소(N_2O)의 분해 반응인 $N_2O(g) \longrightarrow N_2(g) + \frac{1}{2}O_2(g)$은 0차 반응이므로 반응 속도식은 $v=k[N_2O]^0=k$이다. 따라서 N_2O의 농도에 관계없이 반응 속도는 k로 일정하며, N_2O의 농도는 반응 시간에 따라 일정하게 감소한다.

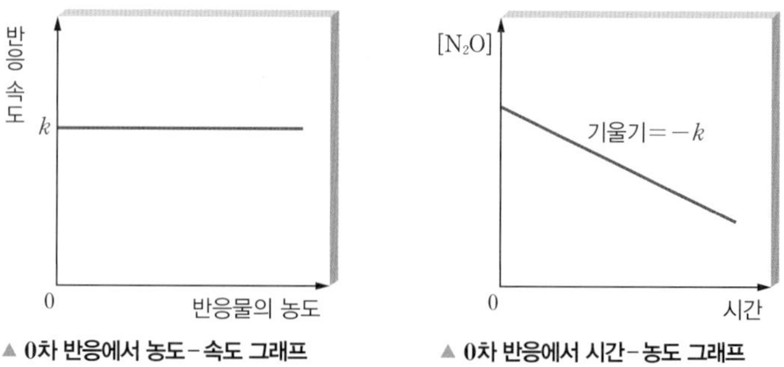

▲ 0차 반응에서 농도-속도 그래프 ▲ 0차 반응에서 시간-농도 그래프

❷ 위 반응에서 초기 농도를 $[N_2O]_0$, t 시간 후의 N_2O 농도를 $[N_2O]_t$라고 하면 다음과 같은 식이 성립하여 특정 시간에서 N_2O의 농도를 구할 수 있다.
$[N_2O]_t=[N_2O]_0-kt$

과정이 살아 있는 탐구

화학 반응의 빠르기

기체가 발생하는 반응에서 발생한 기체의 부피를 측정하여 화학 반응의 빠르기를 나타낼 수 있다.

과정

1 0.5 M 묽은 염산(HCl) 50 mL를 삼각 플라스크에 넣고 그림과 같이 주사기를 연결한다.

2 묽은 염산이 담긴 삼각 플라스크에 마그네슘(Mg) 리본 3 cm를 잘라 넣고 재빨리 고무마개로 막는다.

3 10초 간격으로 피스톤의 위치에 따른 눈금을 읽어 발생한 수소 기체의 부피를 측정한다.

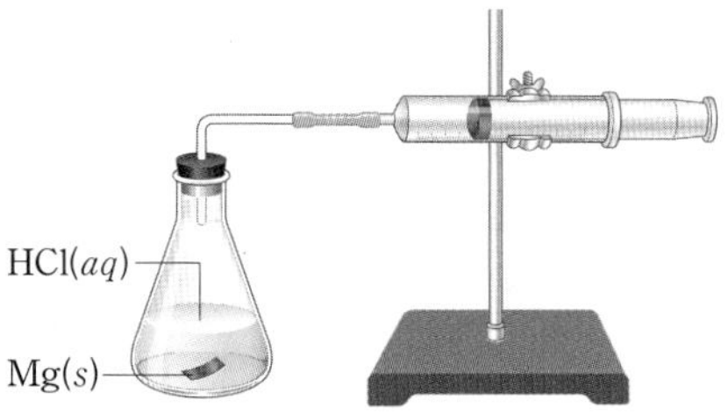

HCl(aq)
Mg(s)

유의점
- 묽은 염산이 피부에 묻지 않도록 주의하며, 피부에 묻을 경우 즉시 수돗물로 세척한다.
- 마그네슘 리본을 넣자마자 반응이 빠르게 진행되므로 고무마개를 최대한 빨리 막아야 한다.
- 주사기의 피스톤은 기체가 새는 것을 막고 마찰을 줄이기 위해 바세린과 같은 물질을 발라주는 것이 좋다.

결과 및 해석

1 일정 시간 간격으로 측정한 수소 기체의 부피는 다음과 같다.

반응 시간(s)	수소 기체의 부피(mL)
0	0
10	17
20	30
30	41
40	47
50	48
60	48

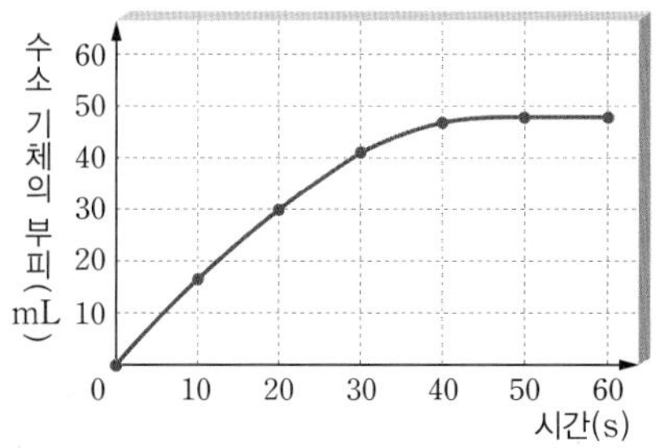

수소 기체의 부피(mL)
60
50
40
30
20
10
0
10
20
30
40
50
60
시간(s)

2 매 10초마다 발생한 기체의 부피는 시간이 지날수록 어떻게 변하는가?

➡ 처음 10초 동안은 17 mL가 발생하였고, 그 다음 매 10초 동안 각각 13 mL, 11 mL, 6 mL, 1 mL, 0 mL로 계속 감소한다.

3 처음 20초 동안의 평균 반응 속도는?

➡ 평균 반응 속도$=\dfrac{\text{발생한 수소의 부피}}{\text{반응 시간}}=\dfrac{30\text{ mL}}{20\text{ s}}=1.5\text{ mL/s}$

정리
- 기체가 발생하는 반응의 빠르기는 일정 시간 동안 생성되는 기체의 부피를 측정하여 구할 수 있다.
- 반응의 빠르기는 $\dfrac{\text{발생한 기체의 부피}}{\text{반응 시간}}$이고, 일정 시간 동안 발생하는 기체의 부피는 시간이 지날수록 감소한다.

탐구 확인 문제

› 정답과 해설 134쪽

01 위 탐구에 대한 설명으로 옳은 것은?

① 반응이 끝난 시간은 60초이다.
② 반응 속도의 단위는 s/mL이다.
③ 속도가 가장 빠른 구간은 10~20초이다.
④ 시간이 지날수록 반응 속도가 점차 느려진다.
⑤ 전체 반응 속도는 초기 반응 속도보다 빠르다.

02 묽은 염산과 석회석이 반응하여 이산화 탄소가 발생하는 반응에서 발생하는 기체의 질량을 측정하여 반응의 빠르기를 구하고자 한다. 이 실험에서 반응의 빠르기를 질량과 반응 시간을 포함하여 쓰시오.

실전에 대비하는

집중분석

반응 차수의 결정과 반응 속도 상수 구하기

반응물의 농도 변화에 따른 반응 속도 측정 값으로 반응 속도식을 결정하고, 이로부터 반응 속도 상수를 구하는 방법을 연습해 보자. 또, 시간에 따른 반응물의 농도 변화 그래프로부터 반응 차수를 판단해 보자.

❶ 실험 결과로부터 반응 속도식 결정

$$(CH_3)_3CBr + OH^- \longrightarrow (CH_3)_3COH + Br^-$$

실험	$[(CH_3)_3CBr]$ (mol/L)	$[OH^-]$ (mol/L)	초기 반응 속도 (mol/(L·s))
Ⅰ	0.10	0.10	1.0×10^{-3}
Ⅱ	0.20	0.10	2.0×10^{-3}
Ⅲ	0.10	0.20	1.0×10^{-3}

- 반응 속도식: $v=k[(CH_3)_3CBr]^m[OH^-]^n$
- $(CH_3)_3CBr$의 반응 차수: 실험 Ⅰ과 Ⅱ에서 $[OH^-]$가 같고 $[(CH_3)_3CBr]$가 2배일 때 반응 속도도 2배이므로 $m=1$이다.
- OH^-의 반응 차수: 실험 Ⅰ과 Ⅲ에서 $[(CH_3)_3CBr]$가 같고 $[OH^-]$가 2배일 때 반응 속도는 같으므로 $n=0$이다.
- 반응 속도식: $v=k[(CH_3)_3CBr]$
- 반응 속도 상수(k): 실험 Ⅰ의 값을 반응 속도식에 대입하여 구한다.

$$k=\frac{v}{[(CH_3)_3CBr]}=\frac{1.0\times10^{-3}\ \text{mol/(L·s)}}{0.10\ \text{mol/L}}=1.0\times10^{-2}\ /\text{s}$$

- $[(CH_3)_3CBr]$이 0.30 mol/L, $[OH^-]$이 0.30 mol/L일 때 반응 속도: 반응 속도는 $[(CH_3)_3CBr]$에만 정비례하므로 실험 Ⅰ의 3배인 3.0×10^{-3} mol/(L·s)이다.

❷ 시간-농도 그래프에서 반응 차수의 결정

$$2N_2O_5(g) \longrightarrow 4NO_2(g) + O_2(g)$$

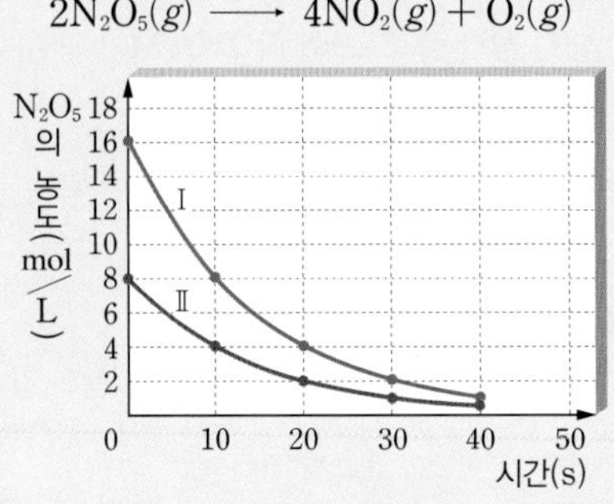

- 반응 차수: Ⅰ에서 10초 간격으로 $[N_2O_5]$가 16 mol/L → 8 mol/L → 4 mol/L → 2 mol/L → 1 mol/L로 일정하게 절반씩 감소하므로 반감기($t_{1/2}$)는 10초이다.
  ➡ 반감기가 일정하므로 1차 반응이다.
- 반응 속도식: $v=k[N_2O_5]$
- Ⅰ에서 50초일 때 $[N_2O_5]$: $t_{1/2}$이 10초이므로 40초일 때 농도의 절반인 0.5 mol/L이다.
- 초기 농도가 다른 Ⅱ에서도 10초 간격으로 $[N_2O_5]$가 8 mol/L → 4 mol/L → 2 mol/L → 1 mol/L → 0.5 mol/L로 감소하므로 반감기가 10초이다.
  ➡ 1차 반응에서 반감기는 반응물의 농도에 무관하다.

정답과 해설 134쪽

유제

그림은 강철 용기에서 $2A(g) \longrightarrow B(g)$ 반응이 일어날 때 시간에 따른 A의 농도를 나타낸 것이다.

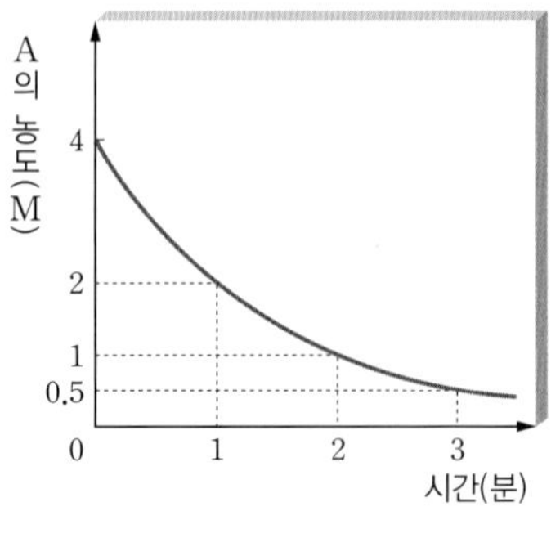
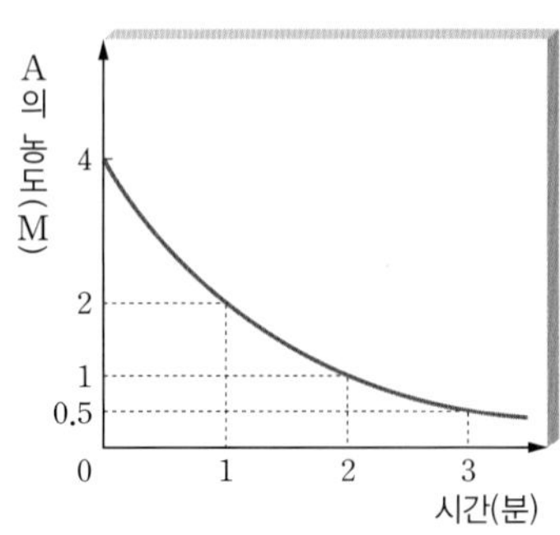

이에 대한 설명으로 옳은 것만을 보기에서 있는 대로 고른 것은? (단, 온도는 일정하다.)

보기
ㄱ. 1차 반응이다.
ㄴ. 반응 속도 상수(k)는 시간이 지날수록 감소한다.
ㄷ. 4분에서의 순간 반응 속도는 초기 반응 속도의 $\frac{1}{16}$이다.

① ㄴ ② ㄷ ③ ㄱ, ㄴ
④ ㄱ, ㄷ ⑤ ㄱ, ㄴ, ㄷ

차이를 만드는 심화

적분 속도 법칙

반응 속도식만으로는 반응이 시작된 후 어떤 특정한 시간에서 반응물과 생성물의 농도를 알아낼 수 없다. 이 경우에는 반응물이나 생성물의 농도를 시간의 함수로 직접 나타낼 수 있는 적분 속도식을 이용하는 것이 편리하다. 0차 반응과 1차 반응에서의 적분 속도식을 알아보자.

❶ 0차 반응

'A ⟶ 생성물' 형태의 반응에서 이 반응이 0차 반응이라면 다음과 같은 반응 속도식이 성립한다.

$v=-\dfrac{d[A]}{dt}=k[A]^0=k$

$d[A]=-kdt$

시간 $t=0$에서의 A의 초기 농도 $[A]_0$에서 시간 t에서의 농도 $[A]_t$까지를 적분하면 $\int_{[A]_0}^{[A]_t} d[A]=-\int_0^t kdt$에서 $[A]_t=-kt+[A]_0$의 식을 얻을 수 있으므로 특정 시간에서의 반응물의 농도 $[A]_t$를 알 수 있다.

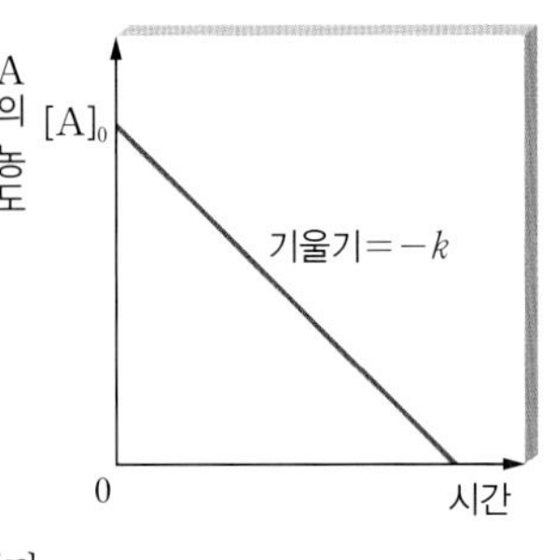

한편, 반감기는 반응물의 농도가 처음 농도의 반으로 줄어드는 데 걸리는 시간이므로 $t_{1/2}$에서 $[A]_t$는 $\dfrac{1}{2}[A]_0$이다.

따라서 $\dfrac{1}{2}[A]_0=-kt_{1/2}+[A]_0$가 되므로 반감기는 $t_{1/2}=\dfrac{[A]_0}{2k}$이 된다. 이로부터 0차 반응의 반감기는 초기 농도에 비례한다.

❷ 1차 반응

'A ⟶ 생성물' 형태의 반응에서 이 반응이 1차 반응이라면 다음과 같은 반응 속도식이 성립한다.

$v=-\dfrac{d[A]}{dt}=k[A]$

$\dfrac{1}{[A]}d[A]=-kdt$

시간 $t=0$에서의 A의 초기 농도 $[A]_0$에서 시간 t에서의 농도 $[A]_t$까지를 적분하면

$\int_{[A]_0}^{[A]_t}\dfrac{1}{[A]}d[A]=-\int_0^t kdt$이고, 적분 법칙에서 $\int_0^t \dfrac{1}{x}dx=\ln x$이므로

$\ln[A]_t-\ln[A]_0=-kt$가 되어 다음과 같은 두 식이 얻어진다.

$\ln[A]_t=-kt+\ln[A]_0$ ⋯ ①

$\ln\dfrac{[A]_t}{[A]_0}=-kt$ ⋯ ②

1차 반응에서 특정 시간에서의 반응물 농도

②식을 변형하면 $\dfrac{[A]_t}{[A]_0}=e^{-kt}$ ➡ $[A]_t=[A]_0e^{-kt}$식이 얻어지며, 이 식을 이용하여 반응물의 초기 농도로부터 특정 시간에서의 반응물 농도를 구할 수 있다.

①식을 이용하여 시간에 따른 $\ln[A]_t$의 변화를 나타내면 $\ln[A]_0$를 y절편으로 하는 직선 그래프가 얻어지며, 직선의 기울기는 $-k$가 되므로 반응 속도 상수(k)를 구할 수 있다.

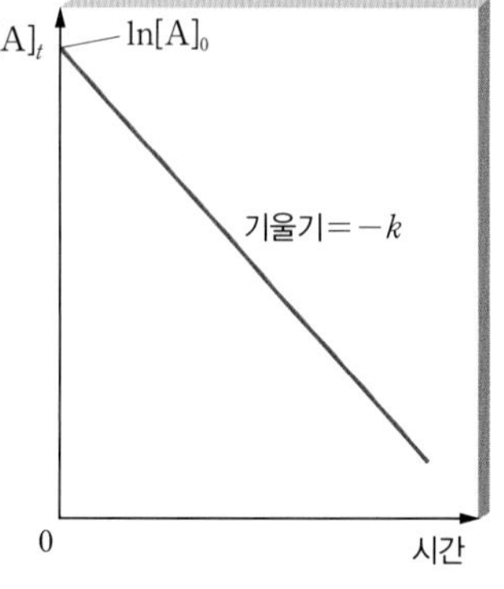

한편, ②식을 이용하면 반감기를 구할 수 있는데 $t_{1/2}$에서 $[A]_t$는 $\frac{1}{2}[A]_0$이므로

$\ln\frac{[A]_t}{[A]_0}=\ln\frac{\frac{[A]_0}{2}}{[A]_0}=\ln\frac{1}{2}=-\ln2=-kt_{1/2}$에

의해 $t_{1/2}=\frac{\ln2}{k}=\frac{0.693}{k}$이 된다.

따라서 1차 반응의 경우에는 0차 반응과 달리 반감기는 반응물의 농도와 관계없이 일정한 값을 가지며, 반응 속도 상수(k)로부터 구할 수 있다. 1차 반응의 반감기는 반응 속도 상수에 반비례한다.

❸ 2차 반응

'A ⟶ 생성물' 형태의 반응에서 이 반응이 2차 반응이라면 다음과 같은 반응 속도식이 성립한다.

$$v=-\frac{d[A]}{dt}=k[A]^2 \qquad \frac{1}{[A]^2}d[A]=-kdt$$

시간 $t=0$에서의 A의 초기 농도 $[A]_0$에서 시간 t에서의 농도 $[A]_t$까지를 적분하면

$\int_{[A]_0}^{[A]_t}\frac{1}{[A]^2}d[A]=-\int_0^t kdt$이고, 적분 법칙에 의해 $\int\frac{1}{x^2}dx=-\frac{1}{x}$이므로 다음과 같은 식이 얻어진다.

$$-\frac{1}{[A]_t}+\frac{1}{[A]_0}=-kt \qquad \frac{1}{[A]_t}=kt+\frac{1}{[A]_0} \cdots ③$$

③식을 이용하여 시간에 따른 $\frac{1}{[A]_t}$의 변화를 나타내면 $\frac{1}{[A]_0}$을 y절편으로 하는 직선 그래프가 얻어지며, 직선의 기울기는 k가 되므로 반응 속도 상수(k)를 구할 수 있다.

한편, ③식을 이용하여 반감기를 구할 수 있는데, $t_{1/2}$에서 $[A]_t$는 $\frac{1}{2}[A]_0$이므로 다음과 같다.

$$\frac{2}{[A]_0}=kt_{1/2}+\frac{1}{[A]_0} \qquad kt_{1/2}=\frac{1}{[A]_0}$$

즉, 반감기 $t_{1/2}=\frac{1}{k[A]_0}$이다. 따라서 2차 반응에서 반감기는 초기 농도에 반비례한다.

2차 반응의 다른 형태

'A + B ⟶ 생성물' 형태의 반응이고 반응 속도식이 $v=k[A][B]$인 경우 적분 속도식을 얻기 위해서는 좀 더 복잡한 과정이 필요하며, 얻어지는 적분 속도식도 다르게 나타난다.

개념 모아 정리하기

정답과 해설 134쪽

01 화학 반응 속도

1. 반응 속도

① 빠른 반응과 느린 반응

(❶) 반응	(❷) 반응
앙금 생성 반응, 금속과 산의 반응, 중화 반응, 금속과 금속염 수용액의 반응, 연소 반응 등	암모니아의 합성, 아이오딘화 수소의 분해, 철의 부식, 석회 동굴의 생성, 요소의 합성 등

② 반응 속도

1. 반응의 빠르기

반응의 빠르기 $=\dfrac{(❸ \quad)\text{의 감소량}}{\text{반응 시간}}$ 또는 $\dfrac{(❹ \quad)\text{의 증가량}}{\text{반응 시간}}$

2. 반응의 빠르기 측정 방법

기체 발생 반응		앙금 생성 반응
일정 시간 동안 발생하는 기체의 부피 측정	일정 시간 동안 발생하는 기체의 질량 측정	일정량의 앙금이 생성되는 데 걸리는 시간 측정

3. 반응 속도의 표현

- $a\text{A} + b\text{B} \longrightarrow c\text{C} + d\text{D}$의 반응에서 반응 속도 표현

  반응 속도$(v)=-\dfrac{1}{a}\dfrac{\varDelta[\text{A}]}{\varDelta t}=-\dfrac{1}{b}\dfrac{\varDelta[\text{B}]}{\varDelta t}=\dfrac{1}{c}\dfrac{\varDelta[\text{C}]}{\varDelta t}=\dfrac{1}{d}\dfrac{\varDelta[\text{D}]}{\varDelta t}$
- 평균 반응 속도: 일정 시간 동안의 농도 변화량으로, 시간-농도 그래프에서 두 점을 연결하는 직선의 기울기
- 순간 반응 속도: 특정 시간에서의 반응 속도로, 시간-농도 그래프에서 특정 시간에 해당하는 점에서의 (❺)의 기울기

③ 반응 속도식

반응 속도식 $a\text{A} + b\text{B} \longrightarrow c\text{C} + d\text{D}$의 반응에서 반응 속도$(v)=k[\text{A}]^m[\text{B}]^n$이다.

- 반응 차수(m, n): 화학 반응식의 계수와는 무관하고 실험에 의해 결정할 수 있으며, A에 대해 (❻)차, B에 대해 (❼)차이고, 전체 반응 차수는 (❽)차이다.
- 반응 속도 상수(k): 비례 상수로, 농도에는 무관하고 (❾)에 의해서 변한다. 반응 속도식에 실험 결과를 대입하여 구할 수 있다.

④ 1차 반응과 반감기

1. **1차 반응** 반응 속도 $v=k[\text{A}]$의 형태로 나타내며, 반응 속도는 반응물의 농도에 정비례한다.
2. **반감기$(t_{1/2})$** 반응물의 농도가 처음 농도의 (❿)으로 감소하는 데 걸리는 시간으로, (⓫)차 반응에서는 반응물의 농도에 관계없이 반감기가 일정하다.

> 정답과 해설 134쪽

01 다음 중 반응의 빠르기가 가장 느릴 것으로 예상되는 반응은?

① $2H_2(g) + O_2(g) \longrightarrow 2H_2O(l)$
② $H^+(aq) + OH^-(aq) \longrightarrow H_2O(l)$
③ $Ag^+(aq) + Cl^-(aq) \longrightarrow AgCl(s)$
④ $CH_4(g) + 2O_2(g) \longrightarrow CO_2(g) + 2H_2O(l)$
⑤ $4Fe(s) + 3O_2(g) + 2H_2O(l) \longrightarrow 2Fe_2O_3 \cdot 2H_2O(s)$

02 다음은 일산화 질소(NO)와 산소(O_2)가 반응하여 이산화 질소(NO_2)를 생성하는 반응의 화학 반응식이다.

$$2NO(g) + O_2(g) \longrightarrow 2NO_2(g)$$

$\frac{\Delta[O_2]}{\Delta t}$와 $\frac{\Delta[NO_2]}{\Delta t}$ 사이의 관계식을 쓰시오.

03 마그네슘과 묽은 염산을 반응시키면 다음과 같은 반응이 일어난다.

$$Mg + 2HCl \longrightarrow MgCl_2 + H_2$$

그림과 같은 장치를 이용하여 위 반응의 빠르기를 측정할 때 반드시 측정해야 하는 변인 2가지를 쓰시오.

04 다음은 일정량의 석회석($CaCO_3$)이 충분한 양의 묽은 염산과 반응할 때의 화학 반응식과, 이 반응에서 발생하는 기체의 부피를 일정한 시간 간격으로 측정한 결과를 나타낸 것이다.

$$CaCO_3(s) + 2HCl(aq) \longrightarrow CaCl_2(aq) + H_2O(l) + CO_2(g)$$

반응 시간(s)	0	10	20	30	40	50	60
기체의 부피(mL)	0	30	46	55	58	60	60

이에 대한 설명으로 옳은 것만을 보기에서 있는 대로 고르시오. (단, 온도는 일정하다.)

보기
ㄱ. 0차 반응이다.
ㄴ. 30~40초 사이의 평균 반응 속도는 3 mL/s이다.
ㄷ. 평균 반응 속도가 가장 큰 구간은 0~10초이다.

05 그림은 $A(g) \longrightarrow B(g)$ 반응에서 반응 시간에 따른 A의 농도를 나타낸 것이다.

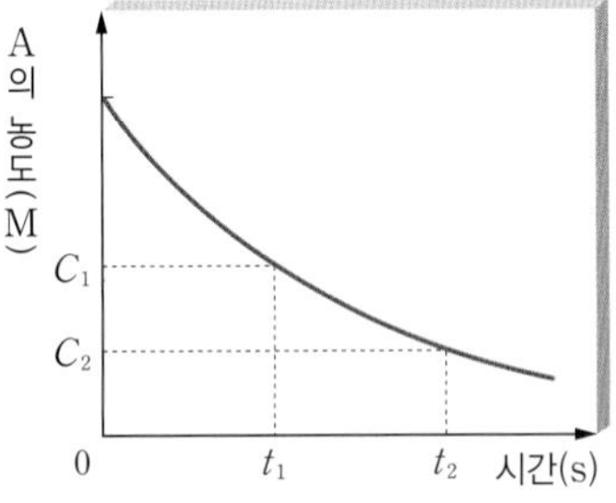

이에 대한 설명으로 옳은 것만을 보기에서 있는 대로 고르시오. (단, 온도는 일정하다.)

보기
ㄱ. A의 농도가 클수록 반응 속도가 크다.
ㄴ. 순간 반응 속도는 t_1에서가 t_2에서보다 크다.
ㄷ. t_1~t_2 구간의 평균 반응 속도는 $-\frac{C_2-C_1}{t_2-t_1}$ M/s 이다.

06 표는 오산화 이질소(N_2O_5)의 분해 반응에서 시간에 따른 N_2O_5의 농도를 나타낸 것이다.

시간(s)	0	20	40	60	80	100	120
$[N_2O_5]$ (mol/L)	0.200	0.140	0.100	0.070	0.050	0.035	0.025

반응 시작 후 160초일 때 N_2O_5의 농도를 구하시오. (단, 온도는 일정하다.)

07 일산화 질소(NO)와 산소(O_2)는 다음과 같이 반응한다.

$$2NO(g) + O_2(g) \longrightarrow 2NO_2(g)$$

표는 25 °C에서 NO와 O_2의 초기 농도를 달리하면서 초기 반응 속도를 측정한 결과이다.

실험	처음 농도(M)		초기 반응 속도 (M/s)
	[NO]	$[O_2]$	
Ⅰ	0.02	0.01	0.03
Ⅱ	0.02	0.02	0.06
Ⅲ	0.04	0.02	0.24

(1) 반응 속도식을 쓰시오. (단, 반응 속도 상수는 k로 나타내시오.)

(2) 반응 속도 상수 k의 값을 단위와 함께 쓰시오.

08 그림은 $2A(g) \longrightarrow B(g)$ 반응에서 반응 용기 속 A와 B의 입자 수를 모형으로 나타낸 것이다. (단, 온도는 일정하다.)

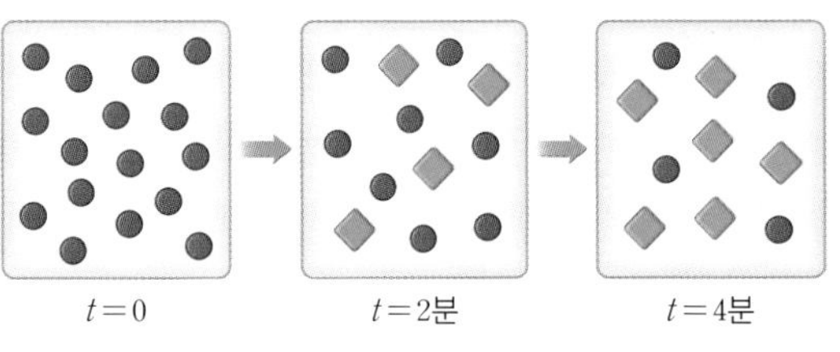

(1) 이 반응의 반응 속도식을 쓰시오.

(2) t=6분에서 용기 속 입자 수비(A : B)를 쓰시오.

09 그림은 물질 X의 분해 반응에서 조건을 달리하여 반응시켰을 때, 시간에 따른 X의 농도를 나타낸 것이다.

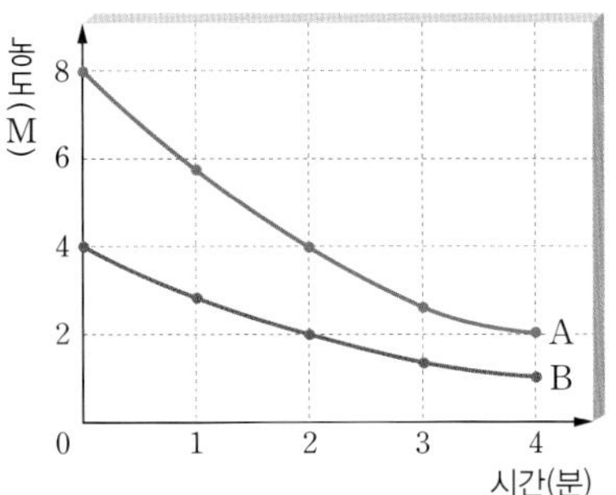

이에 대한 설명으로 옳은 것만을 보기에서 있는 대로 고르시오.

보기
ㄱ. 반응 온도는 A가 B보다 높다.
ㄴ. 처음 2분 동안의 반응 속도는 A가 B의 2배이다.
ㄷ. 8분일 때 X의 농도는 A가 B의 2배이다.

10 그림은 $A \longrightarrow 2B$ 반응에서 A의 초기 농도에 따른 초기 반응 속도를 나타낸 것이다.

이에 대한 설명으로 옳은 것만을 보기에서 있는 대로 고르시오. (단, 온도는 일정하다.)

보기
ㄱ. 1차 반응이다.
ㄴ. 반응 속도 상수(k)는 3 /s이다.
ㄷ. A의 반감기는 Q에서가 P에서의 2배이다.

개념 적용 문제 01 화학 반응 속도

> 정답과 해설 135쪽

01 > 반응의 빠르기 측정 방법

다음은 반응의 빠르기를 측정하는 2가지 방법이다.

- 그림 (가)와 같이 장치하고, 발생하는 기체의 부피를 일정 시간 간격으로 측정한다.
- 그림 (나)와 같이 장치하고, ×표가 보이지 않을 때까지 걸린 시간을 측정한다.

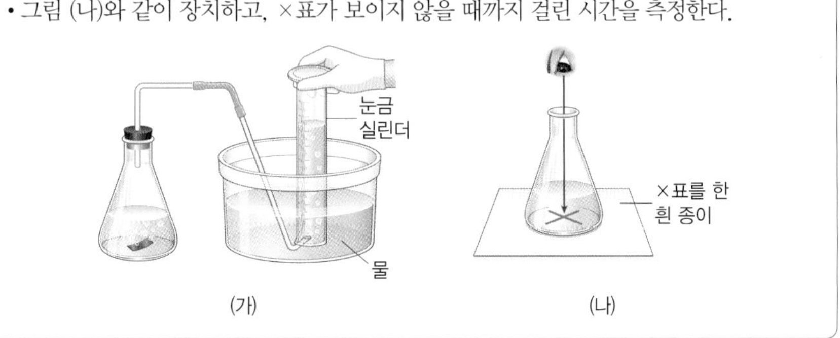

이에 대한 설명으로 옳은 것만을 보기에서 있는 대로 고른 것은?

보기

ㄱ. (가)는 $NH_3(g)$가 생성되는 반응의 빠르기를 측정하는 데 이용할 수 있다.

ㄴ. (나)는 앙금이 생성되는 반응에 이용할 수 있다.

ㄷ. (가)와 (나)를 이용하여 측정한 반응의 빠르기의 단위는 같다.

① ㄱ ② ㄴ ③ ㄱ, ㄷ ④ ㄴ, ㄷ ⑤ ㄱ, ㄴ, ㄷ

• (가)와 같이 기체를 포집하는 방법을 수상 치환이라고 하며, 물에 잘 녹지 않는 기체를 포집할 때 이용한다.

02 > 반응 속도와 농도의 관계

표는 A + B ⟶ C의 반응에서 반응물 농도와 반응 속도의 관계를 알아보기 위해 A와 B의 초기 농도를 변화시키면서 초기 반응 속도를 측정한 결과이다.

실험	A(M)	B(M)	초기 반응 속도(M/s)
Ⅰ	0.02	0.02	0.2
Ⅱ	0.04	0.02	0.4
Ⅲ	0.02	0.04	0.8

이에 대한 설명으로 옳은 것만을 보기에서 있는 대로 고른 것은? (단, 온도는 일정하다.)

보기

ㄱ. A에 대해 1차 반응이다.

ㄴ. B 농도의 영향을 알아보기 위해서는 실험 Ⅰ과 Ⅲ을 비교해 보아야 한다.

ㄷ. A와 B의 농도가 각각 0.04 M일 때 초기 반응 속도는 1.6 M/s이다.

① ㄱ ② ㄴ ③ ㄱ, ㄷ ④ ㄴ, ㄷ ⑤ ㄱ, ㄴ, ㄷ

• 실험 Ⅰ~Ⅲ에서 반응물의 농도와 반응 속도의 관계를 통해 반응 속도식을 구한다. 반응 속도식에서 반응 차수와 반응 속도 상수를 알 수 있다.

03

> 반응 속도식과 반응 속도 상수

다음은 오존(O_3)과 일산화 질소(NO)가 반응하는 화학 반응식과, O_3과 NO의 초기 농도 $[O_3]_0$, $[NO]_0$에 따른 초기 반응 속도(M/s)의 일부를 나타낸 것이다.

$$O_3(g) + NO(g) \longrightarrow O_2(g) + NO_2(g)$$

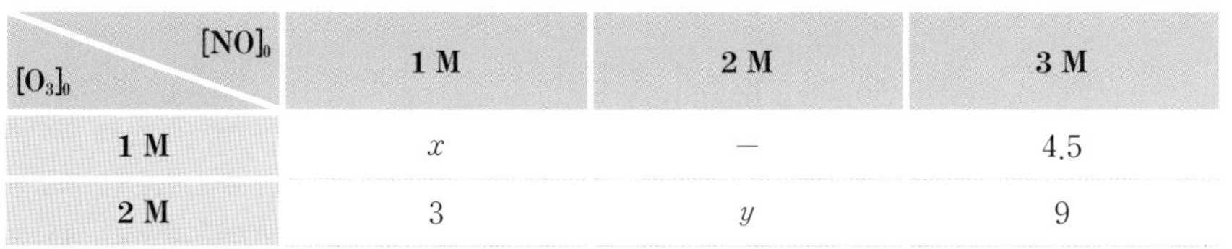

$[O_3]_0$ \ $[NO]_0$	1 M	2 M	3 M
1 M	x	—	4.5
2 M	3	y	9

이에 대한 설명으로 옳은 것만을 보기에서 있는 대로 고른 것은? (단, 온도는 일정하다.)

보기

ㄱ. $y=2x$이다.

ㄴ. 2차 반응이다.

ㄷ. 반응 속도 상수(k)의 단위는 M/s이다.

① ㄴ ② ㄷ ③ ㄱ, ㄴ ④ ㄴ, ㄷ ⑤ ㄱ, ㄴ, ㄷ

• 한 물질의 농도가 같고 다른 물질의 농도가 다를 때의 반응 속도를 비교하여 반응 차수를 구한다.

04

> 반응 속도와 반응 차수

다음은 A와 B가 반응하여 C를 생성하는 화학 반응식이다.

$$2A + B \longrightarrow 2C$$

그림 (가)는 A의 초기 농도($[A]_0$)가 0.2 M일 때 B의 초기 농도($[B]_0$)에 따른 초기 반응 속도(v_0)를, (나)는 $[B]_0$가 0.4 M일 때 $[A]_0$에 따른 초기 반응 속도(v_0)를 나타낸 것이다.

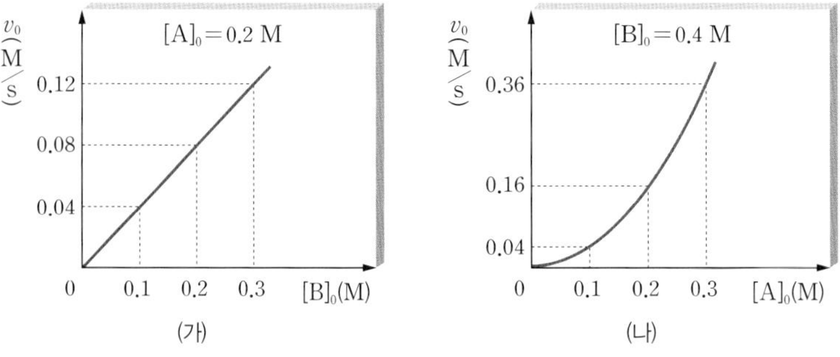

이에 대한 설명으로 옳은 것만을 보기에서 있는 대로 고른 것은? (단, 온도는 일정하다.)

보기

ㄱ. 반응 속도식은 $v=k[A]^2[B]$이다.

ㄴ. 반응 속도 상수(k)는 10 /(M^2·s)이다.

ㄷ. $[A]_0$와 $[B]_0$가 모두 0.4 M일 때 초기 반응 속도는 0.64 M/s이다.

① ㄱ ② ㄷ ③ ㄱ, ㄴ ④ ㄴ, ㄷ ⑤ ㄱ, ㄴ, ㄷ

• $[A]_0$와 $[B]_0$가 각각 2배로 변할 때 반응 속도는 몇 배가 되는지 살펴본다.

개념 적용 문제

05 > 반응 차수와 반감기

자료는 (가)와 (나)의 화학 반응식과 반응 속도식이고, 그림은 (가), (나)에서 반응물의 농도에 따른 반응 속도를 나타낸 것이다.

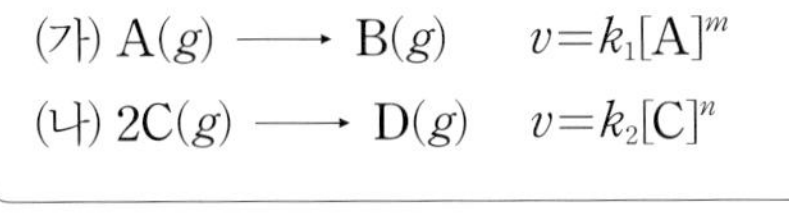
(가) $A(g) \longrightarrow B(g)$ $v=k_1[A]^m$
(나) $2C(g) \longrightarrow D(g)$ $v=k_2[C]^n$

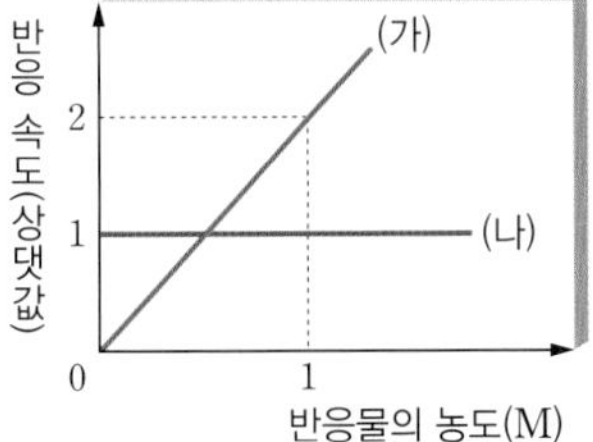

이에 대한 설명으로 옳은 것만을 보기에서 있는 대로 고른 것은? (단, 온도는 일정하다.)

보기
ㄱ. $m+n=3$이다.
ㄴ. $k_1=2k_2$이다.
ㄷ. 반감기는 (나)가 (가)의 2배이다.

① ㄱ ② ㄴ ③ ㄱ, ㄷ ④ ㄴ, ㄷ ⑤ ㄱ, ㄴ, ㄷ

• 1차 반응의 반감기는 농도에 관계없이 일정하지만, 0차 반응은 반감기가 일정하지 않다.

06 > 1차 반응과 반감기

다음은 A와 B가 반응하여 C를 생성하는 반응의 화학 반응식과 반응 속도식이다.

$$A(g) + 2B(g) \longrightarrow 2C(g) \quad v=k[A]$$

그림은 강철 용기에 일정량의 $A(g)$와 $B(g)$를 넣고 반응시킬 때 반응 시간에 따른 $B(g)$의 농도를 나타낸 것이다.

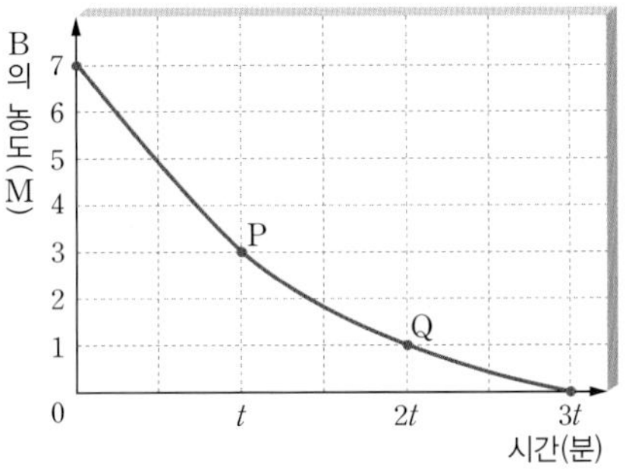

이에 대한 설명으로 옳은 것만을 보기에서 있는 대로 고른 것은? (단, 온도는 일정하다.)

보기
ㄱ. 반감기는 t분보다 작다.
ㄴ. A의 초기 농도는 4 M이다.
ㄷ. 반응 속도는 P에서가 Q에서의 3배이다.

① ㄱ ② ㄴ ③ ㄱ, ㄷ ④ ㄴ, ㄷ ⑤ ㄱ, ㄴ, ㄷ

• 화학 반응에서의 양적 관계를 이용하여 B 일정량이 감소할 때 소모된 A의 양을 구해 A의 농도를 계산한다.

고난도

07

› 1차 반응과 반감기

다음은 A로부터 B와 C가 생성되는 1차 반응의 화학 반응식이다.

$$aA(g) \longrightarrow 3B(g) + C(g) \quad (a\text{는 반응 계수})$$

그림은 부피가 1 L인 강철 용기에 x몰의 A(g)를 넣어 반응시킬 때 반응 시간에 따른 A(g)의 몰 분율을 나타낸 것이다.

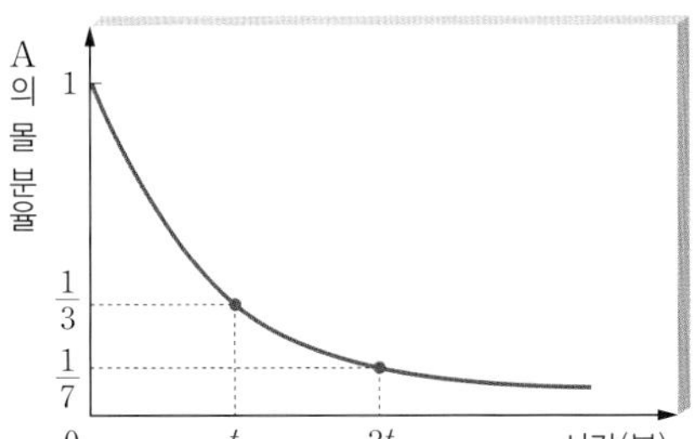

$3t$분에서 A의 몰 분율을 m이라고 할 때 $m \times a$는? (단, 온도는 일정하다.)

① $\frac{1}{30}$　② $\frac{1}{15}$　③ $\frac{2}{15}$　④ $\frac{2}{5}$　⑤ $\frac{3}{5}$

• 화학 반응식의 양적 관계를 이용하여 각 시간별로 용기 속에 존재하는 A, B, C의 양(mol)을 구한 후 방정식을 세워 a의 값을 구한다.

고난도

08

› 양적 관계와 반응 속도

다음은 A와 B가 반응하여 C를 생성하는 반응의 화학 반응식이다.

$$aA(g) + B(g) \longrightarrow 2C(g) \quad (a\text{는 반응 계수})$$

표는 부피가 같은 3개의 강철 용기에 A(g)와 B(g)를 넣어 반응시킬 때, 반응 초기의 양(몰)과 시간에 따른 용기 속 B(g)의 몰 분율을 나타낸 것이다.

실험	반응 초기의 양(몰)		B(g)의 몰 분율	
	A	B	t=10분	t=20분
Ⅰ	16	16	$\frac{1}{3}$	$\frac{1}{3}$
Ⅱ	24	8	$\frac{1}{7}$	$\frac{1}{13}$
Ⅲ	16	8	$\frac{1}{5}$	x

이에 대한 설명으로 옳은 것만을 보기에서 있는 대로 고른 것은? (단, 온도는 일정하다.)

보기

ㄱ. $x=\frac{1}{9}$이다.

ㄴ. B에 대해 1차 반응이다.

ㄷ. 초기 반응 속도는 실험 Ⅰ이 Ⅱ의 2배이다.

① ㄱ　② ㄷ　③ ㄱ, ㄴ　④ ㄴ, ㄷ　⑤ ㄱ, ㄴ, ㄷ

• 실험 Ⅰ에서 양적 관계를 통해 방정식을 세워 a를 구하고, 실험 Ⅱ와 Ⅲ에서 반응 시간에 따른 양적 관계를 통해 A와 B의 양(mol)을 구한다.

02 활성화 에너지

학습 Point 유효 충돌 〉 활성화 에너지, 활성화물 〉 활성화 에너지와 반응 속도

1 유효 충돌

숯은 공기 중에 놓아두어도 스스로 연소하지 않는다. 숯과 공기 중의 산소는 끊임없이 충돌하지만 연소 반응은 일어나지 않고 외부에서 열을 가해야만 숯이 연소한다. 이처럼 화학 반응이 일어나기 위해서는 충분한 에너지가 필요하다.

1. 화학 반응이 일어나기 위한 조건

화학 반응이 일어나기 위해서는 기본적으로 반응물 입자 사이에 충돌이 있어야 한다. 하지만 반응물 입자 사이에 충돌이 일어난다고 모두 반응이 일어나는 것은 아니다. 수소와 산소는 항상 공기 중에서 충돌하고 있지만 반응이 거의 일어나지 않는다. 반응이 일어나기 위해서는 입자 사이의 충돌 이외에 다른 조건이 필요하다.

2. 유효 충돌

(1) **반응물 입자 사이의 충돌:** 화학 반응은 반응물 입자 사이의 충돌에 의해 시작된다. 충돌 이론에 따르면 1기압, 25 ℃에서 기체 분자들은 평균적으로 약 10^{-10}초에 한 번씩 서로 충돌한다. 즉, 기체 분자 1개당 1초에 10^{10}번 충돌한다. 만약 기체 입자가 충돌할 때마다 반응을 일으킨다면 반응의 반감기는 대략 10^{-10}~10^{-9}초이므로 반응은 순식간에 완결될 것이다. 하지만 대부분 기체 사이의 반응에서 반응의 반감기는 분 단위이거나 시간 단위인 경우도 있다. 그 이유는 입자들이 충돌한다고 해서 모두 반응이 일어나지는 않기 때문이다. $CO(g) + NO_2(g) \longrightarrow CO_2(g) + NO(g)$ 반응에서 다음과 같이 충돌하는 경우를 살펴보자.

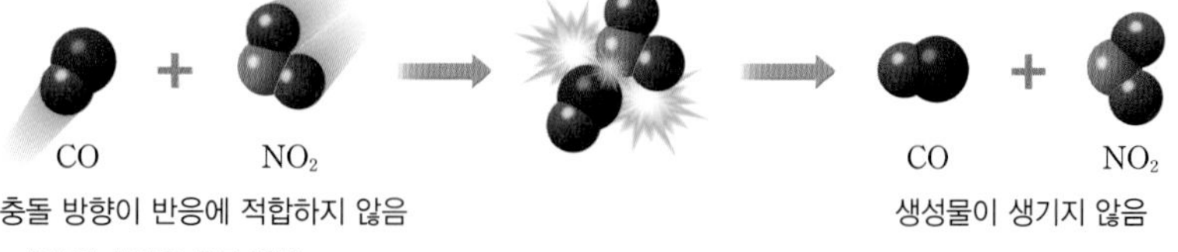

▲ 유효하지 않은 충돌 방향

위 경우는 CO의 C 원자가 NO_2의 O 원자와 새로운 결합을 형성하는 반응이므로 반응이 일어나기 위해서는 CO의 C 원자와 NO_2의 O 원자가 만나는 방향으로 충돌해야 하는데 적합하지 않은 방향으로 충돌하고 있기 때문에 반응이 일어나지 않는다. 따라서 반응이 일어나기 위해서는 먼저 반응물 입자들이 반응이 일어나기에 적합한 방향으로 충돌해야 한다.

충돌 횟수와 실제 반응
500 ℃에서 $2HI(g) \longrightarrow H_2(g) + I_2(g)$ 반응의 경우 10^{18}회 충돌 중 1회의 충돌만이 실제 반응을 일으킨다고 한다.

(2) **유효 충돌:** 다음 그림에서는 CO와 NO_2가 반응이 일어나기에 적합한 방향으로 충돌하지만 반응이 일어나지 않는다. 그 이유는 반응이 일어나기 위해서는 NO_2 분자 내 N와 O 사이의 결합을 끊는 과정이 필요한데 이 과정에서 에너지가 필요하기 때문이다. 즉, 적절한 방향으로 충돌이 일어났지만 반응물 입자들이 갖고 있는 에너지가 작아 N와 O 사이의 결합을 끊지 못했기 때문에 반응이 일어나지 않는다.

CO + NO_2 → → CO + NO_2

충돌 방향은 적합하지만 충돌 속도가 느림 / 생성물이 생기지 않음

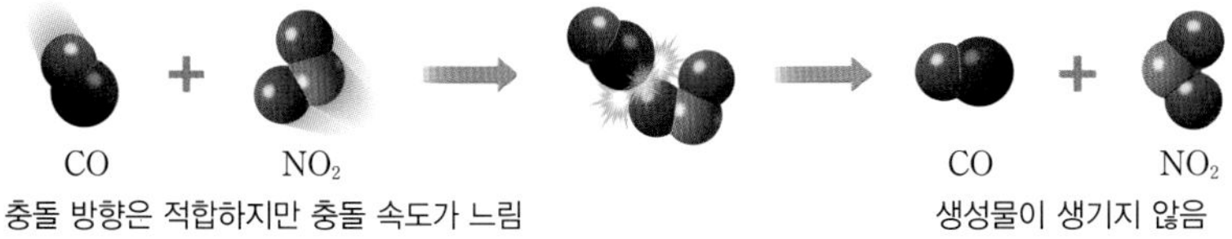

▲ 에너지가 작은 충돌

골프에서 퍼팅을 할 때 공과 홀 사이에 언덕이 있는 경우 언덕을 넘지 못할 정도로 약한 힘으로 공을 치면 공은 언덕을 올라가다가 다시 굴러 내려오지만, 충분한 힘으로 공을 치면 공은 언덕을 넘어가 홀 방향으로 이동할 수 있게 된다. 마찬가지로 반응의 진행 과정에는 언덕과 같은 에너지 장벽이 존재하는데, 이 에너지 장벽을 넘을 수 있는 충분한 운동 에너지를 갖고 적합한 방향으로 충돌해야 다음과 같이 반응이 일어나 생성물을 얻을 수 있다.

비유효 충돌

충돌 방향이 반응이 일어나기에 적합하지 않거나, 에너지 장벽을 넘을 수 없을 만큼 에너지가 충분하지 않아 반응이 일어나지 않는 충돌이다.

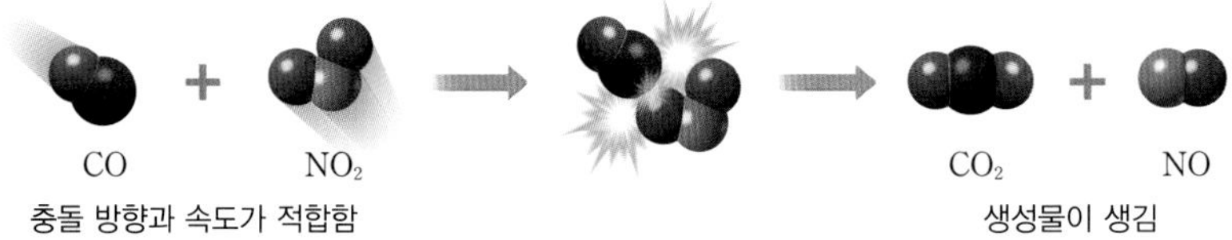

CO + NO_2 → → CO_2 + NO

충돌 방향과 속도가 적합함 / 생성물이 생김

▲ 유효 충돌

이와 같이 에너지 장벽을 넘기에 충분한 운동 에너지를 가지고 반응이 일어나기에 적합한 방향으로 일어나는 충돌을 유효 충돌이라고 한다. 즉, 화학 반응이 일어나기 위해서는 반응물 입자 사이에 유효 충돌이 일어나야 한다.

2 활성화 에너지

언덕의 높이가 높을수록 언덕을 넘기 어렵듯이 화학 반응에서 에너지 장벽의 크기가 클수록 반응이 일어나기 어려워 반응 속도가 느리다. 에너지 장벽의 크기는 반응 속도에 영향을 미친다.

1. 활성화 에너지

심화 031쪽

활성화 에너지는 화학 반응이 일어나기 위해 넘어야 할 에너지 장벽으로, 화학 반응을 일으키는 데 필요한 최소한의 에너지를 의미하며 E_a로 나타낸다. 유효 충돌이 일어나기 위해서는 반응물 입자들이 활성화 에너지(E_a) 이상의 에너지를 갖고 반응이 일어나기에 적합한 방향으로 충돌해야 한다. 즉, CO와 NO_2가 반응하여 CO_2와 NO를 생성하는 반응은 134 kJ/mol 이상의 에너지를 갖고 유효 충돌해야 한다.

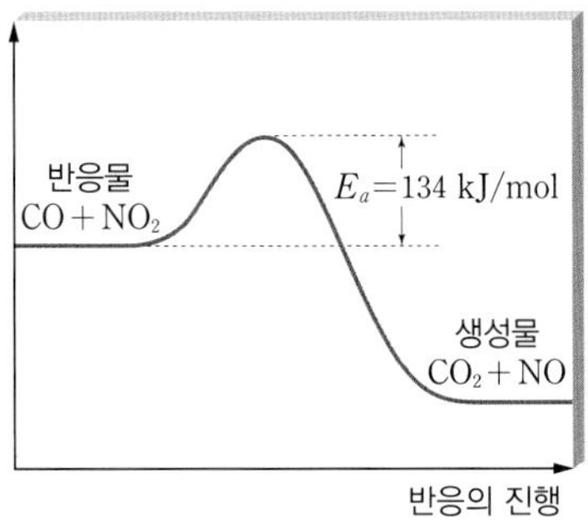

▲ 활성화 에너지(E_a)와 화학 반응

유효 충돌과 활성화 에너지

활성화 에너지(E_a)보다 큰 운동 에너지를 갖는 분자들 중 반응에 적합한 충돌 방향을 갖는 분자들만이 유효 충돌을 한다.

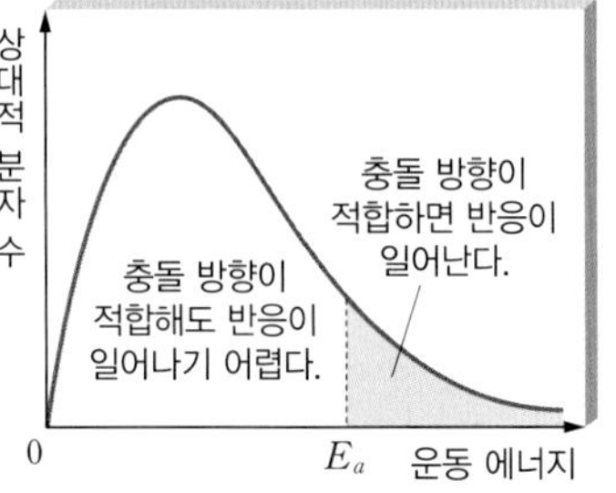

2. 활성화물

반응물 입자들이 충돌하는 과정에서 반응물을 이루는 결합이 약해지고 생성물을 형성하는 새로운 결합이 형성되면서 에너지가 가장 큰 불안정한 상태(활성화 상태)에 이르게 되는데, 이때 활성화 상태에 있는 불안정한 화합물을 활성화물이라고 한다. 반응물이 충돌할 때 활성화 에너지 이상의 충분한 에너지를 갖고 있지 못하면 활성화물을 형성하지 못하고 반응물로 돌아가므로 생성물을 만들지 못한다. 반응물이 충분한 에너지를 갖고 충돌한 경우 활성화물을 형성하며, 이 중 일부는 반응물로 되돌아가고 나머지는 생성물로 변한다.

▲ HI 분해 반응의 진행과 활성화물의 형성

3. 활성화 에너지와 반응 속도

심화 032쪽

활성화 에너지는 활성화 상태에 이르기 위해 필요한 에너지로, 화학 반응에 따라 다른 값을 갖지만 반응물의 농도나 온도의 영향은 받지 않는다. 활성화 에너지가 큰 반응은 활성화 상태에 이르기 위해 외부로부터 많은 열을 흡수해야 하므로 반응이 일어나기 어려워 반응 속도가 느리고, 활성화 에너지가 작은 반응은 반응 속도가 빠르다.

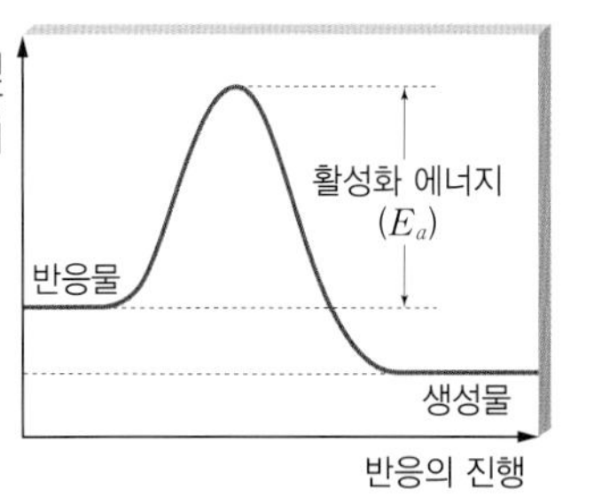
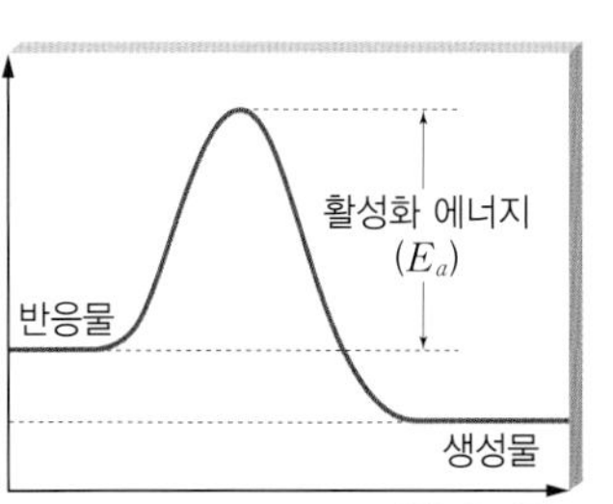

(가)

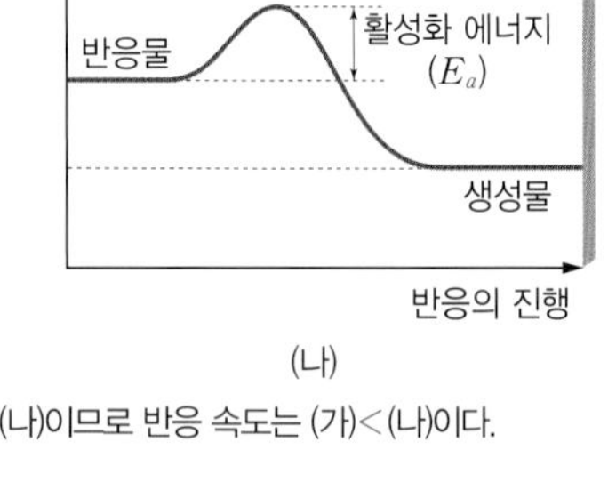
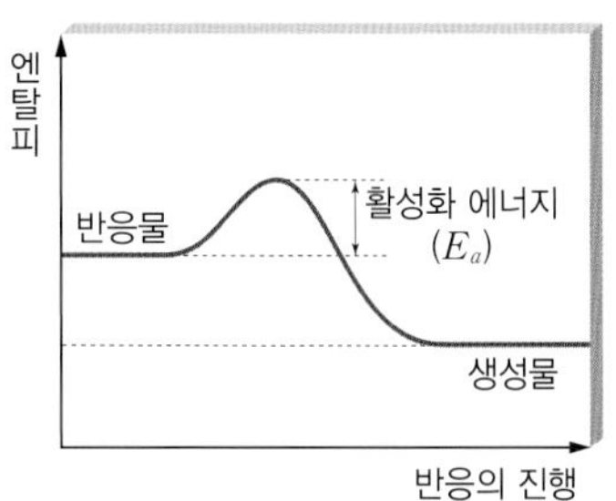

(나)

▲ **활성화 에너지와 반응 속도** 활성화 에너지가 (가)>(나)이므로 반응 속도는 (가)<(나)이다.

4. 활성화 에너지와 반응 엔탈피

정반응의 활성화 에너지를 E_a, 역반응의 활성화 에너지를 E_a', 반응 엔탈피를 ΔH라고 하면 다음과 같은 관계가 성립한다.

$$\Delta H=E_a-E_a'$$

같은 반응에서 반응 엔탈피는 활성화 에너지에 관계없이 일정하다.

▲ 정반응과 역반응의 활성화 에너지

반응 속도 이론

- 충돌 이론: 아레니우스가 실험을 통해 얻은 반응 속도에 관한 식 $k=Ae^{-\frac{E_a}{RT}}$을 기체 분자 운동론을 이용하여 설명하려는 이론으로, 유효 충돌로 반응 속도를 설명한다.
- 활성화물 이론: 반응물의 분자들이 서로 충돌할 때 분자 구조 등에서 어떤 변화가 발생하는지에 중점을 두어 연구하는 이론으로, 활성화 에너지와 활성화물의 관계에 중점을 두며 충돌 이론보다 좀 더 일반적인 반응 속도 이론이다. 이 이론에서는 반응물 분자들이 서로 접근할 때 위치 에너지가 증가하다가 활성화물을 형성했을 때 에너지가 최대가 되며, 반응물로 다시 분리되거나 생성물을 형성할 때 에너지가 다시 감소한다고 가정한다. 활성화 상태는 전이 상태라고도 한다.

반응 속도와 반응 엔탈피

- 발열 반응의 경우: 생성물의 위치 에너지가 반응물보다 작기 때문에 반응이 일어나면서 감소한 위치 에너지가 분자들의 운동 에너지로 전환된다. 따라서 분자들의 평균 운동 에너지가 증가하기 때문에 연소 반응과 같이 한번 반응이 시작되면 열을 공급해주지 않아도 반응이 지속적으로 일어나기 쉽다.
- 흡열 반응의 경우: 생성물의 위치 에너지가 반응물보다 크므로 반응이 일어나면 반응물이 가지고 있던 운동 에너지의 일부가 위치 에너지로 전환되어 분자들의 평균 운동 에너지가 감소하기 때문에 반응 속도가 점차 느려진다. 따라서 흡열 반응이 일어나기 위해서는 외부에서 지속적인 열 공급이 필요하다.

차이를 만드는

심화

반응 속도와 아레니우스 식

아레니우스가 실험을 통해 확립한 반응 속도에 관한 식은 반응 속도와 온도, 활성화 에너지와의 관계를 설명하는 데 매우 유용하다. 충돌 이론에서는 기체 분자 운동론 등을 이용하여 아레니우스 식이 성립하는 것을 증명하고 반응 속도를 설명한다. 이러한 아레니우스 식과 반응 속도에 대해 알아보자.

1889년에 아레니우스는 실험을 통해 활성화 에너지가 반응 속도와 관련이 있다는 것을 발견하고 다음과 같은 아레니우스 식을 발표하였다.

$k=Ae^{-\frac{E_a}{RT}}$

k는 반응 속도 상수, A는 빈도 인자 또는 지수 앞자리 인자라고 하며, E_a는 활성화 에너지, R는 기체 상수, T는 절대 온도를 나타낸다. 여기서 A를 지수 앞자리 인자라고 하는 것은 지수 함수인 $e^{-\frac{E_a}{RT}}$ 앞자리에 위치하는 상수라는 단순한 의미이다. 실험을 통해서 확립한 아레니우스 식을 충돌 이론에서는 다음과 같이 설명하고 있다.

일정한 온도에서 물질을 구성하는 분자들의 운동 에너지 분포는 그림과 같이 맥스웰·볼츠만(Maxwell·Boltzmann) 분포를 나타내며, 이들 중 특정 에너지(E_a) 이상의 에너지를 갖는 분자들의 분율$\left(\frac{\text{파란색 부분의 면적}}{\text{분포 곡선 아래 전체 면적}}\right)$은 맥스웰·볼츠만 분포 법칙에 따라 $e^{-\frac{E_a}{RT}}$가 된다.

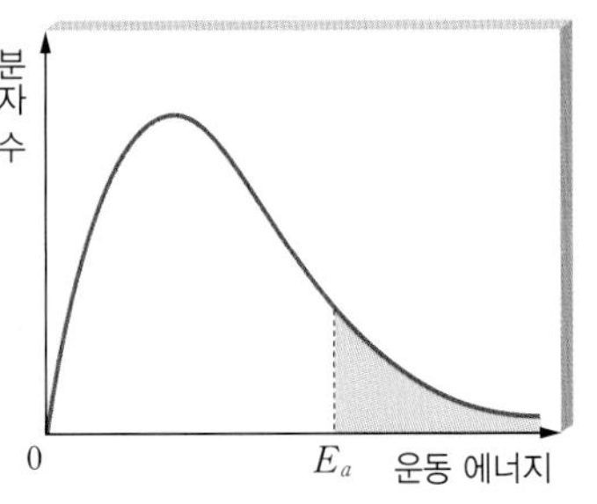

▲ 분자들의 운동 에너지 분포 곡선

한편, 지수 앞자리 인자 A는 에너지를 고려하지 않은 반응에서 적합한 방향으로의 충돌 빈도로 해석된다. 따라서 충돌 빈도 A와 활성화 에너지보다 큰 에너지를 갖는 분자들의 분율 $e^{-\frac{E_a}{RT}}$의 곱인 $Ae^{-\frac{E_a}{RT}}$는 유효 충돌의 속도를 나타낸다고 볼 수 있다.

한편, 아레니우스 식에 자연 로그를 취하면 $\ln k=\ln A-\frac{E_a}{RT}$이고, 이 식을 다시 쓰면

$\ln k=\ln A-\frac{E_a}{R}\frac{1}{T}$ … ① 식을 얻을 수 있다.

A와 E_a, R는 상수이고, k는 온도(T)에 따라 변하므로 ①식을 직선에 대응하는 식으로 나타낼 수 있다.

$$\underline{\ln k}=\underline{\ln A}+\underline{\left(-\frac{E_a}{R}\right)}\underline{\left(\frac{1}{T}\right)}$$
$$\Updownarrow \quad \Updownarrow \quad \Updownarrow \quad \Updownarrow$$
$$y = b + a \quad x$$

따라서 $\frac{1}{T}$에 따른 $\ln k$의 그래프를 그리면 y절편이 $\ln A$이고 기울기가 $-\frac{E_a}{R}$인 직선이 얻어지므로, 이 직선의 기울기를 구하면 반응의 활성화 에너지(E_a)를 계산할 수 있다.

활성화 에너지 구하는 방법

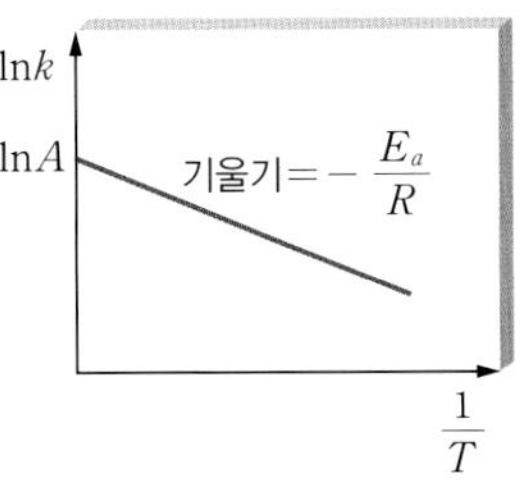

위 그래프를 이용하여 활성화 에너지(E_a)를 구하는 방법은 번거로울 수 있으므로 서로 다른 두 온도에서 속도 상수를 구하여 활성화 에너지를 구할 수도 있다.
①식을 이용하면
$\ln\frac{k_2}{k_1}=-\frac{E_a}{R}\left(\frac{1}{T_2}-\frac{1}{T_1}\right)$식을 유도할 수 있고, 이 식을 이용하여 E_a를 구할 수 있다.

반응 메커니즘

대부분의 화학 반응은 반응물이 여러 단계를 거쳐 생성물로 변하는 다단계 반응이다. 이러한 다단계 반응을 각 단일 단계 반응으로 구분하여 나타낸 것을 반응 메커니즘이라고 하는데, 다단계 반응의 반응 메커니즘과 속도 결정 단계에 대해 알아보자.

❶ 단일 단계 반응

반응물이 충돌하여 중간 생성물을 거치지 않고 곧바로 생성물을 생성하는 반응으로, 단일 단계 반응의 반응 차수는 화학 반응식의 계수와 일치한다.

$NO(g) + O_3(g) \longrightarrow NO_2(g) + O_2(g)$

단일 단계 반응인 이 반응의 반응 속도식은 $v=k[NO][O_3]$이며, 2차 반응이다.

❷ 다단계 반응과 반응 메커니즘

다단계 반응의 예로 $NO_2(g) + CO(g) \longrightarrow NO(g) + CO_2(g)$를 들 수 있는데, 이 반응은 다음과 같이 2단계로 진행되는 것으로 알려졌다.

1단계: $NO_2(g) + NO_2(g) \longrightarrow NO_3(g) + NO(g)$
2단계: $NO_3(g) + CO(g) \longrightarrow NO_2(g) + CO_2(g)$
전체 반응: $NO_2(g) + CO(g) \longrightarrow NO(g) + CO_2(g)$

위와 같이 나타낸 것을 반응 메커니즘이라고 하며, 두 단계의 반응을 더하면 전체 반응식이 얻어진다. 반응 메커니즘에서 $NO_3(g)$는 전체 반응식에서는 나타나지 않지만 단계 반응 중에 나타났다가 사라지는데, 이러한 물질을 중간체라고 한다.

반응 메커니즘
대부분의 반응은 반응물이 충돌하여 곧바로 생성물로 변하는 단일 단계 반응이 아니라 반응물이 여러 단계를 거쳐 생성물로 변하는 다단계 반응이다. 이러한 다단계 반응이 어떤 과정을 거쳐 생성물로 변하게 되는지를 각 단일 단계 반응으로 구분하여 나타낸 것을 반응 메커니즘이라고 한다.

❸ 속도 결정 단계

반응 메커니즘의 여러 반응 단계 중에서 어느 한 단계의 반응이 다른 단계보다 매우 느린 경우 이 단계를 속도 결정 단계라고 한다. 전체 반응은 가장 느린 단계 반응과 거의 비슷한 속도로 진행되므로 이 단계가 전체 반응 속도를 조절하는 주요 단계가 된다. 이는 자동차가 다니는 도로에서의 병목 현상과 유사하다. 고속도로에서 사고가 나 길이 막히게 되면 이 정체 구간을 얼마 만에 통과하는지가 목적지까지 가는 시간에 결정적인 영향을 미친다.

$NO_2(g) + CO(g) \longrightarrow NO(g) + CO_2(g)$의 반응에서 반응 속도가 느린 1단계 반응이 속도 결정 단계이다.

1단계: $NO_2(g) + NO_2(g) \longrightarrow NO_3(g) + NO(g)$ $v_1=k_1[NO_2]^2$ (느림)
2단계: $NO_3(g) + CO(g) \longrightarrow NO_2(g) + CO_2(g)$ $v_2=k_2[NO_3][CO]$ (빠름)

각 단계 반응들은 각각 단일 단계 반응으로 반응 차수는 화학 반응식의 계수와 같기 때문에 위와 같이 반응 속도식을 쓸 수 있으며, 1단계가 속도 결정 단계이므로 전체 반응의 속도는 1단계 반응의 속도와 같다. 따라서 전체 반응 속도식은 $v=v_1=k_1[NO_2]^2$이다.

병목 현상
병의 목 부분처럼 넓은 도로가 갑자기 좁아짐으로써 일어나는 교통 정체 현상을 병목 현상이라고 한다.

속도 결정 단계
활성화 에너지가 큰 단계의 반응이 반응 속도가 느리므로 속도 결정 단계가 된다.

정답과 해설 137쪽

02 활성화 에너지

1. 반응 속도

① 유효 충돌

유효 충돌 에너지 장벽을 넘기에 충분한 에너지를 가진 입자들이 반응이 일어나기에 적합한 방향으로 충돌하는, 즉 반응이 일어나는 충돌

CO + NO_2 → → CO_2 + NO

충돌 방향과 속도가 적합함 생성물이 생김

▲ CO와 NO_2의 유효 충돌

② 활성화 에너지

1. 활성화 에너지와 활성화물

- (❶)(E_a): 화학 반응이 일어나기 위해 필요한 최소한의 에너지
- (❷): 반응물이 활성화 에너지에 해당하는 에너지를 흡수해서 활성화 상태에 있는 불안정한 물질

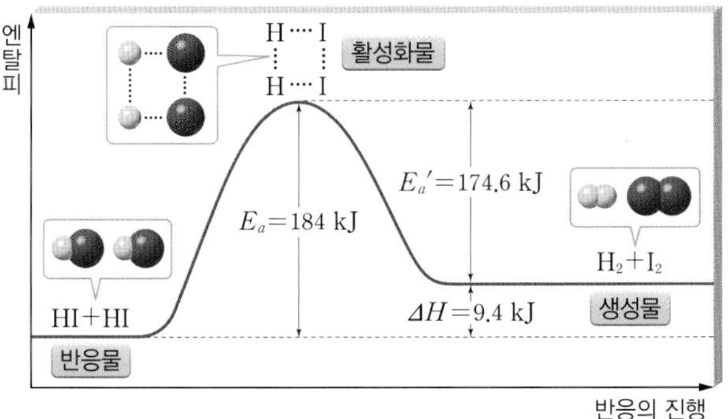

▲ HI 분해 반응의 진행과 활성화물의 형성

2. 활성화 에너지와 반응 속도

- 활성화 에너지와 반응 속도: 활성화 에너지가 (❸)수록 반응 속도가 빠르고, 활성화 에너지가 (❹)수록 반응 속도가 느리다.
- 활성화 에너지와 반응 엔탈피: 반응 엔탈피(ΔH)=(❺)반응의 E_a−(❻)반응의 E_a

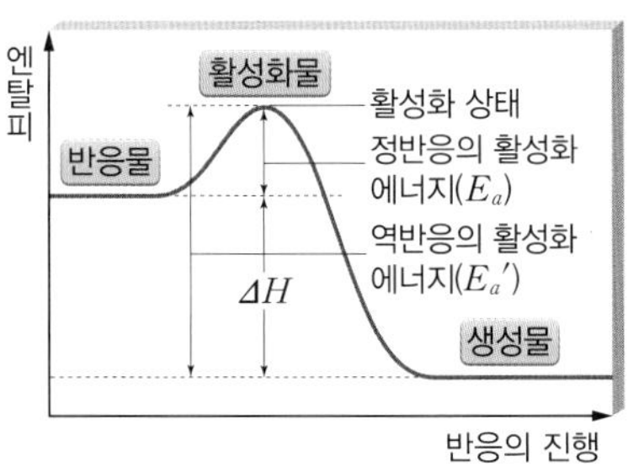

▲ 정반응과 역반응의 활성화 에너지

01 $A(g) + 2B(g) \longrightarrow 2C(g)$ 반응에서 정반응의 활성화 에너지는 78 kJ/mol이고 반응 엔탈피(ΔH)는 -47 kJ/mol일 때, 역반응의 활성화 에너지를 구하시오.

02 그림은 $CO + NO_2 \longrightarrow CO_2 + NO$ 반응에서 반응물 입자가 충돌하는 2가지 모형을 나타낸 것이다.

CO + NO_2 (가)

CO + NO_2 (나)

(가), (나)의 반응이 모두 일어나지 않았다면 각각 그 이유를 쓰시오. (단, 각 반응이 일어나지 않은 이유는 충돌 방향과 활성화 에너지 중 1가지 요인으로만 설명한다.)

03 유효 충돌에 대한 설명으로 옳은 것만을 보기에서 있는 대로 고르시오.

보기
ㄱ. 반응물의 농도가 클수록 유효 충돌수가 증가한다.
ㄴ. 활성화 에너지 이상의 에너지를 가진 분자들은 모두 유효 충돌을 한다.
ㄷ. 활성화 에너지가 작은 반응일수록 유효 충돌이 일어나기 쉽다.

04 그림은 어떤 반응에서 반응의 진행에 따른 엔탈피를 나타낸 것이다.

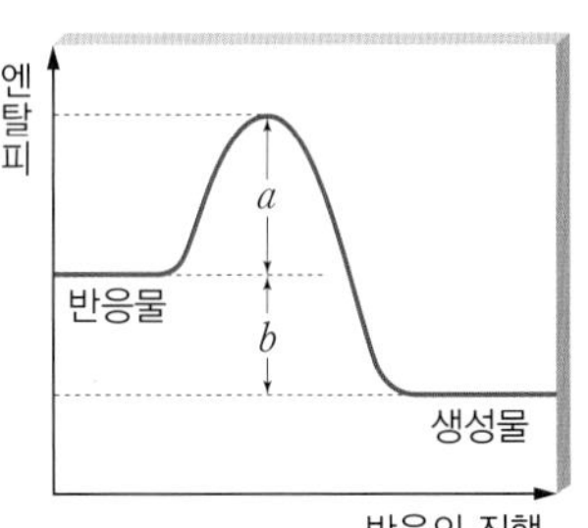

이에 대한 설명으로 옳은 것만을 보기에서 있는 대로 고르시오.

보기
ㄱ. 정반응은 역반응보다 일어나기 쉽다.
ㄴ. 역반응의 활성화 에너지는 $a+b$이다.
ㄷ. 정반응의 활성화 에너지가 역반응보다 크다.

05 그림은 $2HI(g) \longrightarrow H_2(g) + I_2(g)$ 반응에서 반응의 진행에 따른 엔탈피를 나타낸 것이다.

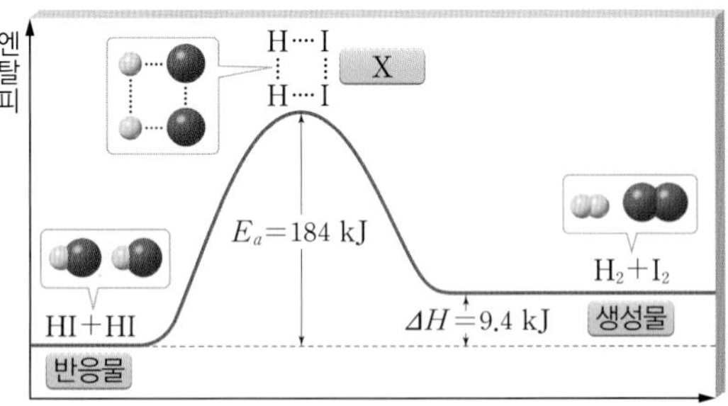

이에 대한 설명으로 옳은 것만을 보기에서 있는 대로 고르시오.

보기
ㄱ. X는 활성화물이다.
ㄴ. 역반응의 활성화 에너지는 193.4 kJ/mol이다.
ㄷ. 반응물이 충분한 에너지를 갖고 충돌하면 모두 활성화물이 된다.

01

> 활성화 에너지와 반응 속도

그림은 2가지 반응 (가)와 (나)의 반응의 진행에 따른 엔탈피를 나타낸 것이다.

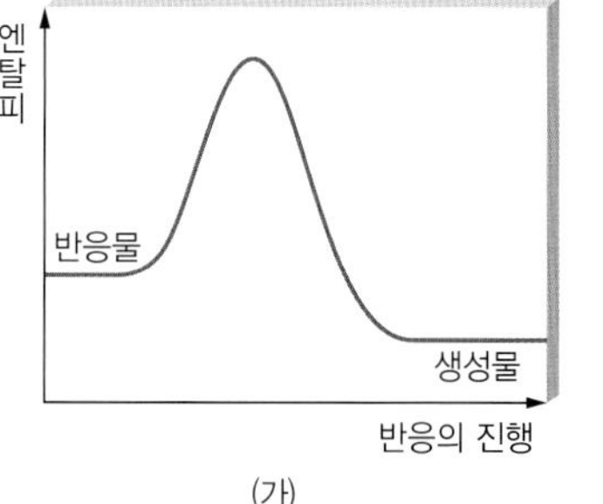

(가)

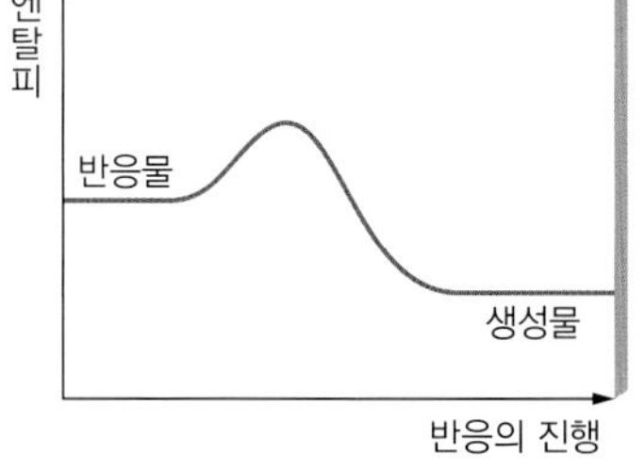

(나)

(가)와 (나)에 대한 설명으로 옳은 것만을 보기에서 있는 대로 고른 것은?

보기
ㄱ. (가)에서 활성화 에너지는 역반응이 정반응보다 크다.
ㄴ. 같은 조건에서 초기 반응 속도는 (나)가 더 크다.
ㄷ. 두 반응 모두 정반응이 역반응보다 일어나기 쉽다.

① ㄱ ② ㄷ ③ ㄱ, ㄴ ④ ㄴ, ㄷ ⑤ ㄱ, ㄴ, ㄷ

• 활성화 에너지가 작은 반응일수록 반응이 일어나기 쉬우므로 반응 속도가 빠르다.

02

> 활성화 에너지와 반응 엔탈피

다음은 반응 $A(g) \longrightarrow 2B(g)$에 관한 자료이다.

• 정반응의 활성화 에너지(E_a): 17 kJ/mol
• 역반응의 활성화 에너지(E_a'): 105 kJ/mol

이에 대한 설명으로 옳은 것만을 보기에서 있는 대로 고른 것은?

보기
ㄱ. 결합 에너지는 반응물이 생성물보다 크다.
ㄴ. 활성화물과 반응물의 엔탈피 차는 17 kJ/mol이다.
ㄷ. 같은 온도에서 반응 속도 상수(k)는 역반응이 정반응보다 크다.

① ㄴ ② ㄷ ③ ㄱ, ㄴ ④ ㄱ, ㄷ ⑤ ㄱ, ㄴ, ㄷ

• 주어진 활성화 에너지 값을 이용하여 반응의 진행에 따른 엔탈피 변화를 그려 보면 반응물과 생성물의 에너지 차를 알 수 있다.

[03～04] 그림은 HI(g)의 분해 반응에서 반응의 진행에 따른 엔탈피를 나타낸 것이다.

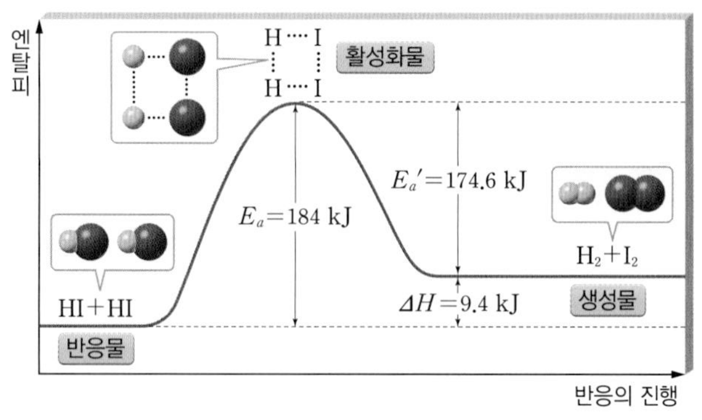

03

› 유효 충돌과 활성화물

이에 대한 설명으로 옳은 것만을 보기에서 있는 대로 고른 것은?

보기
ㄱ. 활성화물의 엔탈피는 184 kJ이다.
ㄴ. 활성화물은 유효 충돌에 의해 생성된다.
ㄷ. 정반응의 활성화 에너지(E_a)는 역반응보다 크다.

① ㄱ ② ㄷ ③ ㄱ, ㄴ ④ ㄴ, ㄷ ⑤ ㄱ, ㄴ, ㄷ

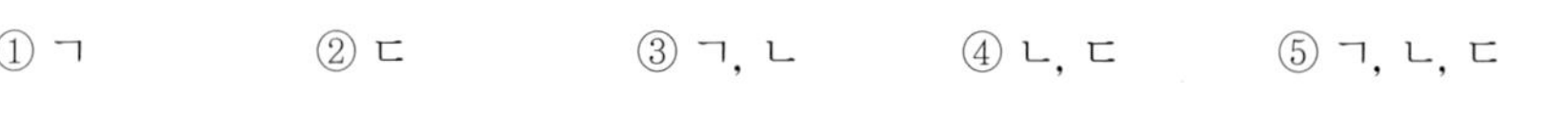

• 화학 반응에서 반응 엔탈피를 통해 물질의 엔탈피 차의 값은 알 수 있지만 각 물질의 엔탈피 값은 알 수 없다.

04

› 유효 충돌이 가능한 수

표는 위 반응에서 반응물 입자의 충돌에 관한 자료를 나타낸 것이다.

충돌	(가)	(나)	(다)	(라)	(마)
충돌 방향	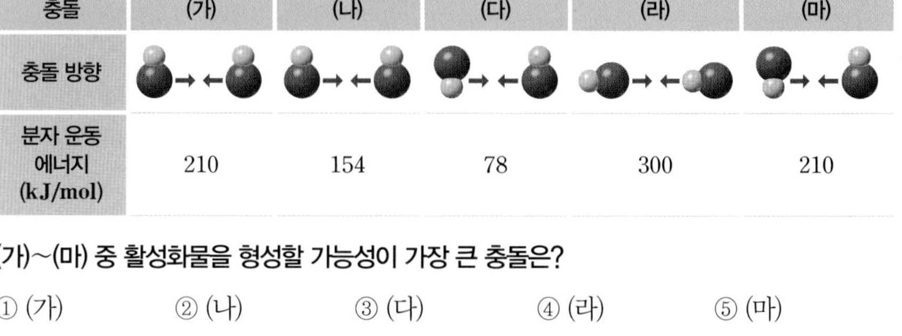				
분자 운동 에너지 (kJ/mol)	210	154	78	300	210

(가)~(마) 중 활성화물을 형성할 가능성이 가장 큰 충돌은?

① (가) ② (나) ③ (다) ④ (라) ⑤ (마)

• 유효 충돌이 일어나기 위해서는 활성화 에너지 이상의 운동 에너지를 갖고 반응이 일어날 수 있는 방향으로 충돌해야 한다.

05

> 화학 평형과 활성화 에너지

그림은 A $\rightleftarrows$ B 반응에서 반응의 진행에 따른 엔탈피를 나타낸 것이다.

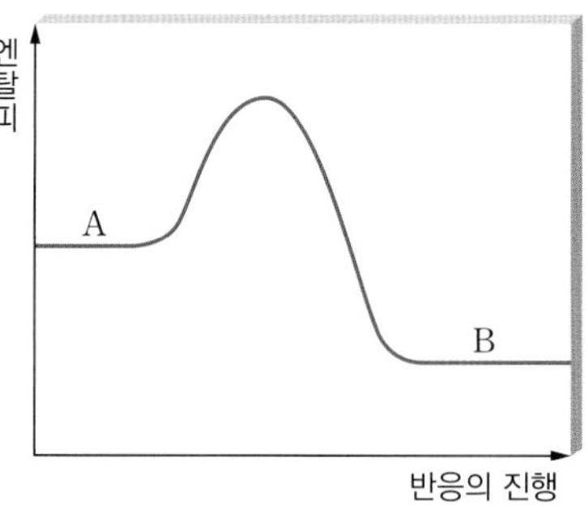

이 반응에 어떤 조건을 가하여 활성화 에너지가 0에 가깝게 변한다고 가정할 때, 이에 대한 설명으로 옳은 것만을 보기에서 있는 대로 고른 것은?

보기
ㄱ. 평형 상수(K)는 변하지 않는다.
ㄴ. 반응물이 충돌하면 모두 생성물로 변한다.
ㄷ. 정반응과 역반응의 활성화 에너지가 같아진다.

① ㄱ ② ㄷ ③ ㄱ, ㄴ ④ ㄴ, ㄷ ⑤ ㄱ, ㄴ, ㄷ

• 촉매는 평형 상수에 영향을 주지 않으며, 반응이 일어나기 위해서는 유효 충돌을 해야 한다.

06 고난도

> 분자 운동 에너지 분포와 유효 충돌

그림은 일정한 온도에서 반응물의 분자 운동 에너지 분포를 나타낸 것이다. E_a는 활성화 에너지이다.

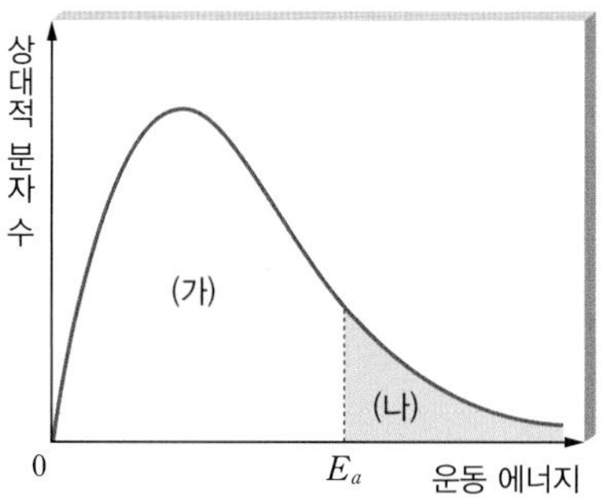

이에 대한 설명으로 옳은 것만을 보기에서 있는 대로 고른 것은?

보기
ㄱ. (가) 영역의 분자들은 활성화 상태가 될 수 없다.
ㄴ. (나) 영역의 분자들은 모두 유효 충돌을 한다.
ㄷ. (나) 영역의 분자 수가 많을수록 반응 속도가 빨라진다.

① ㄱ ② ㄴ ③ ㄱ, ㄷ ④ ㄴ, ㄷ ⑤ ㄱ, ㄴ, ㄷ

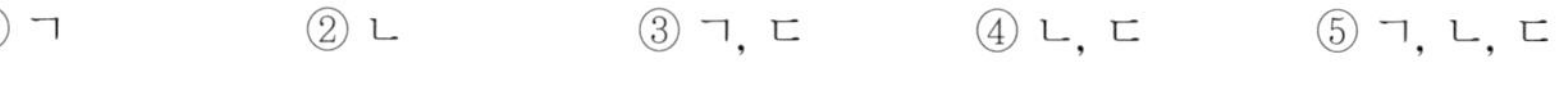

• 반응이 일어나기 위해서는 활성화 에너지 이상의 에너지, 반응이 일어날 수 있는 방향으로의 충돌, 이 2가지 조건이 모두 충족되어야 한다.

2 반응 속도에 영향을 미치는 요인

01 반응 속도와 농도, 온도

02 반응 속도와 촉매

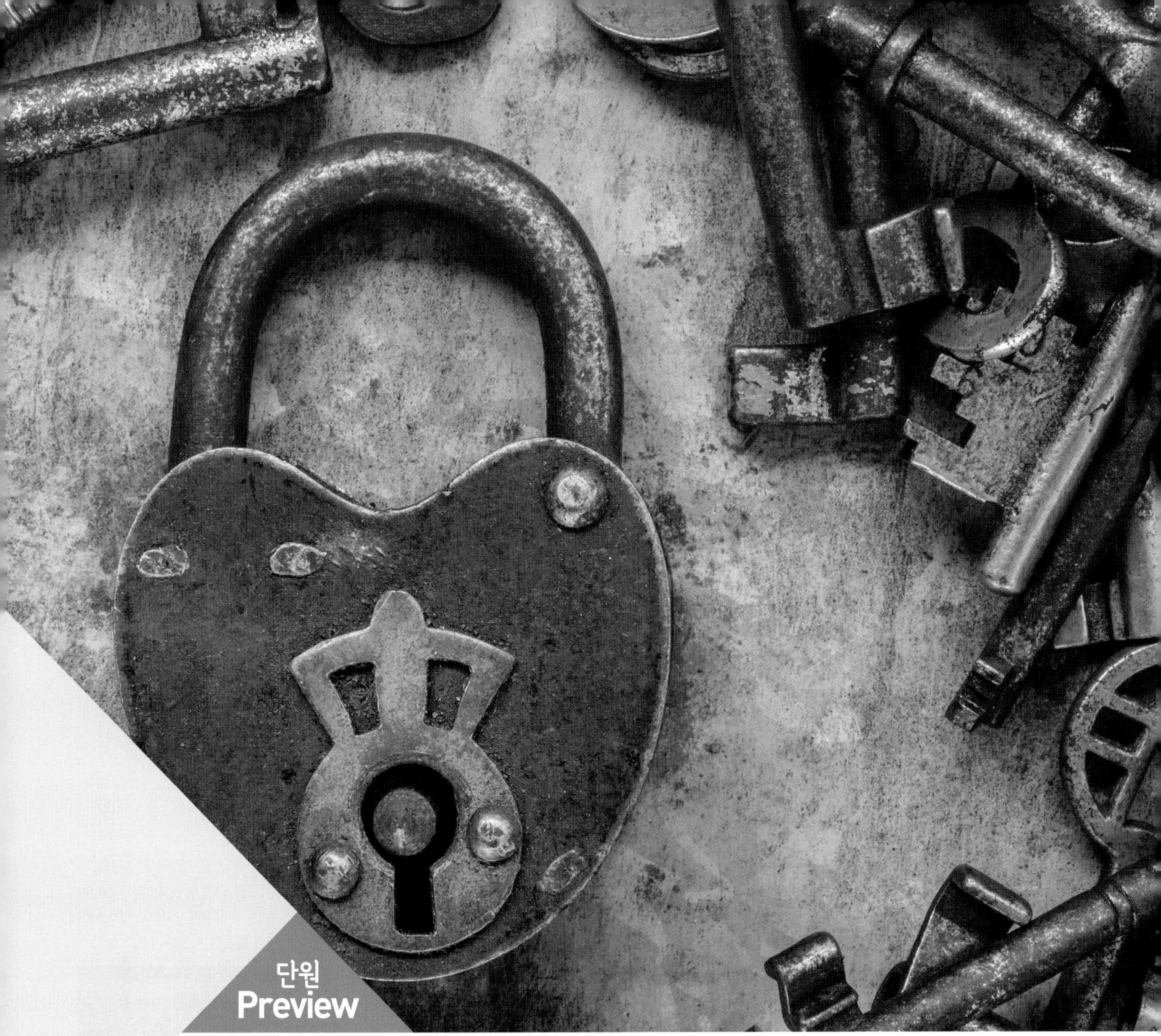

단원 Preview

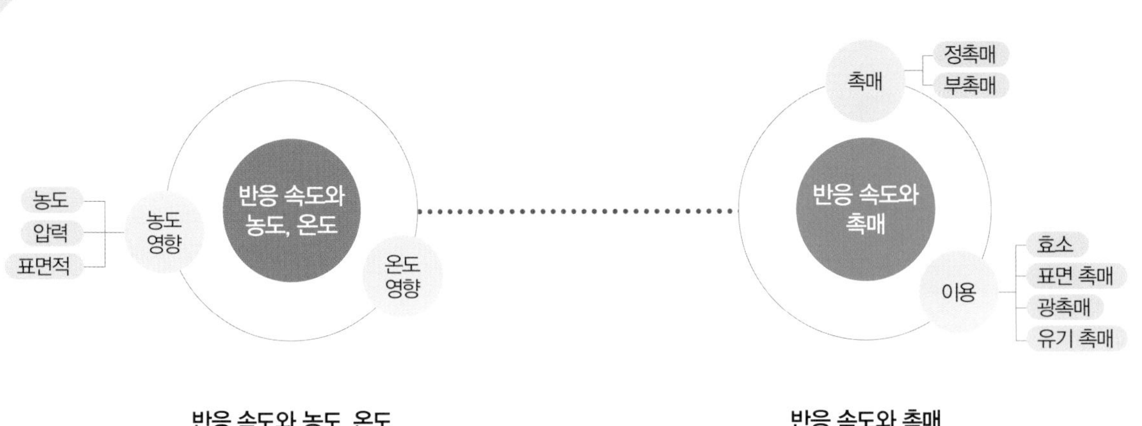

반응 속도와 농도, 온도

반응 속도와 촉매

01 반응 속도와 농도, 온도

학습 Point 농도와 반응 속도 > 기체의 반응에서 압력과 반응 속도 > 고체의 반응에서 표면적과 반응 속도 > 온도와 반응 속도

1 반응 속도에서 농도의 영향

꺼져가는 불씨에 입김을 불어 주면 불씨가 되살아난다. 이는 입김을 불어 줌으로써 불씨 주변에 산소의 공급을 원활하게 하여 반응 속도를 빠르게 해 주는 것이다. 이처럼 반응물의 농도는 반응 속도와 밀접한 관련이 있다.

1. 충돌 이론

반응이 일어나기 위해서는 반응이 일어날 수 있는 방향으로 충돌이 일어나야 한다. 반응물 입자 사이의 충돌수가 증가하면 이에 비례해서 반응이 일어날 수 있는 방향으로의 충돌수도 증가할 것이다. 입자 사이의 충돌수를 증가시킬 수 있는 요인으로는 농도, 기체의 압력, 고체의 표면적 등이 있다.

2. 농도의 영향

탐구 044쪽

(1) **반응물이 수용액 상태이거나 기체 혼합물인 경우:** 물질의 농도가 증가하는 것은 단위 부피당 입자 수가 증가하는 것을 의미한다. 농도가 증가하면 반응물 입자 사이의 거리가 가까워지며, 같은 속도로 움직일 때 단위 시간당 충돌수가 증가하므로 유효 충돌이 일어날 가능성이 더 커지기 때문에 반응 속도가 빨라지게 된다.

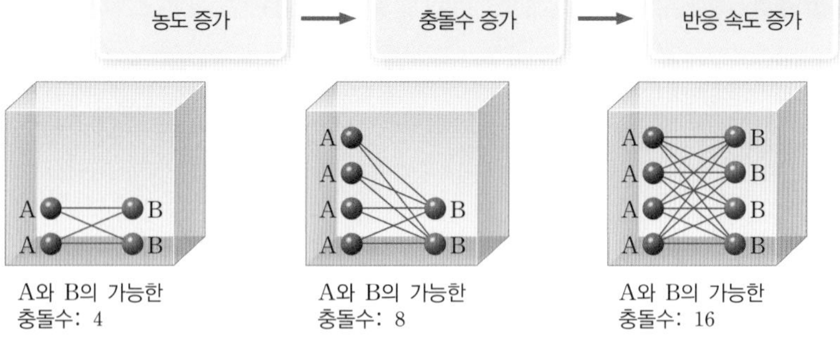

▲ 농도에 따른 충돌 모형

(2) **반응물이 기체 상태인 경우:** 기체는 압력이 증가하면 부피가 감소하기 때문에 단위 부피당 입자 수가 증가한다. 따라서 압력이 증가한 것은 농도가 증가한 것과 같다. 일정한 온도에서 기체의 압력을 증가시켜도 기체 입자의 운동 속도는 변하지 않지만, 농도가 증가하여 충돌수가 증가하기 때문에 반응 속도가 빨라지게 된다.

범퍼카의 충돌

놀이동산에서 범퍼카를 탈 때 범퍼카를 타는 사람이 적으면 타는 동안 다른 범퍼카와 충돌하는 횟수가 적지만, 사람이 많아지면 다른 범퍼카와 충돌하는 횟수가 많아진다.

기체의 압력과 농도

이상 기체 방정식 $PV=nRT$를 변형하면 $\frac{n}{V}=\frac{1}{RT}\cdot P$이므로 일정한 온도에서 $\frac{n}{V}\propto P$이다. $\frac{n}{V}\left(\frac{\text{양(mol)}}{\text{부피}}\right)$은 기체의 몰 농도이므로 기체의 농도는 압력(P)에 비례함을 알 수 있다.

압력 $\begin{cases} P_1=1\text{기압} \\ V_1=4\text{ L} \end{cases}$ 부피　$\begin{cases} P_2=2\text{기압} \\ V_2=2\text{ L} \end{cases}$　$\begin{cases} P_3=4\text{기압} \\ V_3=1\text{ L} \end{cases}$

▲ **기체의 압력과 반응 속도** 압력이 커지면 부피가 작아져 단위 부피당 입자 수가 증가하므로 충돌수가 증가한다.

(3) 실생활에서 농도가 반응 속도에 영향을 주는 예

- 꺼져가는 불씨에 입김을 불어 넣으면 불씨가 되살아난다.
- 연탄가스에 중독된 환자는 고압의 산소를 이용하여 치료한다.
- 산소 용접을 할 때 고온의 불꽃을 내기 위해 고압의 산소를 이용한다.
- 강철솜은 공기 중에서는 잘 타지 않지만 순수한 산소 속에서는 불꽃을 내면서 연소한다.
- 농도가 높은 산성비가 내리면 대리석($CaCO_3$)으로 된 건축물이나 조각품의 부식이 빨라진다.

3. 표면적의 영향

(1) **반응물이 고체인 경우:** 고체는 입자 사이의 충돌이 내부에서는 일어나지 못하고 표면에서만 일어난다. 따라서 고체 물질의 표면적이 커지면 입자가 충돌할 수 있는 접촉 면적이 늘어나므로 충돌수가 증가하여 반응 속도가 빨라진다.

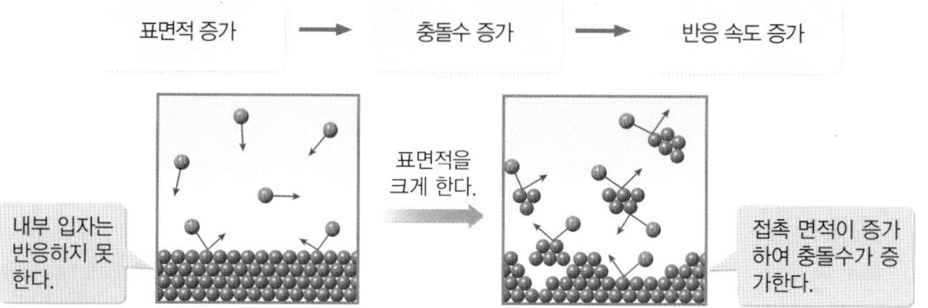

▲ **고체의 표면적과 충돌수**

고체를 작게 자르면 내부에 있던 부분이 표면으로 드러나 자른 단면의 면적만큼 표면적이 증가한다. 예를 들어 가로, 세로, 높이가 각각 1 m인 정육면체의 표면적은 6 m^2이지만 각 면을 반으로 자르면 표면적은 2배인 12 m^2가 된다. 고체를 매우 미세한 입자로 쪼개면 표면적을 10만 배 정도까지 증가시킬 수 있다.

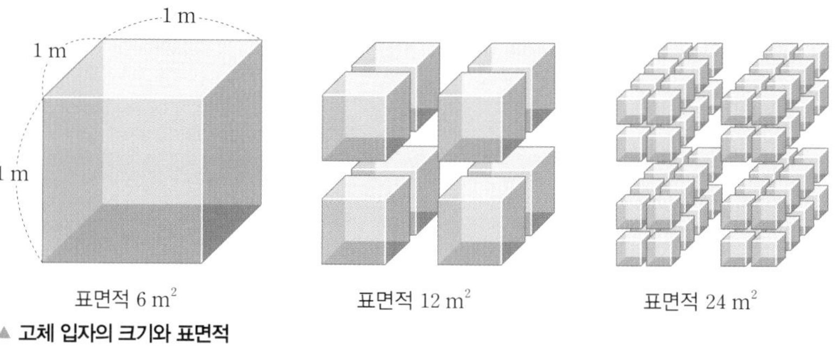

▲ **고체 입자의 크기와 표면적**

연탄가스 중독 치료

연탄가스 중독은 일산화 탄소(CO) 중독으로, CO가 산소보다 헤모글로빈과의 결합력이 강하여 산소와 결합한 헤모글로빈 분자 수가 적어져 뇌에 산소가 적게 공급되어 나타나는 현상이다. 고압의 산소를 이용하면 산소의 농도가 높아 헤모글로빈과 산소가 결합하는 반응의 속도가 빨라지므로 산소와 결합한 헤모글로빈 분자 수가 많아지게 된다.

산소 용접

산소를 충분히 공급하면서 아세틸렌을 연소시키면 3000 ℃ 이상의 불꽃이 생기므로 아세틸렌은 금속을 자르거나 용접할 때 사용된다.

(2) **실생활에서 표면적이 반응 속도에 영향을 주는 예**

- 음식을 빠르게 익히기 위해 작은 조각으로 썬다.
- 장작을 잘 타게 하기 위해 도끼로 장작을 가늘게 쪼갠다.
- 탄광에서는 공기 중에 석탄 가루가 많기 때문에 작은 불씨로도 폭발이 일어나기 쉽다.
- 암석의 기계적 풍화가 진행되어 틈새가 벌어지면 암석의 화학적 풍화 속도도 빨라진다.
- 소장의 상피 세포는 표면이 수많은 융털의 형태로 되어 있어 영양소의 흡수를 빠르게 한다.
- 기체 교환이 일어나는 폐의 폐포는 포도송이 모양을 하고 있어 기체 교환 속도를 빠르게 한다.
- 약을 알약의 형태로 복용했을 때보다 가루약의 형태로 복용했을 때 체내에 흡수가 빨리 일어난다.

소장 내부의 융털
소장 내부는 수많은 융털로 이루어져 있어 표면적이 매우 크다.

폐포
기도의 맨 끝부분에 있는 포도송이 모양의 작은 공기주머니로, 기체 교환이 이루어진다.

2 반응 속도에서 온도의 영향

음식물을 실온에 두었을 때보다 냉장고에 보관했을 때 음식물의 부패 속도가 느려진다. 이처럼 온도도 반응 속도와 밀접한 관련이 있다.

1. 온도에 따른 충돌수와 반응 속도

탐구 045쪽 심화 046쪽

일반적으로 반응물이 기체인 경우 온도가 10 ℃ 정도 올라가면 반응 속도는 2배 정도 증가한다. 예를 들어 수소와 염소가 반응하여 염화 수소가 생성되는 반응은 온도가 25 ℃에서 35 ℃로 10 ℃ 올라가면 반응 속도가 2배 정도 빨라진다. 그런데 온도 증가에 따른 분자들의 충돌수 증가는 2 % 정도밖에 되지 않으므로 온도가 높아져 분자들의 충돌수가 증가하는 것은 반응 속도가 빨라지는 주된 요인으로 볼 수 없다. 온도가 높아졌을 때 반응 속도가 빨라지는 주된 이유는 활성화 에너지보다 큰 운동 에너지를 가지는 분자 수가 증가하기 때문이다.

온도와 반응 속도
농도와 반응 속도의 관계는 반응 속도식에 따라 농도가 2배로 증가할 때 반응 속도가 몇 배로 증가하는지 쉽게 예측이 되지만, 온도와 반응 속도의 관계는 온도가 10 ℃ 올라갈 때 몇 배로 증가한다고 간단하게 말할 수 없다. 온도가 10 ℃ 올라갈 때 반응 속도가 어느 정도 증가하는지는 반응의 활성화 에너지 크기에 따라 다르고, 낮은 온도인지 높은 온도인지에 따라 다르다.

시야 확장 ⊕ 온도와 입자의 충돌수

온도가 높아지면 입자들이 가지는 평균 운동 에너지$\left(E_k=\frac{1}{2}mv^2\right)$가 증가하여 입자들의 평균 운동 속력이 증가하고, 반응물 입자들의 충돌수가 증가하기 때문에 반응 속도가 빨라진다.
온도가 25 ℃에서 35 ℃로 10 ℃ 올라갈 때 충돌수의 증가는 다음과 같이 구할 수 있다.
분자들의 평균 운동 에너지(E_k)는 절대 온도(T)에 비례하므로 평균 운동 속력(v)은 절대 온도의 제곱근에 비례한다. 따라서 25 ℃와 35 ℃에서 충돌 속도비는 다음과 같다.

$$\frac{35\ ℃\text{에서의 충돌 속도}}{25\ ℃\text{에서의 충돌 속도}}=\sqrt{\frac{273+35}{273+25}}=1.02$$

즉, 온도가 25 ℃에서 35 ℃로 10 ℃ 올라갈 때 충돌수는 2 % 정도만이 증가하는데 반응 속도는 2배 정도 증가한다. 따라서 충돌수의 증가만으로는 반응 속도를 설명하기 어렵다. 이것은 활성화 에너지보다 큰 에너지를 갖는 입자 수의 증가로 설명할 수 있다.

2. 온도에 따른 분자 운동 에너지와 반응 속도

일정한 온도에서 같은 용기에 들어 있는 입자들은 같은 종류의 입자라도 서로 다른 운동 에너지를 갖고 있으며, 운동 에너지 분포 곡선을 그려 보면 그림과 같이 나타난다. 한편, 온도가 높아지면 분자들의 평균 운동 에너지가 증가하기 때문에 입자들의 운동 에너지 분포 곡선이 오른쪽으로 이동하는 것을 알 수 있다.

입자 수
활성화 에너지(E_a)
반응이 불가능한 입자
반응이 가능한 입자
낮은 온도
높은 온도
반응이 가능한 입자 수
E_a
운동 에너지

▲ 온도에 따른 분자 운동 에너지 분포

그림에서 볼 수 있듯이 온도가 높아지면 활성화 에너지(E_a) 이상의 에너지를 가지는 입자의 수가 증가하게 된다. 따라서 온도가 높아지면 유효 충돌을 할 수 있는 입자 수가 증가하여 반응 속도가 빨라지게 된다.

온도 증가 → 활성화 에너지 이상의 에너지를 갖는 입자 수 증가 → 반응 속도 증가

활성화 에너지와 온도

활성화 에너지의 크기는 반응의 종류에 따라 달라지며, 온도에 의해서는 변하지 않는다. 또, 온도에 따른 분자의 운동 에너지 분포 곡선에서 온도가 변하더라도 총 분자 수는 변하지 않기 때문에 곡선의 밑면적(총 분자 수)은 같다.

3. 실생활에서 온도가 반응 속도에 영향을 주는 예

- 높은 온도에서 물이 끓는 압력솥에서는 밥이 빨리 된다.
- 파마 약을 바르고 머리를 따뜻하게 하면 파마가 빨리 된다.
- 비닐하우스를 이용하여 겨울에도 과일이나 채소를 재배한다.
- 겨울잠을 자는 동물들이 겨울잠을 잘 때 체내의 반응 속도가 느려진다.
- 반딧불이라고도 하는 개똥벌레는 봄이나 가을보다 기온이 높은 여름에 더 밝은 불빛을 낸다.
- 음식물을 냉장고에 보관하면 음식물이 변질되는 속도가 느려져 실온에서보다 오래 보관할 수 있다.

▲ 비닐하우스 재배

▲ 반딧불이의 불빛

▲ 냉장고 속 음식 보관

과정이 살아 있는 탐구

농도가 반응 속도에 미치는 영향

반응물의 농도가 반응 속도에 미치는 영향을 설명할 수 있다.

과정

1 5개의 비커에 각각 0.05 M 아이오딘산 칼륨(KIO_3) 수용액 17 mL와 1 % 녹말 수용액 3 mL를 넣고 잘 섞는다.

2 5개의 비커에 0.05 M 아황산수소 나트륨($NaHSO_3$) 수용액을 각각 4 mL, 8 mL, 12 mL, 16 mL, 20 mL씩 넣은 후, 전체 부피가 20 mL가 되도록 증류수를 가해 잘 섞는다.

3 과정 **1**의 용액이 들어 있는 각각의 비커에 과정 **2**의 용액을 가한 직후부터 순간적으로 용액이 청람색으로 변하는 데 걸린 시간을 초시계로 측정한다.

결과 및 정리

1 실험 결과를 표로 나타내면 다음과 같다.

실험	0.05 M $NaHSO_3$ 수용액의 부피(mL)	증류수의 부피 (mL)	$NaHSO_3$ 수용액의 농도(M)	반응 시간(s)	반응 속도(1/s)
Ⅰ	4	16	0.01	85.9	0.012
Ⅱ	8	12	0.02	39.7	0.025
Ⅲ	12	8	0.03	30.3	0.033
Ⅳ	16	4	0.04	21.6	0.046
Ⅴ	20	0	0.05	17.7	0.056

2 **농도와 반응 속도:** $NaHSO_3(aq)$의 농도가 클수록 청람색으로 변하는 데 걸리는 시간이 짧아진다. ➡ 농도가 클수록 반응 속도가 빨라진다.

유의점

- 아황산수소 나트륨 수용액은 쉽게 산화되어 황산염이 되므로 실험 전에 바로 만들어 사용하는 것이 좋다.
- 반응을 시킬 때 두 용액을 잘 섞어 준다. 두 용액이 잘 섞이지 않으면 색깔이 순간적으로 변하지 않고 조금씩 서서히 변해 반응 속도를 측정하기 어렵다.
- 농도의 영향을 알아보기 위한 실험이므로 반응 용액의 온도는 일정하게 유지해 준다.

화학 반응

이 반응은 다음과 같은 과정을 거쳐 일어난다.

$IO_3^-(aq) + 3HSO_3^-(aq) \longrightarrow I^-(aq) + 3SO_4^{2-}(aq) + 3H^+(aq)$

이 단계에서 HSO_3^-이 모두 반응하고 난 후 I^-과 남아 있는 IO_3^-이 반응하여 아이오딘(I_2)이 생성된다.

$IO_3^-(aq) + 5I^-(aq) + 6H^+(aq) \longrightarrow 3I_2(s) + 3H_2O(l)$

이때 생성된 일정량의 I_2이 녹말과 반응하여 청람색으로 변한다.

탐구 확인 문제

> 정답과 해설 139쪽

01 위 탐구에 대한 설명으로 옳지 <u>않은</u> 것은?

① 반응 속도의 단위는 1/s이다.
② 이 반응은 $NaHSO_3(aq)$에 대해 1차 반응이다.
③ $KIO_3(aq)$의 농도는 반응 속도에 영향을 주지 않는다.
④ 색이 변하는 데 걸리는 시간이 길수록 반응 속도가 느리다.
⑤ $NaHSO_3(aq)$ 10 mL에 증류수 10 mL를 가한 수용액을 사용하면 반응 시간은 39.7초보다 짧아진다.

02 이 반응에서 $KIO_3(aq)$의 농도가 반응 속도에 어떤 영향을 미치는지 알아보고자 한다. 실험 과정을 간단히 쓰시오.

온도가 반응 속도에 미치는 영향

반응물의 온도가 반응 속도에 미치는 영향을 설명할 수 있다.

과정

1 유성펜으로 ×표를 한 흰 종이 위에 3개의 삼각 플라스크를 각각 올려놓고 0.1 M 싸이오황산 나트륨($Na_2S_2O_3$) 수용액을 50 mL씩 넣는다.

2 25 ℃에서 과정 **1**의 삼각 플라스크 1개에 0.5 M 묽은 염산(HCl) 10 mL를 재빨리 넣고, 초시계를 이용하여 넣는 순간부터 ×표가 보이지 않을 때까지 걸린 시간을 측정한다.

3 35 ℃와 45 ℃에서 과정 **2**를 반복한다.

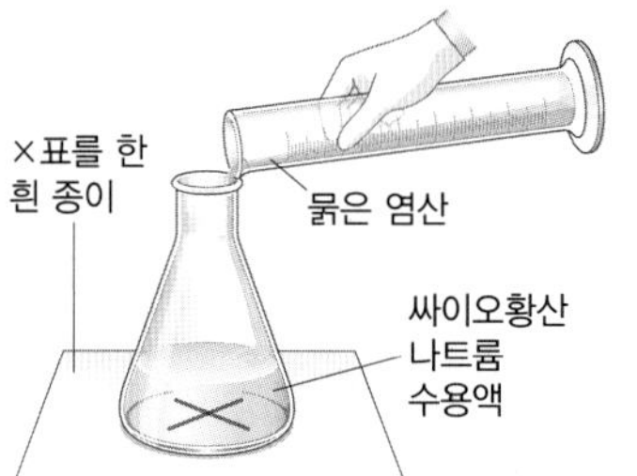

유의점

- 묽은 염산이 피부에 묻지 않도록 주의하며, 피부에 묻을 경우 즉시 수돗물로 세척한다.
- 흰 종이에 ×표를 할 때 굵기에 따라 ×표가 보이지 않는 시간이 조금씩 차이날 수 있으므로 크기와 선의 두께를 최대한 같게 그린다.

결과 및 정리

1 **실험 결과를 표와 그래프로 각각 나타내면 다음과 같다.**

실험	온도(℃)	×표가 보이지 않을 때까지 걸린 시간(s)	반응 속도(1/s)
Ⅰ	25	180	0.0056
Ⅱ	35	94	0.0106
Ⅲ	45	42	0.0238

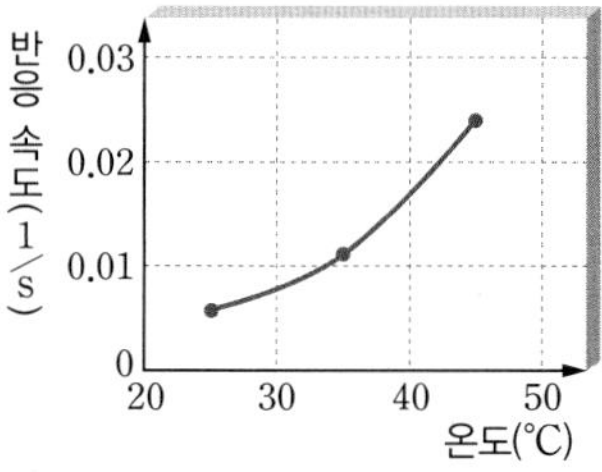

2 **앙금 생성 반응:** ×표가 보이지 않게 되는 것은 싸이오황산 나트륨과 염산이 반응하면 다음과 같은 반응에 의해 노란색 앙금인 황(S)이 생성되어 용액이 불투명해지기 때문이다.

$$Na_2S_2O_3(aq) + 2HCl(aq) \longrightarrow 2NaCl(aq) + H_2O(l) + SO_2(g) + S(s)$$

3 **온도와 반응 속도:** 온도가 높을수록 ×표가 보이지 않을 때까지 걸린 시간이 짧아진다. ➡ 온도가 높을수록 반응 속도가 빨라진다.

탐구 확인 문제

> 정답과 해설 139쪽

01 위 탐구에 대한 설명으로 옳은 것만을 보기에서 있는 대로 고르시오.

보기

ㄱ. 반응 속도의 단위는 1/s이다.
ㄴ. 온도가 높을수록 반응 속도가 빨라진다.
ㄷ. 온도가 높을수록 황(S) 앙금이 많이 생성된다.
ㄹ. 온도가 10 ℃ 높아지면 반응물 입자 사이의 충돌 수가 약 2배 증가한다.

02 그림에서 Ⅰ은 25 ℃에서 Mg 리본 3 cm를 충분한 양의 묽은 염산과 반응시킬 때 생성되는 수소 기체의 부피를 반응 시간에 따라 나타낸 것이다. Ⅰ을 Ⅱ로 변화시킬 수 있는 실험 조건을 1가지 이상 쓰시오.

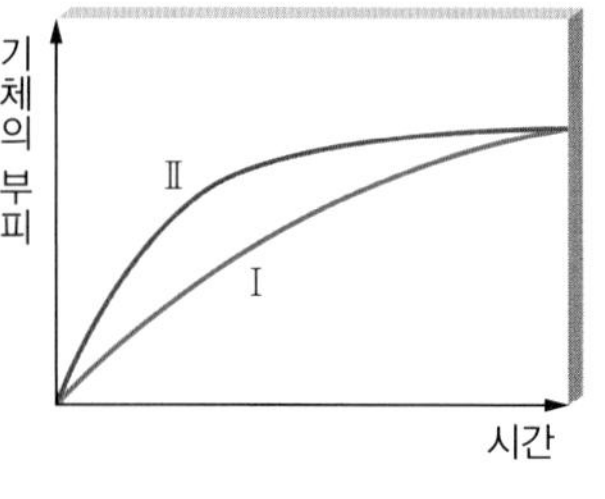

차이를 만드는 심화

온도, 활성화 에너지와 반응 속도

볼츠만은 기체 상태에서 물질을 구성하는 분자들 중 특정 에너지 값 이상의 운동 에너지를 갖는 분자들의 분율을 계산할 수 있는 식을 발표하였다. 이 식은 기체 분자 운동론으로 반응 속도에 관한 아레니우스 식을 설명하는 데 이용되며, 반응 속도의 온도 의존성과 활성화 에너지 의존성을 해석하는 데 도움을 준다. 이 식에 대해 알아보자.

오스트리아의 물리학자 볼츠만은 기체 상태에서 물질을 구성하는 분자들 중 특정 에너지 값($E_{\min}$) 이상의 운동 에너지를 갖는 분자들의 분율을 f라 하고 이 분율 f는 다음과 같은 식에 의해 계산할 수 있다고 하였다.

$\ln f = -\frac{E_{\min}}{RT}$ $\quad f = e^{-\frac{E_{\min}}{RT}}$ (R: 기체 상수, T: 절대 온도) … ①

①식은 반응 속도에 관한 아레니우스 식 $k=Ae^{-\frac{E_a}{RT}}$과 유사함을 알 수 있다.

①식에서 $E_{\min}$을 활성화 에너지 E_a로 치환하면 $f=e^{-\frac{E_a}{RT}}$이 되어 f는 활성화 에너지 이상의 운동 에너지를 갖는 분자들, 즉 반응을 일으킬 수 있는 분자들의 분율을 나타내게 된다.

만일 어떤 반응의 활성화 에너지가 45 kJ/mol이라면 25 ℃에서 활성화 에너지 이상의 에너지를 갖는 분자들의 분율 f는 다음과 같이 계산할 수 있다.

$-\frac{E_a}{RT} = -\frac{45000}{8.315\times 298} \fallingdotseq -18.16$

$f = e^{-\frac{E_{\min}}{RT}} = e^{-18.16} \fallingdotseq 1.3\times 10^{-8}$

이는 1억 회의 충돌 중 2회 미만의 충돌만이 반응을 일으킬 수 있다는 의미가 된다. 만약 온도가 10 ℃ 올라가 35 ℃가 된다면 $f=2.34\times 10^{-8}$이 되므로 반응 속도는 25 ℃의 약 2배가 된다는 것을 알 수 있다.

위와 같은 내용으로부터 일반적으로 실온 부근에서 온도가 10 ℃ 올라가면 반응 속도가 2배 정도 증가한다고 한다. 하지만 모든 반응에 적용되는 것은 아니며 활성화 에너지가 매우 작거나 큰 반응의 경우, 또 온도가 실온보다 매우 낮거나 높은 경우에는 다르게 나타난다.

그림은 3가지 활성화 에너지(E_a)에서 반응 속도가 온도에 따라 어떻게 변하는지를 상댓값으로 나타낸 것이다. 그림에서 주의할 것은 3가지 모두 25 ℃에서 반응 속도가 같은 것으로 나와 있는데, 이는 실제 값은 다 다르지만 비교를 위해 25 ℃에서의 반응 속도를 모두 1로 맞추고 이에 대한 상댓값을 나타낸 것이다.

이 그림에서 온도가 높아질수록 반응 속도는 증가하지만 그 증가 정도는 활성화 에너지의 크기에 따라 매우 달라지며, 활성화 에너지가 큰 반응일수록 온도에 따른 반응 속도의 증가 폭이 크다는 것을 알 수 있다. 이는 반응 속도의 온도 의존성이 온도가 높을수록, 활성화 에너지가 큰 반응일수록 더 크게 나타난다는 것을 의미한다.

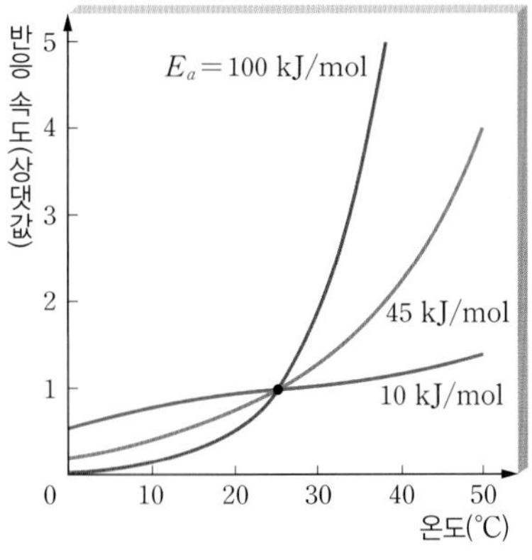

반응 속도(상댓값)
5
4
3
2
1
E_a = 100 kJ/mol
45 kJ/mol
10 kJ/mol
0 10 20 30 40 50
온도(℃)

▲ 3가지 활성화 에너지에서 온도에 따른 반응 속도

볼츠만(Boltzmann, I., 1844~1906)
통계역학의 기초를 다진 오스트리아의 물리학자로, 흑체 복사에 대한 스테판·볼츠만 법칙, 확률과 엔트로피 사이의 관계식에서 볼츠만 상수, 맥스웰·볼츠만 분포 등 그의 이름이 들어간 이론들이 상당수 있다.

정답과 해설 139쪽

01 반응 속도와 농도, 온도

2. 반응 속도에 영향을 미치는 요인

① 반응 속도에서 농도의 영향

1. **농도의 영향** 반응물의 농도가 증가할수록 단위 부피당 입자 수가 증가하여 입자 사이의 충돌수가 (❶)하므로 반응 속도가 증가한다.

2. **압력의 영향** 반응물이 모두 기체 상태일 때 압력이 증가하면 기체의 부피가 (❷)한다. ➡ 단위 부피당 입자 수가 증가하여 입자 사이의 충돌수가 (❸)하므로 반응 속도가 증가한다.

3. **표면적의 영향**

- 고체의 경우 작은 조각으로 쪼갤수록 전체 표면적이 (❹)한다.
- 반응물이 고체일 때 고체의 표면적이 (❺)수록 입자 사이의 충돌수가 증가하여 반응 속도가 증가한다.

4. **농도와 표면적이 반응 속도에 영향을 주는 예**

농도가 반응 속도에 영향을 주는 예	표면적이 반응 속도에 영향을 주는 예
• 꺼져가는 불씨에 입김을 불어 넣으면 불씨가 되살아난다. • 산소 용접을 할 때 고온의 불꽃을 내기 위해 고압의 산소를 이용한다. • 연탄가스에 중독된 환자는 고압의 산소를 이용하여 치료한다.	• 탄광에서는 공기 중에 석탄 가루가 많기 때문에 작은 불씨로도 폭발이 일어나기 쉽다. • 소장의 상피 세포는 표면이 융털의 형태로 되어 있어 영양소의 흡수를 빠르게 한다. • 기체 교환이 일어나는 폐의 폐포는 포도송이 모양을 하고 있어 기체 교환 속도를 빠르게 한다.

② 반응 속도에서 온도의 영향

1. **온도의 영향** 온도가 높아지면 분자들의 평균 운동 에너지가 증가한다. ➡ (❻) 에너지 이상의 에너지를 갖는 분자의 수가 증가한다. ➡ 반응을 일으킬 수 있는 분자의 수가 증가하므로 반응 속도가 증가한다.

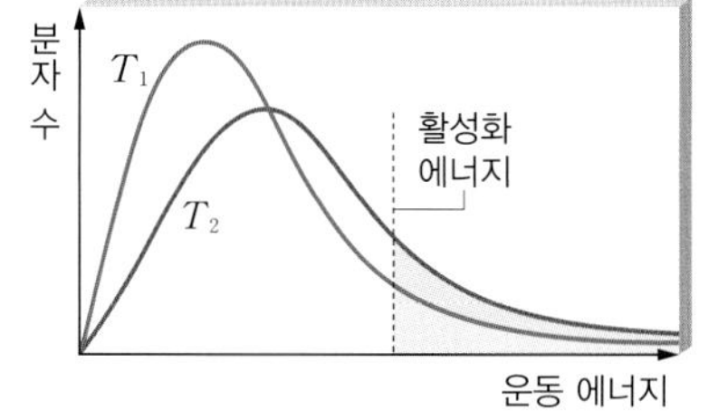

▲ 온도에 따른 분자 운동 에너지 분포

- 평균 운동 에너지, 활성화 에너지 이상의 에너지를 갖는 분자 수: T_1(❼)T_2
- 반응 속도: T_1(❽)T_2
- 활성화 에너지: $T_1=T_2$
- 그래프의 총 면적(분자 수): $T_1=T_2$

2. **온도가 반응 속도에 영향을 주는 예**

- 높은 온도에서 물이 끓는 압력솥에서는 밥이 빨리 된다.
- 비닐하우스를 이용하여 겨울에도 과일이나 채소를 재배한다.
- 겨울잠을 자는 동물들이 겨울잠을 잘 때 체내의 반응 속도가 느려진다.
- 음식물을 냉장고에 보관하면 음식물이 변질되는 속도가 느려져 실온에서보다 오래 보관할 수 있다.

개념 기본 문제

01 반응 속도와 농도, 온도

정답과 해설 139쪽

01 그림은 일정량의 묽은 염산과 대리석의 반응에서 발생하는 이산화 탄소 기체의 부피를 반응 시간에 따라 측정한 결과이다.

이 반응의 반응 속도는 시간이 지남에 따라 어떻게 변하는지 쓰고, 그 이유를 설명하시오.

02 다음은 실생활에서 반응 속도를 조절하는 예이다.

> 음식 재료를 빠르게 익히기 위해 작게 썬다.

위 예에서 반응 속도에 영향을 미친 요인과 관련 있는 것만을 보기에서 있는 대로 고르시오.

보기

ㄱ. 소장의 상피 세포는 표면이 융털 형태로 되어 있다.
ㄴ. 겨울철에도 비닐 온실에서 여름 과일을 재배할 수 있다.
ㄷ. 꺼져가는 불씨를 순수한 산소 기체가 들어 있는 집기병에 넣으면 불씨가 살아난다.

03 그림에서 Ⅰ은 25 °C에서 5 % 과산화 수소수가 분해될 때 발생하는 산소 기체의 부피를 시간에 따라 측정한 결과이다.

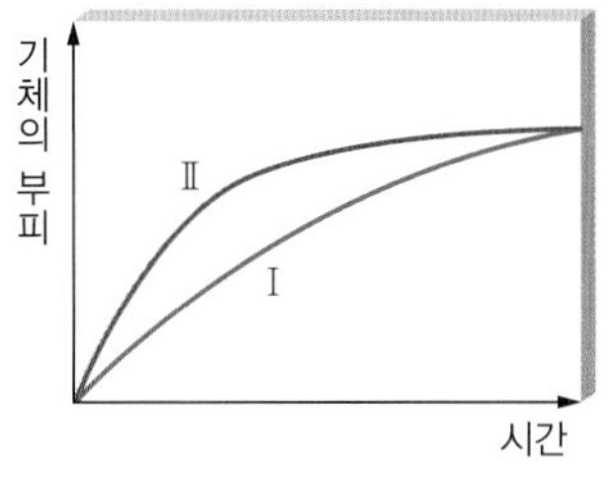

Ⅱ와 같은 결과를 얻을 수 있는 방법을 1가지만 쓰시오.

04 그림은 온도 T_1, T_2에서 반응물의 분자 운동 에너지 분포를 나타낸 것이다.

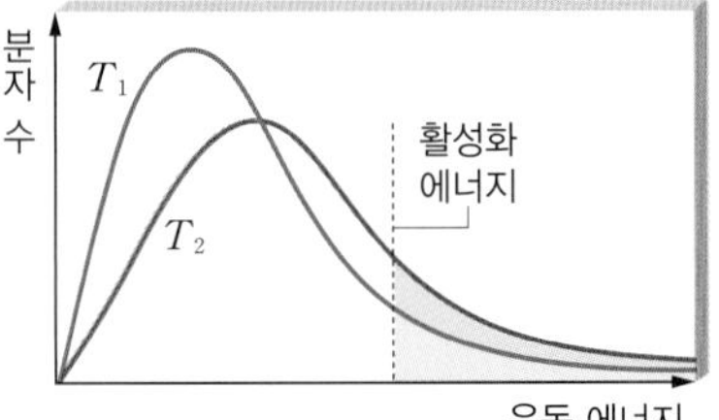

T_1에서보다 T_2에서 더 큰 값을 가지는 것만을 보기에서 있는 대로 고르시오.

보기

ㄱ. 유효 충돌수
ㄴ. 활성화물의 에너지
ㄷ. 분자 사이의 충돌수
ㄹ. 평균 분자 운동 에너지

05 표는 일정량의 석회석과 충분한 양의 묽은 염산을 여러 조건으로 반응시켜 반응 속도에 영향을 미치는 요인을 알아보기 위한 실험을 나타낸 것이다.

실험	온도(°C)	염산의 농도(%)	석회석의 상태
Ⅰ	30	10	가루
Ⅱ	20	5	조각
Ⅲ	30	10	조각
Ⅳ	20	10	가루
Ⅴ	30	5	가루

이에 대한 설명으로 옳은 것만을 보기에서 있는 대로 고르시오.

보기

ㄱ. 반응 속도 상수(k)는 실험 Ⅰ이 Ⅲ보다 크다.
ㄴ. 반응의 활성화 에너지는 실험 Ⅱ가 Ⅳ보다 크다.
ㄷ. 염산의 농도가 반응 속도에 미치는 영향을 알아보기 위해서는 실험 Ⅰ과 Ⅴ를 비교해야 한다.

개념 적용 문제

01 반응 속도와 농도, 온도

> 정답과 해설 140쪽

01 > 반응 속도식과 온도

표는 기체 물질 X의 분해 반응에서 조건을 달리하여 반응시켰을 때, 시간에 따른 X의 농도를 나타낸 것이다.

반응 시간(분)		0	1	2	3	4
X의 농도 (M)	실험 Ⅰ	8	5.7	4	2.6	2
	실험 Ⅱ	8	4	2	1	0.5

이에 대한 설명으로 옳은 것만을 보기에서 있는 대로 고른 것은? (단, 촉매는 첨가하지 않았다.)

보기
ㄱ. 실험 Ⅰ에서 X의 분해 반응은 2차 반응이다.
ㄴ. 반응 온도는 실험 Ⅱ가 실험 Ⅰ보다 높다.
ㄷ. 6분일 때 X의 농도는 실험 Ⅰ이 실험 Ⅱ의 8배이다.

① ㄱ ② ㄷ ③ ㄱ, ㄴ ④ ㄴ, ㄷ ⑤ ㄱ, ㄴ, ㄷ

• 농도가 반으로 줄어드는 데 걸리는 시간, 즉 반감기를 비교해 본다.

02 > 실생활 속 반응 속도에 영향을 미치는 요인

다음은 암석의 풍화 작용에 관한 설명이다.

풍화 작용은 여러 가지 요인에 의해 암석이 잘게 쪼개지는 기계적 풍화 작용과 암석의 성분이 변하는 화학적 풍화 작용으로 구분된다. 기계적 풍화 작용에 의해 (가) 암석이 잘게 쪼개지면 화학적 풍화 작용이 촉진되며, 화학적 풍화 작용은 (나) 온난한 열대 지방에서 활발하게 일어난다.

(가)와 (나)에 관련된 원리로 설명할 수 있는 현상을 보기에서 골라 옳게 짝 지은 것은?

보기
ㄱ. 압력솥은 일반 솥보다 밥이 빨리 된다.
ㄴ. 연탄가스 중독 치료에 고압의 산소를 이용한다.
ㄷ. 탄광에서는 작은 불씨로도 폭발이 일어나기 쉽다.

	(가)	(나)		(가)	(나)
①	ㄱ	ㄴ	②	ㄱ	ㄷ
③	ㄴ	ㄱ	④	ㄷ	ㄱ
⑤	ㄷ	ㄴ			

• 반응 속도에 영향을 미치는 요인에는 농도, 표면적(고체의 경우), 온도 등이 있다.

03

> 온도와 반응 속도

그림은 반응 $A(g) \longrightarrow B(g)$에서 온도가 T_1, T_2일 때 A의 초기 농도에 따른 초기 반응 속도를 나타낸 것이다.

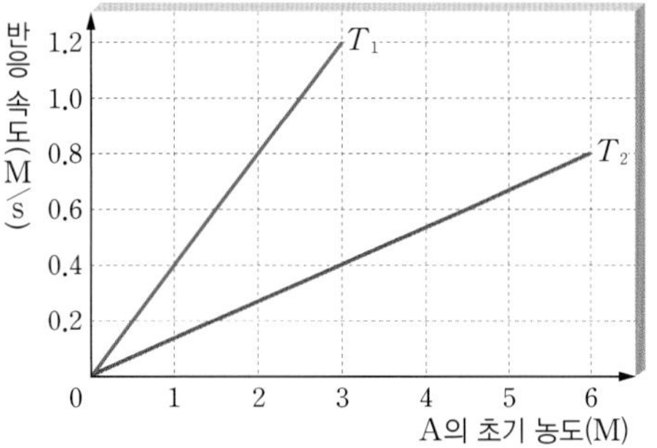

이에 대한 설명으로 옳은 것만을 보기에서 있는 대로 고른 것은?

보기
ㄱ. T_1에서의 반응 속도 상수(k)는 0.4 /s이다.
ㄴ. A의 반감기는 T_2에서가 T_1에서의 3배이다.
ㄷ. 초기 반응 속도가 1.5 M/s일 때, 초기 농도는 T_2에서가 T_1에서의 3배이다.

① ㄱ ② ㄷ ③ ㄱ, ㄴ ④ ㄴ, ㄷ ⑤ ㄱ, ㄴ, ㄷ

• 초기 반응 속도와 초기 농도와의 비례 관계를 통해 반응 차수를 알 수 있으며, 반응 속도 상수는 반응 속도식에 그래프 상 한 점의 농도와 반응 속도 값을 대입하여 구할 수 있다.

04

> 반응 속도와 농도, 온도

그림은 반응 $A(g) \longrightarrow B(g)$에서 온도 또는 초기 농도를 다르게 한 실험 (가)~(다)의 시간에 따른 용기 내 입자를 모형으로 나타낸 것이다.

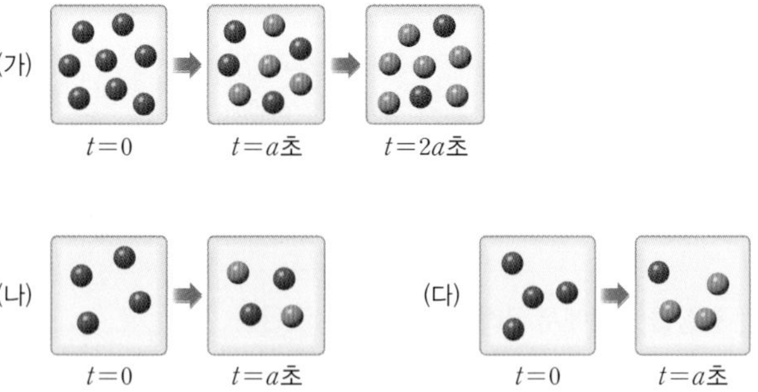

이에 대한 설명으로 옳은 것만을 보기에서 있는 대로 고른 것은? (단, 모든 용기의 부피는 같고, 각 실험에서 온도는 일정하다.)

보기
ㄱ. 초기 반응 속도는 (가)=(다)>(나)이다.
ㄴ. 반응의 활성화 에너지는 (다)가 가장 작다.
ㄷ. $t=2a$초일 때 A의 농도는 (나)가 (다)의 4배이다.

① ㄱ ② ㄴ ③ ㄱ, ㄷ ④ ㄴ, ㄷ ⑤ ㄱ, ㄴ, ㄷ

• (가)~(다)에서 시간에 따른 A의 개수 변화로부터 반감기를 구한다. 1차 반응의 반응 속도 상수는 반감기에 반비례한다.

05

> 가역 반응에서 온도의 영향

다음은 A(g)가 반응하여 B(g)가 생성되는 반응의 열화학 반응식이다.

$$2A(g) \rightleftharpoons B(g),\ \Delta H < 0$$

서로 다른 온도 T_1, T_2에서 부피가 같은 2개의 강철 용기에 같은 양의 A(g)를 넣고 반응시켰을 때, 시간에 따른 B의 농도를 옳게 나타낸 것은? (단, $T_1 < T_2$이고, 정반응과 역반응은 모두 1차 반응이다.)

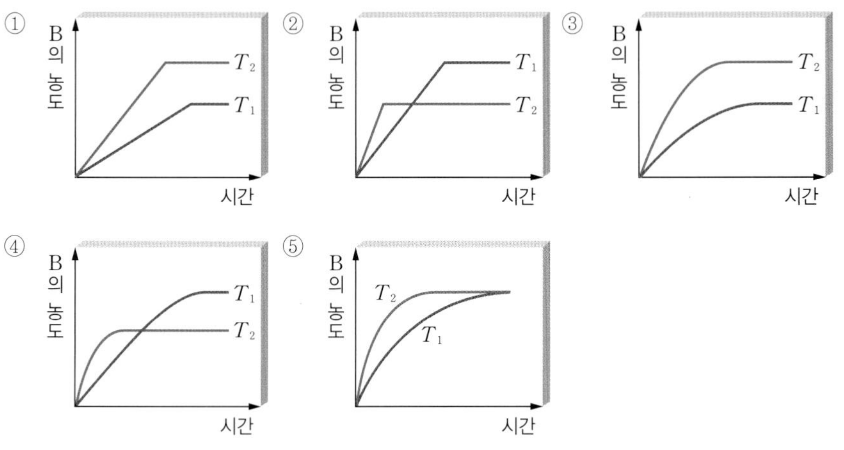

• 반응 속도는 온도가 높을수록 빨라지지만, 서로 다른 온도에서 평형에 도달했을 때 생성물의 양은 정반응이 발열 반응인지 흡열 반응인지에 따라 달라진다.

고난도 06

> 반응 속도식과 양적 관계

표는 서로 다른 온도의 두 강철 용기에서 반응 A(g) ⟶ 2B(g)이 일어날 때 시간에 따른 B의 농도를 나타낸 것이다. 온도 T_1과 T_2에서 반응 속도 상수는 각각 k_1, k_2이다.

실험	온도	[B](M)			
		t=0	t=20분	t=40분	t=60분
Ⅰ	T_1	0	6.4	9.6	11.2
Ⅱ	T_2	0	4.8	6.0	6.3

이에 대한 설명으로 옳은 것만을 보기에서 있는 대로 고른 것은?

보기

ㄱ. $k_2 = 2k_1$이다.

ㄴ. 초기 반응 속도는 실험 Ⅱ에서가 Ⅰ에서의 2배이다.

ㄷ. 실험 Ⅱ에서 순간 반응 속도는 20분일 때가 40분일 때의 2배이다.

① ㄱ ② ㄷ ③ ㄱ, ㄴ ④ ㄴ, ㄷ ⑤ ㄱ, ㄴ, ㄷ

• 20분 간격으로 B의 농도 증가량을 구하고, 화학 반응식의 계수 관계로부터 A의 감소량을 구해 경향성을 파악한다.

02 반응 속도와 촉매

학습 Point 정촉매와 부촉매 > 생체 촉매로서의 효소 > 산업 분야에 많이 쓰이는 촉매

1 촉매와 반응 속도

철이 산화되는 반응인 철의 부식은 매우 느리게 일어난다. 하지만 철의 산화 반응을 이용하는 핫팩은 흔들어주면 빠르게 반응이 일어나면서 열을 발생하는데, 이는 핫팩에 촉매로 작용하는 활성탄(C)이 들어 있기 때문이다.

1. 정촉매와 부촉매

탐구 057쪽

(1) **촉매:** 반응 과정에서 자신은 변하지 않으면서 반응 속도를 변화시키는 물질을 촉매라고 한다. 과산화 수소(H_2O_2)는 상온에서 $2H_2O_2(aq) \longrightarrow 2H_2O(l) + O_2(g)$의 반응에 의해 서서히 분해된다. 이 반응에 아이오딘화 칼륨(KI)을 소량 넣어 주면 매우 빠른 속도로 분해되며, 반대로 인산(H_3PO_4)을 소량 넣어 주면 매우 느리게 분해된다. KI이나 H_3PO_4은 과산화 수소가 분해되는 과정에서 소모되지 않고 반응 후에도 그대로 남아 있으므로 촉매로 작용하였다.

(2) **정촉매:** KI과 같이 반응 속도를 빠르게 변화시키는 물질을 정촉매라고 하며, 일반적으로 촉매라고 하면 정촉매를 의미한다.

(3) **부촉매:** H_3PO_4과 같이 반응 속도를 느리게 변화시키는 물질을 부촉매라고 한다.

2. 촉매가 반응 속도를 변화시키는 원리

심화 058쪽

(1) **정촉매 사용:** 반응의 활성화 에너지가 낮아져 반응할 수 있는 입자 수가 증가하므로 반응 속도가 빨라진다. 즉, 정촉매는 반응의 경로를 활성화 에너지가 작은 경로로 바꾸어 반응이 빠르게 일어나게 한다.

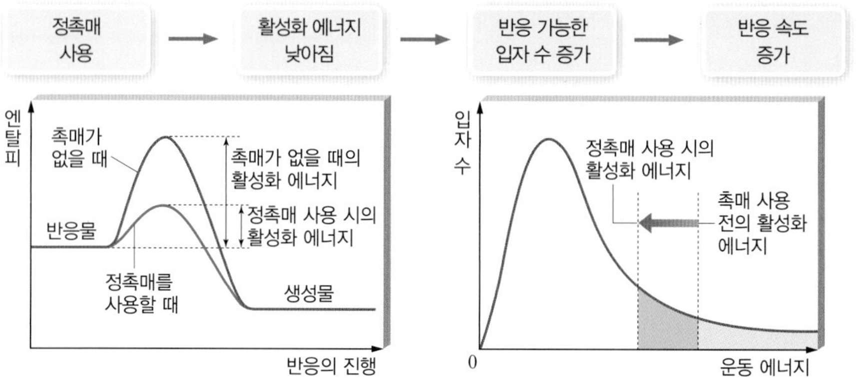

▲ 정촉매에 의한 활성화 에너지의 변화

핫팩의 원리

핫팩은 부직포로 만들어진 포장재에 철가루, 소금, 톱밥, 질석, 활성탄의 혼합물을 넣어 만든다. 포장을 뜯고 흔들면 구멍이 많은 재질인 부직포를 통해 산소가 들어가 철을 산화시키는 발열 반응이 일어나며, 이때 탄소가 주성분인 활성탄이 반응의 촉매 역할을 한다.

과산화 수소 분해 반응의 촉매

과산화 수소는 KI뿐만 아니라 이산화 망가니즈(MnO_2), 감자 즙, 상처에 난 피에 의해서도 분해 반응이 촉진된다. 상처를 소독하기 위해 약국에서 파는 과산화 수소 용액을 바르면 맨살에서는 거품이 나지 않지만 피가 난 곳에서는 거품이 발생하는 것을 볼 수 있다. 이는 피에 들어 있는 카탈레이스라는 효소가 과산화 수소 분해 반응의 촉매 역할을 하기 때문이다.

인산(H_3PO_4)

인산은 과산화 수소의 분해 반응을 늦추는 부촉매로 작용하기 때문에 과산화 수소를 오래 보관하기 위한 첨가제로 사용된다. 실험실에 있는 시약병에 들어 있는 과산화 수소에는 소량의 인산이 첨가되어 있다.

반응	촉매	활성화 에너지(kJ/mol)	
		사용 전	사용 후
$N_2 + 3H_2 \longrightarrow 2NH_3$	Fe	234	117
$H_2 + I_2 \longrightarrow 2HI$	Pt	167	42
$H_2O_2 \longrightarrow H_2O + \frac{1}{2}O_2$	I^-	76	19

▲ 몇 가지 반응에서 촉매와 활성화 에너지 변화

(2) **부촉매 사용:** 반응의 활성화 에너지가 높아져 반응할 수 있는 입자 수가 감소하므로 반응 속도가 느려진다. 즉, 부촉매는 반응의 경로를 활성화 에너지가 큰 경로로 바꾸어 반응이 느리게 일어나게 한다.

부촉매 사용 → 활성화 에너지 높아짐 → 반응 가능한 입자 수 감소 → 반응 속도 감소

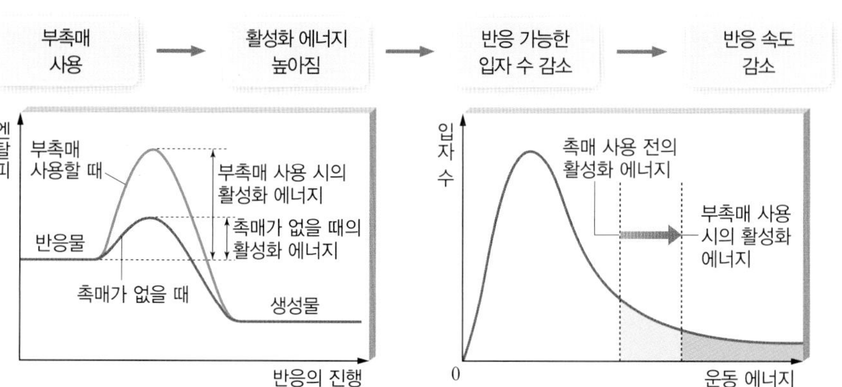

▲ 부촉매에 의한 활성화 에너지의 변화

시야 확장 ⊕ 프레온과 오존층 파괴 반응

성층권에 있는 오존층에서 오존과 산소는 다음과 같은 평형을 이루어 농도가 일정하게 유지되며, 태양으로부터 오는 유해한 자외선을 흡수, 차단하여 지구상의 생물을 자외선으로부터 보호해 준다.

$O_3 \xrightarrow{\text{자외선}} O_2 + O$, $O_2 + O \longrightarrow O_3 +$ 열

한때 냉장고나 에어컨 등의 냉매, 스프레이 분사제 등에 폭넓게 사용되었던 프레온-12(CF_2Cl_2) 가스는 오존층 파괴의 주범이었다. 다음은 프레온 가스에 의한 오존층 파괴 과정을 나타낸 것이다.

프레온의 분해 반응: $CF_2Cl_2(g) \longrightarrow CF_2Cl(g) + Cl(g)$

오존의 분해 반응: 1단계: $Cl(g) + O_3(g) \longrightarrow ClO(g) + O_2(g)$

2단계: $ClO(g) + O(g) \longrightarrow Cl(g) + O_2(g)$

전체 반응식: $O_3(g) + O(g) \longrightarrow 2O_2(g)$

프레온 가스가 성층권에 도달하면 자외선에 의해 분해되어 염소 원자를 생성하고, 염소 원자가 오존과 반응하여 오존을 분해시키며 반응 후 없어지지 않고 계속 오존을 분해하는 촉매로 작용하기 때문에 프레온 가스는 소량으로도 오존층 파괴에 결정적인 역할을 했다. 근래에는 프레온 가스 생산 감축을 위한 국제적인 노력으로 오존층 파괴가 확대되지는 않고 있는 상태이다.

총 오존량 : 0 100 200 300 400 500 600 700

1979년 1988년 2006년 2016년

▲ 남극 상공 오존층 구멍의 변화

촉매의 특징

- 촉매는 정반응의 활성화 에너지뿐만 아니라 역반응의 활성화 에너지도 변화시킨다. 따라서 정촉매를 사용하면 정반응과 같은 정도로 역반응 속도도 빨라지기 때문에 평형 상태에서 촉매를 첨가해도 평형 이동은 일어나지 않으며, 생성물의 양도 변하지 않는다.
- 촉매를 사용해도 반응물과 생성물의 엔탈피가 변하지 않으므로 반응 엔탈피도 변하지 않는다.

프레온

CFC(chloro fluoro carbon)의 일종으로, 염소 원자와 플루오린 원자가 탄소에 결합된 물질이다. 프레온은 가연성, 부식성이 없어 안전한 냉매로 인정되어 냉장고와 에어컨의 냉매로 폭넓게 사용되었으며, 스프레이의 내용물이 밖으로 뿜어져 나오게 하는 역할을 하는 분사제로도 널리 사용되었다. 하지만 오존층 파괴의 주요인으로 알려져 최근에는 다른 냉매로 대체되었다.

오존 구멍

남극이나 북극의 상공에서 오존층이 희박하게 된 영역을 말한다. 1980년 남극에서 발견되었고, 1989년에는 북극에서도 관측되었다. 프레온 가스가 냉매로 폭넓게 사용되던 때에 구멍의 크기가 점차 커지다가 국제적인 노력으로 프레온 가스의 대체 물질을 개발한 뒤로는 구멍의 크기가 크게 변하지 않고 있다.

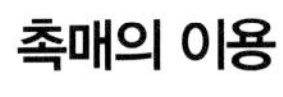

촉매의 이용

촉매는 생명 활동뿐만 아니라 실생활이나 산업에 필요한 물질을 생산하는 과정에서 일반적인 조건에서는 잘 일어나지 않는 반응들을 적절한 속도로 일어날 수 있게 도와준다.

1. 생명 현상에서의 촉매

생명체가 생명 활동에 필요한 에너지를 얻는 세포 호흡 과정 $C_6H_{12}O_6 + 6O_2 + 6H_2O \longrightarrow 6CO_2 + 12H_2O$의 반응은 물질의 연소 반응과 같다. 물질의 연소는 체온과 같은 온도에서는 일어나기 어렵지만, 우리 몸 안에서 세포 호흡은 효소의 촉매 작용에 의해 빠르게 일어나고 있다. 이처럼 우리 몸 안에서는 세포 호흡뿐 아니라 신진대사와 관련된 단백질, 지방의 분해, 글리코젠의 합성 등 보통의 조건에서는 일어나기 매우 어려운 반응들이 효소의 도움으로 적절한 속도로 일어난다.

(1) **기질 특이성:** 효소는 단백질 분자로, 분자의 특정 부위에 기질과 화학적으로 쉽게 결합할 수 있도록 기질의 입체 구조와 화학적 성질에 대응하는 활성 자리를 가지고 있다. 기질은 이 활성 자리에 결합하여 쉽게 화학 반응을 하며, 반응이 끝난 후 떨어져 나가고 다시 다른 분자가 결합하여 반응을 일으킨다.

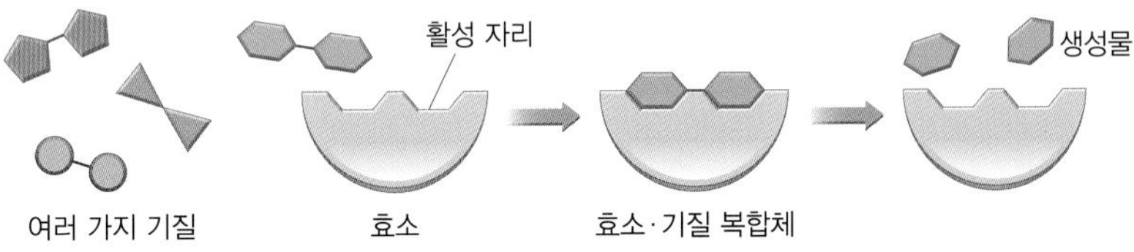

▲ 효소의 반응

효소의 활성 자리는 특정 기질에만 적합한 입체 구조와 화학적 성질을 갖고 있어 하나의 효소는 한 가지 기질에만 작용할 수 있는데, 이를 기질 특이성이라고 한다. 예를 들어 침에 함유되어 있는 아밀레이스는 녹말은 분해하지만 지방이나 단백질은 분해하지 못한다. 이는 아밀레이스 활성 자리의 입체 구조가 녹말 분자에만 들어맞는 구조이기 때문이다.

(2) **효소의 활성:** 효소는 반응 속도를 빠르게 해 준다는 점에서 금속 또는 금속의 화합물이 주성분인 무기 촉매와 같지만, 무기 촉매보다 온도와 pH의 영향을 크게 받는다는 차이점이 있다. 효소는 생명체 내에서 작용하는 촉매로, 체온과 비슷한 온도에서 활성이 가장 크며 효소의 종류에 따라 활성이 큰 pH 범위가 다르다. 온도가 너무 높거나 pH가 일정 범위를 넘으면 효소를 구성하고 있는 단백질의 구조가 변형되기 때문이다.

▲ 온도에 따른 효소의 작용

▲ pH에 따른 효소의 작용

기질
효소의 촉매 작용을 받는 물질

자물쇠와 열쇠
자물쇠를 열쇠로 열 때 자물쇠와 열쇠는 기질과 효소의 관계에 비유할 수 있다. 자물쇠 구멍에 맞는 모양을 한 열쇠는 자물쇠를 열 수 있지만, 맞지 않는 열쇠는 자물쇠를 열 수 없듯이 하나의 효소는 한 가지 기질에만 작용할 수 있다.

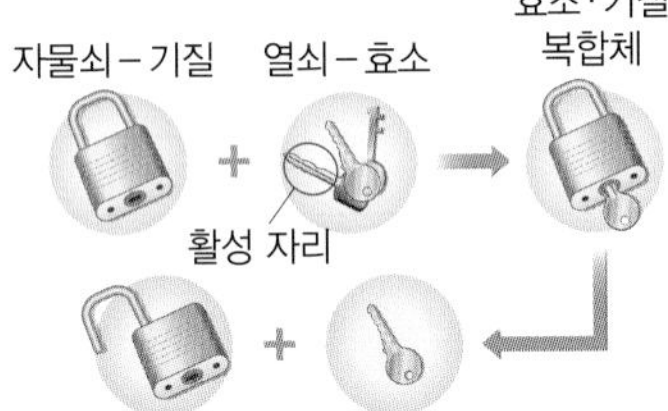

효소의 변성
단백질로 이루어진 효소는 온도가 높아지거나 적정 pH를 크게 벗어나면 입체 구조가 변하여 모양이 변하게 된다. 효소의 전체적인 구조가 변하면 활성 자리의 모양도 변하여 기질과 제대로 접촉을 할 수 없기 때문에 촉매 작용을 할 수 없다.

적정 온도 고온

효소의 최적 온도
효소의 활성이 큰 온도는 동물에 따라 다르다. 사람의 몸속에 있는 효소의 최적 온도는 대부분 35~40 ℃이지만 다른 동물이나 식물, 미생물이 가진 효소의 최적 온도는 그 이하이거나 이상인 경우도 많다. 특히 온천에 사는 박테리아의 효소는 최적 온도가 70 ℃ 이상인 경우도 있다.

2. 산업에서 촉매의 이용

심화 059~060쪽

(1) **표면 촉매:** 산업에서 가장 많이 사용되는 촉매로, 주로 금속 또는 금속의 화합물로 이루어진 고체 촉매이다. 고체 촉매의 표면에 반응물이 흡착되면 반응물을 이루는 원자 사이의 결합이 약해지거나 끊어져 활성화 에너지가 작아지므로 반응이 쉽게 일어날 수 있다.

① **에텐(C_2H_4)의 수소 첨가 반응:** 금속 촉매인 백금(Pt)이나 팔라듐(Pd)이 이용된다.

$$H_2C{=}CH_2(g) + H_2(g) \xrightarrow{\text{Pt 또는 Pd}} H_3C{-}CH_3(g)$$

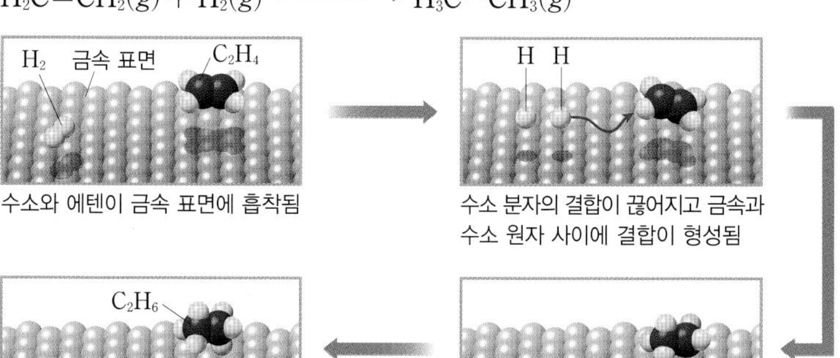

▲ **금속 촉매 표면에서 일어나는 에텐의 수소 첨가 반응**

② **암모니아(NH_3) 합성 반응:** 암모니아의 합성 반응은 활성화 에너지가 크기 때문에 일반적인 조건에서는 잘 일어나지 않는다.

$N_2(g) + 3H_2(g) \rightleftharpoons 2NH_3(g)$, $\Delta H < 0$

이 반응은 온도가 낮을수록, 압력이 높을수록 정반응 쪽으로 평형이 이동하므로 암모니아의 수득률을 높이기 위해서는 낮은 온도와 높은 압력에서 반응시켜야 한다. 하지만 온도를 낮추면 반응 속도가 느려져 암모니아를 얻는 데 시간이 많이 걸리고, 압력을 높이면 큰 압력을 견딜 수 있는 용기를 만드는 데 비용이 많이 드는 문제점이 있다. 하버는 적정한 온도와 압력에서 적정 반응 속도를 유지할 수 있는 철(Fe), 산화 알루미늄(Al_2O_3), 산화 칼륨(K_2O) 등의 고체 촉매를 발견하여 암모니아를 대량 생산하는 데 성공하였다.

온도와 압력에 따른 암모니아의 수득률

산업 현장에서는 촉매를 사용하여 400~600 °C, 300기압 정도의 조건에서 암모니아를 생산한다.

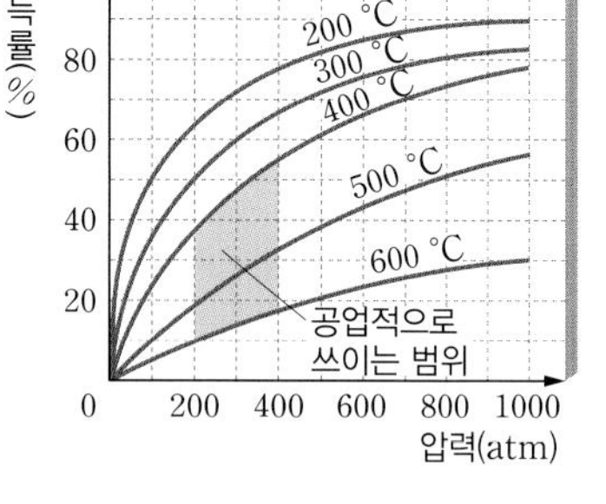

③ **자동차 배기가스 촉매 변환 장치:** 자동차의 배기가스 배출관 중간에 설치된 촉매 변환 장치는 배기가스에 들어 있는 유해한 일산화 탄소(CO), 질소 산화물(NO_x), 탄화수소(C_xH_y)를 백금(Pt), 로듐(Rh), 팔라듐(Pd) 촉매를 이용하여 이산화 탄소(CO_2), 질소(N_2), 수증기(H_2O)로 변환시킨다.

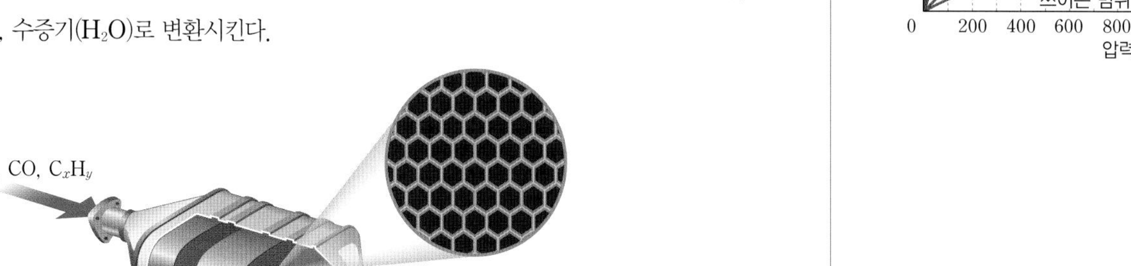

▲ **자동차 배기가스 촉매 변환 장치** Pt, Rh, Pd 등의 촉매가 산화 알루미늄(Al_2O_3)으로 만든 벌집 모양의 구조물 표면에 입혀져 있다.

(2) **광촉매:** 빛을 받으면 촉매 작용을 하는 물질로, 이산화 타이타늄(TiO_2) 등이 있으며 최근 환경과 에너지 분야에서 주목받고 있다. 광촉매는 태양광, 자외선 등의 빛을 받으면 공기 중의 물이나 산소와 반응하여 반응성이 매우 큰 활성 산소를 만드는데, 활성 산소는 산화력이 강해 유기 오염 물질들을 분해시키거나 살균 작용을 하므로 환경 분야에서 주목받고 있다. 또, 물을 수소와 산소로 분해하는 반응의 촉매 역할을 하기 때문에 광촉매를 이용하여 물로부터 차세대 에너지원인 수소를 경제성 있게 얻으려는 연구가 진행되고 있다.

이산화 타이타늄(TiO_2)
흰색의 고체 물질로, 매우 안정하며 생물학적으로 반응하지 않아 환경 및 인체에 무해하다. 반도체로서의 특징도 갖고 있어 광촉매로 이용된다.

빛
광촉매
살균 및 항균
물이나 공기 중의 오염 물질 제거
물의 광분해
표면에 부착된 오염 물질 제거

▲ **광촉매의 이용**

시야 확장 ⊕ 광촉매의 원리

TiO_2 광촉매는 360~380 nm 파장대의 빛이 쪼여질 때 작용하고, 특히 365 nm에서 가장 효과적인 작용을 한다. 광촉매가 빛을 받으면 반도체와 유사하게 광촉매 표면의 전자가 전도대(conduction band)라고 하는 들뜬상태로 전이하게 되어 자유 전자의 상태가 되며, 들뜬 전자가 있던 부분에는 (+)전하를 띠는 정공(h^+)(양공)이 생성된다. 빛을 받은 광촉매 표면이 공기 중의 산소와 접촉하면 들뜬상태의 자유 전자가 산소와 반응하여 산소 이온(O_2^-)과 같은 라디칼을 만들고, 공기 중의 물과 만나게 되면 정공(h^+)이 물과 반응하여 $\cdot OH$ 라디칼을 생성하는데, 두 라디칼은 활성이 매우 강하여 유해 유기물과 대기 오염 물질을 산화시켜 분해시킨다. 이들은 기존에 많이 사용되는 살균 소독제인 오존(O_3)보다도 산화력이 훨씬 강하다.

살균, 탈취, 유기물 분해
O_2^-
$\cdot OH$
산소 (O_2)
물 (H_2O)
태양광(자외선)
전자 e^-
h^+ 정공
TiO_2 나노 구조

라디칼(radical)
1개 이상의 홀전자를 가진 분자를 의미한다. 대부분의 분자에서 전자들은 쌍을 이루고 있으므로 쌍을 이루지 않은 홀전자가 존재하는 라디칼은 매우 불안정하여 반응성이 크다. 라디칼은 다른 라디칼과 반응하여 모든 전자들이 쌍을 이룬 정상적인 분자를 만들거나, 정상적인 분자와 반응하여 자신은 전자쌍을 채우고 함께 반응한 분자를 새로운 라디칼로 만들기도 한다.

(3) **유기 촉매:** 구조가 비교적 간단하면서 촉매 기능을 갖는 탄소 화합물로, 효소에 비해 분자량이 매우 작으며 금속을 포함하지 않는다. 금속이 주성분인 무기 촉매는 불균일상, 즉 촉매와 반응물이 섞이지 않은 상태에서 촉매의 표면에서 반응이 일어나지만, 유기 촉매는 균일상, 즉 반응물과 섞인 용액 상태에서 촉매 작용을 할 수 있는 장점을 가지고 있다. 또, 무기 촉매에 사용되는 금속은 주로 중금속으로 가격이 비싸고 인체에 유해하며 환경을 오염시키는 반면, 유기 촉매는 상대적으로 저렴하고 분해가 쉬워 친환경 촉매로서 관심을 받고 있다.

현재 사용되고 있는 유기 촉매의 예로는 비대칭 구조의 의약품을 합성하는 데 사용되는 프롤린, 알코올과 카복실산으로부터 에스터 화합물을 합성하는 데 사용되는 다이메틸 아미노피리딘(DMAP) 등이 있다.

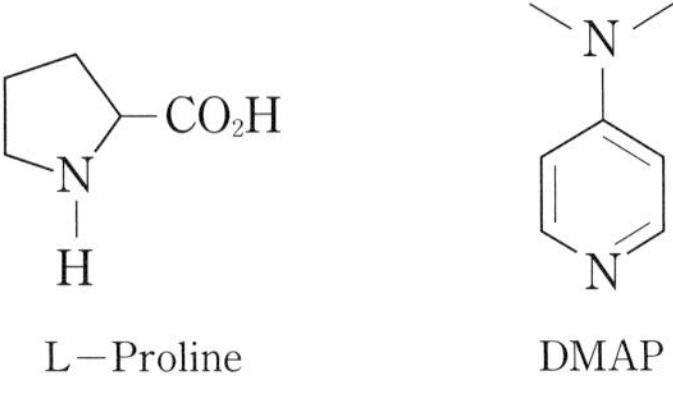

▲ **프롤린과 DMAP의 분자 구조**

나노 촉매
그래핀이나 탄소 나노 튜브를 소재로 한 촉매가 관심을 받고 있으며, 여기에 다른 금속이나 준금속들을 결합시켜 주면 전기적 특성이 강화되어 다양한 물질들을 쉽게 환원시킬 수 있게 된다. 최근에는 연료 전지의 전극으로 사용되는 백금을 대체할 소재로 각광받고 있다.

촉매가 반응 속도에 미치는 영향

과산화 수소가 분해되는 반응에서 촉매가 반응 속도에 미치는 영향을 설명할 수 있다.

과정

1 4개의 눈금실린더 A~D에 각각 3 % 과산화 수소수 10 mL를 넣고, 주방용 세제를 2~3방울 가해 거품이 나지 않을 정도로 잘 흔들어 섞는다.

2 눈금실린더 A에는 아무 것도 넣지 않고, B에는 아이오딘화 칼륨(KI) 0.1 g을, C에는 감자 조각 0.1 g을, D에는 인산(H_3PO_4) 1방울을 넣고 일정한 시간 동안 거품이 발생하는 정도를 관찰한다.

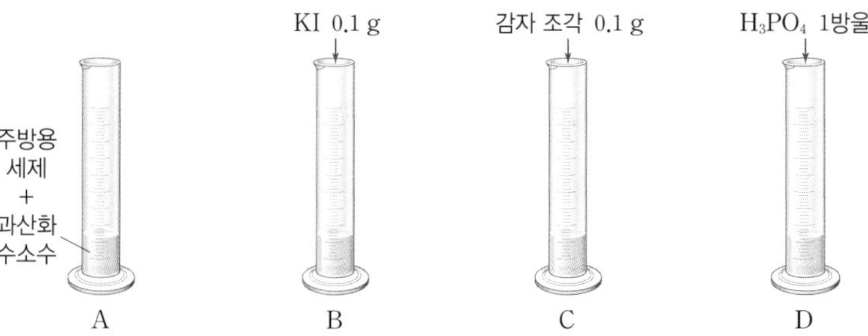

유의점

- 과산화 수소수가 피부에 묻지 않도록 유의한다.
- 실험 후 사용한 시약은 폐수통에 버린다.
- 감자 조각에 들어 있는 카탈레이스는 사람의 혈액이나 소의 간 등에도 함유되어 있어 감자 대신 소의 간으로 실험해도 비슷한 결과가 얻어진다.

결과 및 정리

1 **과산화 수소의 분해 반응 속도:** 반응 결과 산소 기체가 발생하므로 첨가한 주방용 세제에 의해 거품이 발생한다. 따라서 반응 속도는 일정한 시간 동안 발생한 거품의 높이로 비교할 수 있다.

2 **실험 결과를 표로 나타내면 다음과 같다.**

눈금실린더	A	B	C	D
첨가한 물질	없음	KI	감자 조각	H_3PO_4
거품 발생 정도	거의 없음	많이 발생함	많이 발생함	없음

3 **결과 해석:** 눈금실린더 B와 C에서 거품이 많이 발생한 것으로 보아 KI과 감자 조각은 정촉매로 작용하여 반응 속도를 빠르게 변화시켰고, 눈금실린더 D에서 거품이 발생하지 않은 것으로 보아 H_3PO_4은 부촉매로 작용하여 반응 속도를 느리게 변화시켰다. ➡ 정촉매: KI과 감자 조각, 부촉매: H_3PO_4

4 **촉매와 반응 속도:** 정촉매는 반응 속도를 빠르게 하고, 부촉매는 반응 속도를 느리게 한다.

탐구 확인 문제

> 정답과 해설 141쪽

01 위 탐구에 대한 설명으로 옳지 않은 것은?

① 과산화 수소가 분해되면 기체가 발생한다.
② 주방용 세제는 과산화 수소와 반응한다.
③ 반응 속도가 빠를수록 일정한 시간 동안 거품이 많이 발생한다.
④ 정촉매로 작용한 물질은 2가지이다.
⑤ 활성화 에너지는 D에서 가장 크다.

02 위 실험에서 과산화 수소 분해 반응의 속도를 더 정확하게 측정할 수 있는 실험 과정을 쓰시오.

03 인산은 과산화 수소 분해 반응에서 부촉매로 작용한다. 인산의 이러한 성질을 과산화 수소수와 관련하여 어떻게 이용할 수 있는지 그 방법을 쓰시오.

차이를 만드는

심화

촉매와 반응 경로

산 너머에 있는 목적지로 이동할 때 산의 정상을 거쳐 가는 것보다 산의 옆길이나 터널을 통해 가는 것이 힘을 덜 들이고 목적지에 빨리 갈 수 있는 방법이다. 정촉매는 반응의 진행 과정을 변화시켜 활성화 에너지가 더 작은 경로로 반응이 진행되게 만들어 반응 속도를 빠르게 한다. 정촉매를 사용했을 때 반응 경로의 변화를 알아보자.

❶ 촉매를 사용하지 않을 때의 반응 경로

폼산(HCOOH)은 $HCOOH \longrightarrow H_2O + CO$의 반응에 의해 분해되어 물과 일산화 탄소를 생성한다. 폼산의 분해 반응은 단일 단계 반응으로, 이 반응이 일어나려면 탄소에 결합되어 있던 수소 원자가 결합을 끊고 산소 원자와 다시 결합을 해야 하므로 많은 에너지가 필요하다. 따라서 활성화 에너지가 커서 반응이 느리게 일어난다.

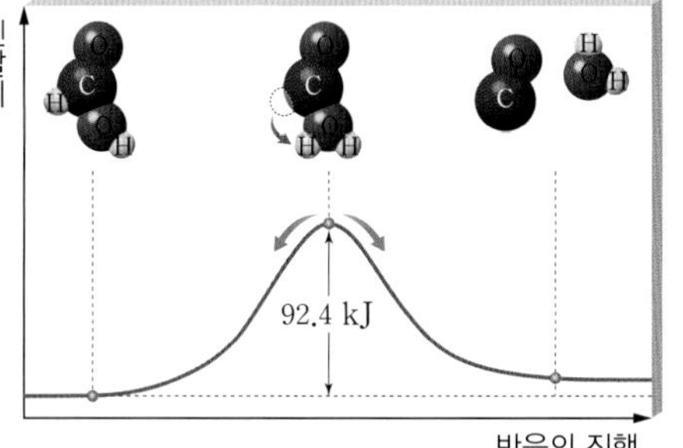

◀ 폼산 분해 반응에서의 에너지 변화(촉매를 사용하지 않았을 때)

폼산
개미의 독샘에서 얻어지기 때문에 개미산이라고도 하며, 산성 물질로 매우 자극이 강하여 피부에 닿거나 눈에 들어가면 심한 통증을 유발한다. 개미들은 천적으로부터 자신을 보호할 때 폼산을 분비한다.

❷ 정촉매를 사용할 때의 반응 경로

폼산 수용액에 황산을 소량 넣어 주면 수소 이온(H^+)이 정촉매로 작용하여 다음과 같이 반응이 3단계로 진행되도록 경로를 바꾸어 활성화 에너지를 감소시키므로 반응이 빠르게 일어난다. 이 경우에는 C에 결합되어 있던 H가 O로 이동하는 것이 아니라 촉매인 H^+이 O에 결합되어 물을 생성하므로 반응이 쉽게 일어날 수 있다.

1단계: $HCOOH + H^+ \longrightarrow HCOOH_2^+$ (빠름)
2단계: $HCOOH_2^+ \longrightarrow HCO^+ + H_2O$ (느림)
3단계: $HCO^+ \longrightarrow CO + H^+$ (빠름)

전체 반응: $HCOOH \longrightarrow H_2O + CO$

H^+은 1단계에서 없어지지만 3단계에서 다시 생성되므로 반응에서 소모되지 않으며 반응의 활성화 에너지를 92.4 kJ/mol에서 75.6 kJ/mol로 낮추는 정촉매로 작용한다.

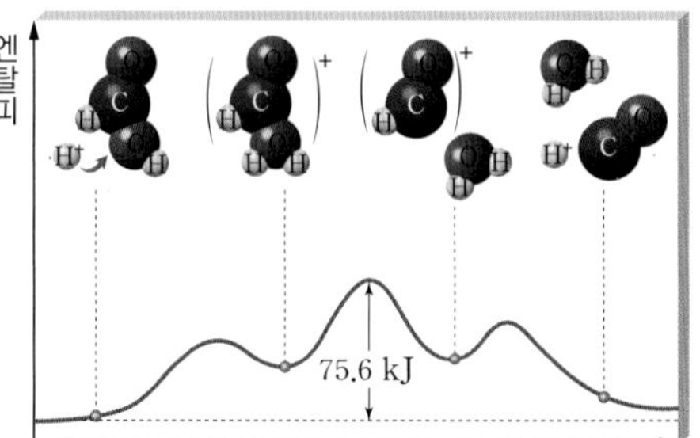

◀ 폼산 분해 반응에서의 에너지 변화(정촉매를 사용했을 때)

다단계 반응의 활성화 에너지
다단계 반응의 반응 속도는 여러 단계의 반응 중 가장 느린 단계의 반응에 의해 결정된다. 정촉매를 사용한 폼산의 분해 반응은 2단계 반응이 가장 느리고 활성화 에너지가 75.6 kJ/mol이므로 전체 반응의 활성화 에너지는 75.6 kJ/mol이다.

차이를 만드는 심화

광촉매

광촉매는 식물이 광합성 과정을 통해 햇빛과 물로부터 에너지원을 생산해내는 과정을 모방하기 위한 연구 과정에서 발견된 물질이다. 광촉매의 기본 원리와 이용에 대해 더 자세히 알아보자.

❶ 광촉매 연구

광촉매 연구는 1970년대 초 일본 도쿄대의 혼다와 후지시마 두 연구자가 물을 분해해 수소를 얻는 실험을 하던 중 놀라운 소재를 발견하면서 시작되었다. 비커에 물을 가득 채우고 (−)극에는 백금(Pt)을, (+)극에는 이산화 타이타늄(TiO_2)을 설치한 다음, 자외선을 발생시키는 제논(Xe) 램프를 비추었을 때 물이 분해되어 수소와 산소가 발생되는 현상을 발견했다. 이 성과는 1972년 「네이처」에 발표되었으며, 곧바로 전 세계 과학자의 주목을 받았다. 이후 많은 과학자들이 이산화 타이타늄에 주목하기 시작했고, 광촉매를 활발하게 연구하기 시작했다. 현재 광촉매는 실생활이나 산업 현장에서 폭넓게 사용되고 있으며, 특히 이산화 타이타늄이 가장 많이 이용되고 있다. 하지만 이산화 타이타늄의 문제점은 촉매로서의 기능을 하기 위해 높은 에너지의 자외선(360∼380 nm)이 필요한데 지상에 도달하는 태양 빛 가운데 자외선은 3 %에 불과하다는 것이다. 따라서 최근 광촉매 연구는 햇빛의 약 절반을 차지하고 있으며 자외선보다 에너지가 작은 가시광선을 이용해 촉매 작용을 할 수 있는 물질의 개발에 초점을 맞추고 있다.

광촉매의 장점과 단점
광촉매는 빛에너지를 이용하기 때문에 경제성이 있고, 원할 때 반응을 끝낼 수 있다는 장점이 있지만, 궁극적 목적인 차세대 에너지원으로 기대가 높은 수소의 생산에 있어서는 아직 효율성 면에서 떨어지기 때문에 많은 연구와 발전이 필요한 상황이다.

❷ 광촉매의 기본 원리

광촉매는 기본적으로 촉매에 빛을 쪼였을 때 전자가 에너지를 흡수하여 들뜬상태인 전도띠로 전이하고 전자가 있던 자리에 정공이 생성되는 현상을 이용한다. 광촉매로 사용되는 물질은 일종의 반도체이다. 반도체를 구성하는 원자들이 모여 고체 결정을 이루게 되면 원자 사이의 상호 작용에 의해 원자 1개일 때의 에너지 준위가 약간씩 아래위로 벌어지면서 나뉘게 된다. 원자 수가 많아질수록 에너지 준위의 수는 더 많아지며 수많은 원자가 모여 규칙적으로 배열되어 있는 고체에서는 에너지 준위가 수많은 값으로 나뉘어 거의 연속적인 띠의 형태가 된다. 이때 전자는 허용된 띠와 띠 사이의 에너지 준위 값은 가질 수 없는데, 이 영역의 에너지 준위를 금지된 띠라고 한다.

금지된 띠
원자에서 전자들은 각 오비탈에 해당하는 에너지 준위만을 가질 수 있고, 오비탈과 오비탈 사이의 에너지 준위는 가질 수 없다. 마찬가지로 원자들이 모이게 되면 전자들은 허용된 띠 사이의 금지된 띠 영역의 에너지 준위를 가질 수 없다.

▲ 원자 수에 따른 에너지 준위

전자가 에너지를 흡수하여 전도 띠로 전이하면 자유 전자가 되어 전류를 흐르게 할 수 있다. 도체는 가전자 띠가 완전히 채워져 있지 않고 일부만 채워져 있거나 가전자 띠와 전도 띠가 서로 겹쳐 연속적인 띠를 이루므로 전자가 쉽게 전도 띠로 올라가 자유 전자가 될 수 있다. 부도체는 가전자 띠에 전자가 모두 채워져 있고 띠 간격이 매우 넓어 전자가 쉽게 전도 띠로 옮겨 갈 수 없기 때문에 전류가 쉽게 흐를 수 없다. 반면 반도체나 광촉매로 사용되는 물질은 띠 간격이 비교적 좁아 외부에서 약간의 에너지를 흡수하면 전자가 전도 띠로 전이할 수 있어 자유 전자가 생성된다.

전도 띠와 가전자 띠
고체 내의 전자들이 가질 수 있는 에너지 띠를 허용된 띠라고 하고, 허용된 띠 사이의 금지된 띠의 에너지 크기를 띠 간격이라고 한다. 허용된 띠 중에서 전자가 채워진 가장 높은 상태의 에너지 띠를 가전자 띠라 하고, 가전자 띠 위에 있는 전자가 하나도 채워지지 않은 띠를 전도 띠라고 한다.

전자가 비어 있는 부분
전자가 채워진 부분

전도 띠
가전자 띠
(가) 일반적인 도체

전도 띠
띠 간격 (넓음)
가전자 띠
(나) 부도체

전도 띠
띠 간격 (좁음)
가전자 띠
(다) 반도체

▲ **도체, 부도체, 반도체의 에너지 띠 구조**

광촉매에 빛을 쪼이면 전자가 전도 띠로 이동하여 자유 전자가 되며, 전자가 전이함으로써 전자가 있던 빈 자리는 (+)전하를 띠게 되는데 이 부분을 정공(h^+)이라고 한다. 광촉매는 자유 전자와 정공을 이용하여 촉매 작용을 하게 된다.

❸ 광촉매의 이용

광촉매는 일반적으로 오염 물질의 광촉매 분해, 광친수화, 물의 광분해를 통한 수소의 생산에 이용되거나 연구되고 있다.

(1) **촉매 분해:** 광촉매가 빛을 흡수할 때 생성되는 자유 전자와 정공이 대기 중의 산소, 물과 반응하면 산소 이온(O_2^-)과 하이드록시 라디칼($\cdot OH$)이 생성되며, 이들의 산화력이 큰 성질을 이용하여 오염 물질을 분해하는 데 이용한다. 이러한 성질은 수돗물의 살균, 공기 중의 오염 물질 제거, 표면에 부착될 수 있는 오염 물질의 제거, 벽면의 곰팡이 생성 방지 페인트 등 다양한 용도로 이용되고 있다.

(2) **광친수화:** 이산화 타이타늄을 표면에 코팅한 재료에 자외선이 닿은 후 물을 떨어뜨리면 물은 둥근 물방울이 되지 않고 거의 완전히 퍼져버리게 된다. 즉, 이산화 타이타늄을 코팅한 재료에 물이 닿게 되면 오염 물질이 간단히 씻겨 내려가고 물방울이 전혀 생기지 않는다. 이러한 성질은 타일의 자기세정 표면 처리, 가로등 덮개, 자동차용 거울 등에 이용되고 있다.

(3) **물의 광분해:** 물속의 광촉매가 빛을 받으면서 발생하는 자유 전자가 물의 산소와 수소 사이의 결합을 끊어 산소 이온(O_2^-)과 수소 이온(H^+)으로 분리시킨다. 이때 정공은 불안정한 산소 이온을 잡아주는 역할을 하며, 수소 이온은 이웃한 수소 이온과 만나 자유 전자와 결합하여 수소 분자(H_2)를 생성한다.

광촉매의 소재
이산화 타이타늄이 가장 많이 사용되고 있지만 이산화 타이타늄은 띠 간격이 비교적 커 에너지가 큰 자외선 영역의 빛이 필요하다. 따라서 띠 간격이 작아 가시광선으로도 전자를 전도 띠로 전이시킬 수 있는 소재들을 개발하기 위한 연구가 진행되고 있다.

정답과 해설 141쪽

02 반응 속도와 촉매

① 촉매와 반응 속도

1. 정촉매와 부촉매

- (❶): 반응 과정에서 자기 자신은 변하지 않으면서 반응 속도를 변화시키는 물질
- 반응 속도를 빠르게 하는 촉매를 (❷), 반응 속도를 느리게 하는 촉매를 (❸)라고 한다.

2. 촉매와 활성화 에너지

- 정촉매: 반응의 활성화 에너지를 (❹)시킨다. ➡ 반응을 일으킬 수 있는 입자 수를 증가시켜 반응 속도를 빠르게 한다.
- 부촉매: 반응의 활성화 에너지를 (❺)시킨다. ➡ 반응을 일으킬 수 있는 입자 수를 감소시켜 반응 속도를 느리게 한다.

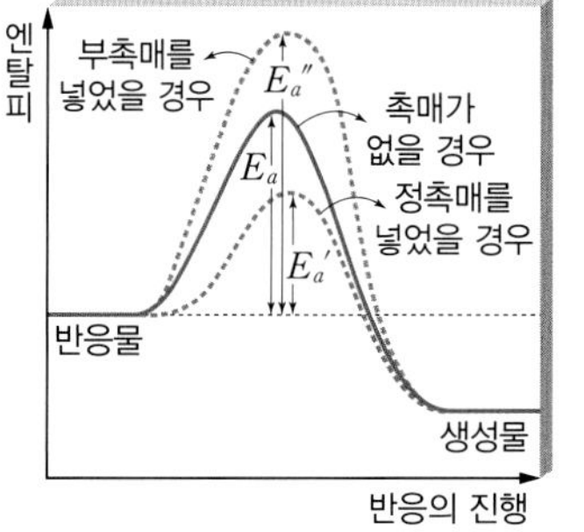

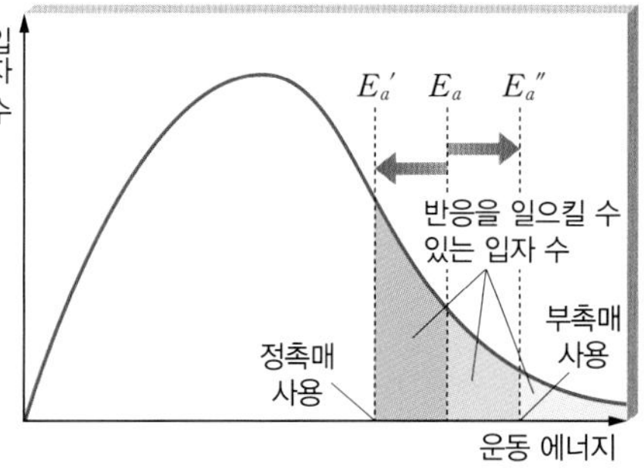

▲ 촉매와 활성화 에너지

② 촉매의 이용

1. 생명 현상에서의 촉매

- (❻): 단백질 분자로, 생명체 내에서 여러 가지 반응이 적절한 속도로 일어날 수 있도록 도와준다.
- (❼): 기질의 입체 구조와 화학적 성질에 대응하는 효소의 특정 부위
- (❽): 하나의 효소가 한 가지 기질에만 작용하는 특성

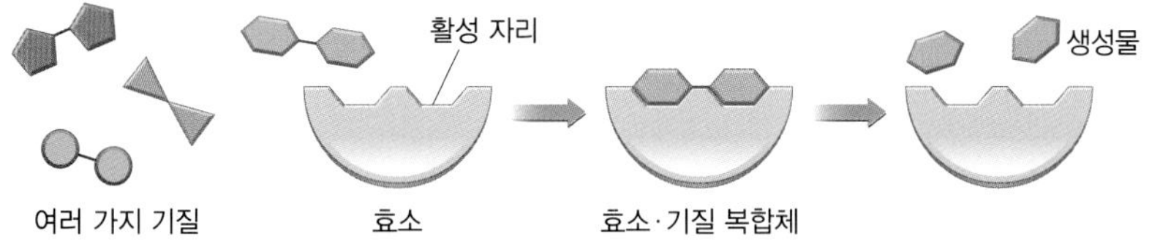

▲ 효소의 반응

- 효소의 활성은 온도와 pH에 따라 달라진다.

2. 산업에서 촉매의 이용

- (❾) 촉매: 금속 또는 금속의 화합물로, 촉매 표면에서 반응을 활성화시킨다. 에텐의 수소 첨가 반응, 암모니아의 합성 반응, 자동차 촉매 변환 장치 등에 이용된다.
- 광촉매: (❿)이 가장 많이 사용되고 있으며, 빛을 받으면 유기 오염 물질을 산화시켜 분해시킬 수 있는 물질을 만들어 낸다. 공기 정화, 수질 정화, 표면의 오염 방지, 살균 및 항균 등에 주로 이용된다.
- (⓫) 촉매: 탄소 화합물로, 구조가 비교적 간단하고 비용이 저렴하며 분해되기 쉬워 친환경적이다.

개념 기본 문제

02 반응 속도와 촉매

> 정답과 해설 141쪽

01 그림은 어떤 반응이 일어날 때 반응의 진행에 따른 엔탈피 변화를 나타낸 것이다.

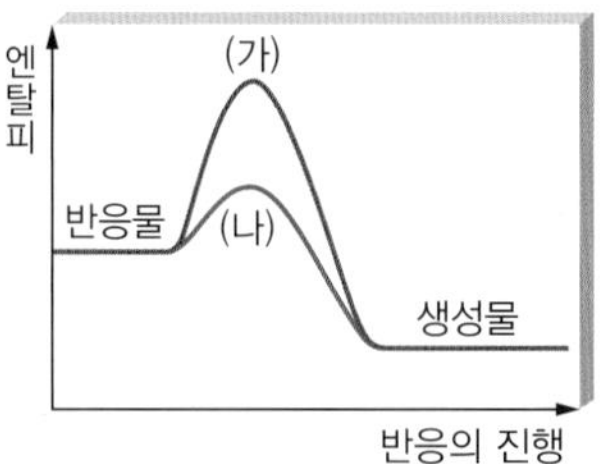

반응 경로가 (가)에서 (나)로 변할 때 일어나는 변화에 대한 설명으로 옳은 것만을 보기에서 있는 대로 고르시오.

보기
ㄱ. 반응 속도가 빨라진다.
ㄴ. ΔH의 값이 작아진다.
ㄷ. 생성물의 양이 증가한다.

02 그림은 반응물 입자의 운동 에너지 분포와 활성화 에너지를 나타낸 것이다.
활성화 에너지가 E_a에서 E_a'로 변할 때 증가하는 값만을 보기에서 있는 대로 고르시오.

보기
ㄱ. 반응 엔탈피　　　ㄴ. 유효 충돌수
ㄷ. 활성화물의 에너지

03 다음은 프레온 가스에 의한 오존의 분해 반응 과정을 나타낸 것이다.

• 프레온의 분해 반응
$CF_2Cl_2(g) \longrightarrow CF_2Cl(g) + Cl(g)$
• 오존의 분해 반응
1단계: $Cl(g) + O_3(g) \longrightarrow ClO(g) + O_2(g)$
2단계: $ClO(g) + O(g) \longrightarrow Cl(g) + O_2(g)$

오존의 분해 반응에서 촉매 작용을 하는 물질을 쓰시오.

04 다음은 에텐의 수소 첨가 반응의 화학 반응식과, 금속 촉매를 사용하여 반응시킬 때 반응 과정의 한 단계를 나타낸 것이다.

$$C_2H_4(g) + H_2(g) \longrightarrow C_2H_6(g)$$

이에 대한 설명으로 옳은 것만을 보기에서 있는 대로 고르시오.

보기
ㄱ. 금속 촉매는 반응 경로를 변화시킨다.
ㄴ. 금속 촉매는 활성화물의 에너지를 감소시킨다.
ㄷ. 금속 촉매를 가루로 만들면 반응 속도가 빨라진다.

05 그림 (가)는 암모니아 생성 반응에서 촉매의 작용을, (나)는 생물체 내에서 효소의 작용을 나타낸 것이다.

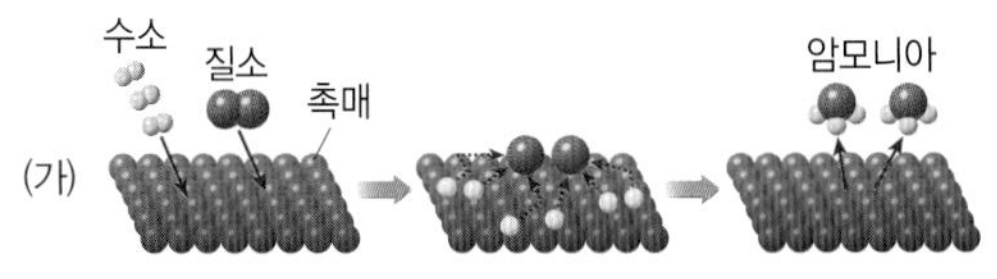

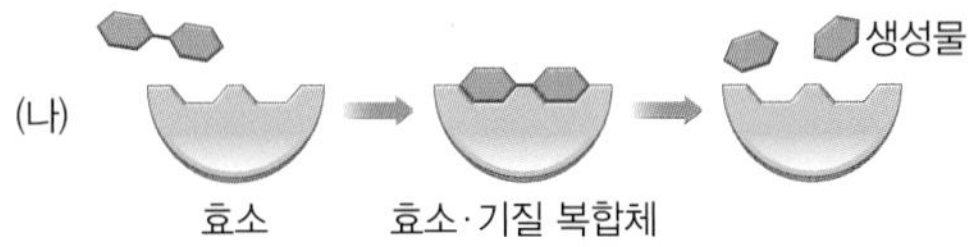

(가)의 촉매와 (나)의 효소의 공통점으로 옳은 것만을 보기에서 있는 대로 고르시오.

보기
ㄱ. 반응 전후에 질량의 변화가 없다.
ㄴ. 한 가지 물질의 반응에만 촉매 작용을 한다.
ㄷ. 적정 온도 범위를 벗어나면 활성이 저하된다.

개념 적용 문제

02 반응 속도와 촉매

› 정답과 해설 142쪽

01

› 반응 속도에 영향을 미치는 요인

그림은 반응 속도에 영향을 미치는 요인을 설명하기 위한 자료를 나타낸 것이다.

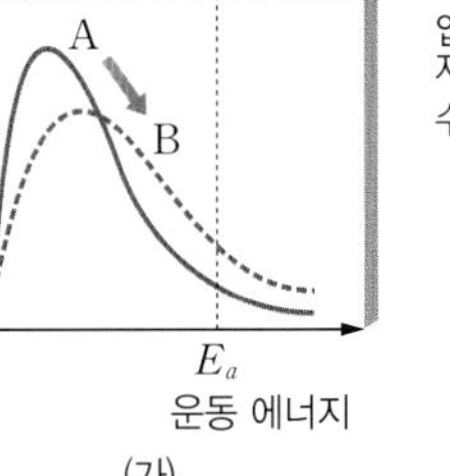
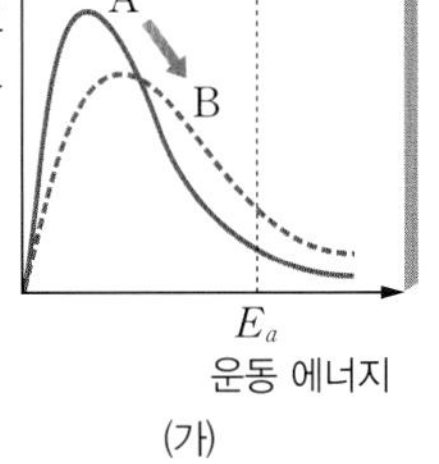
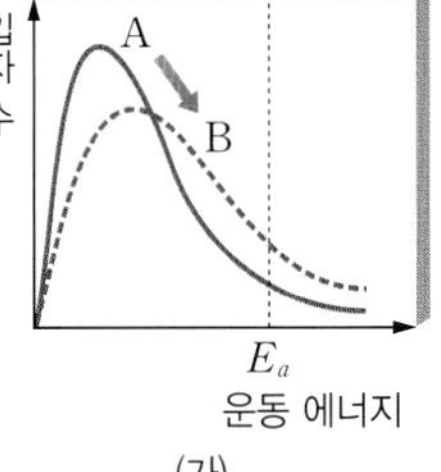
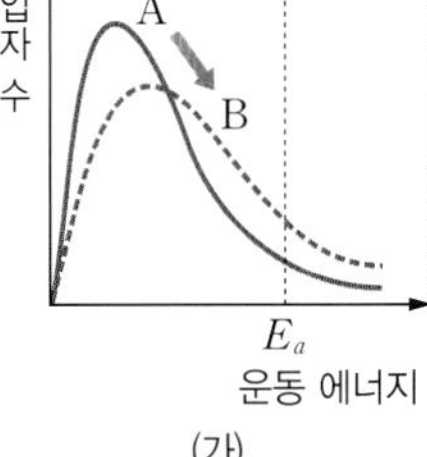

(가)

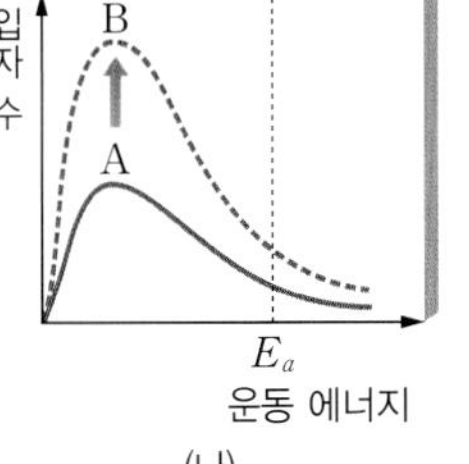
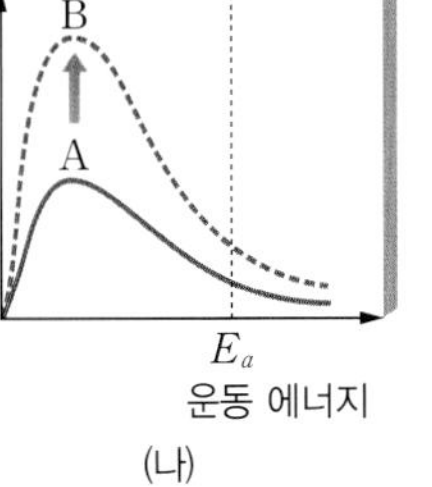
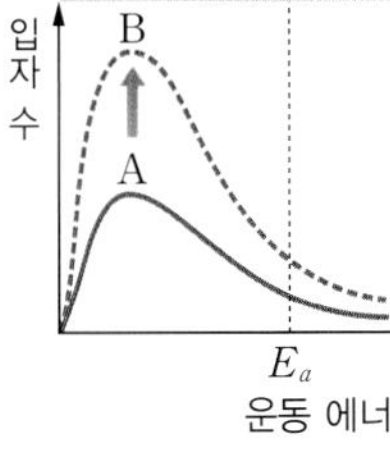

(나)

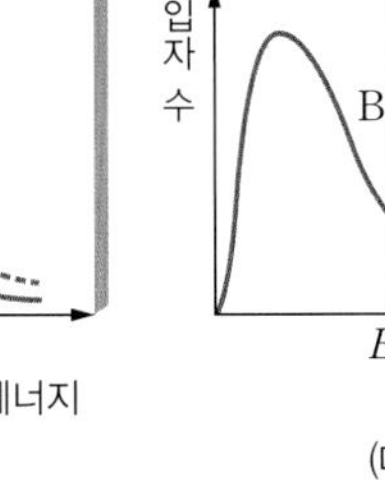

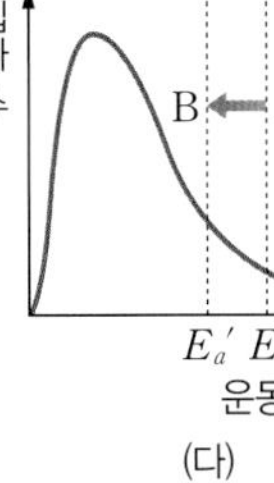
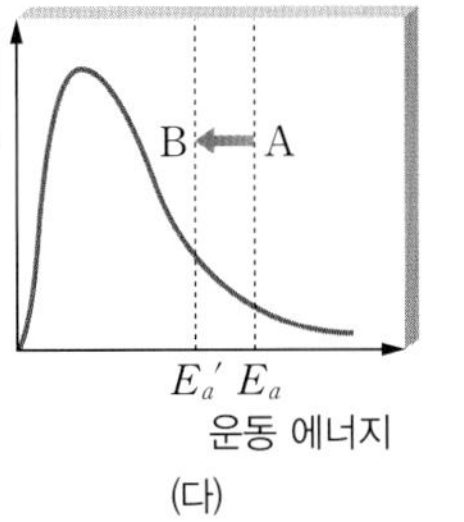
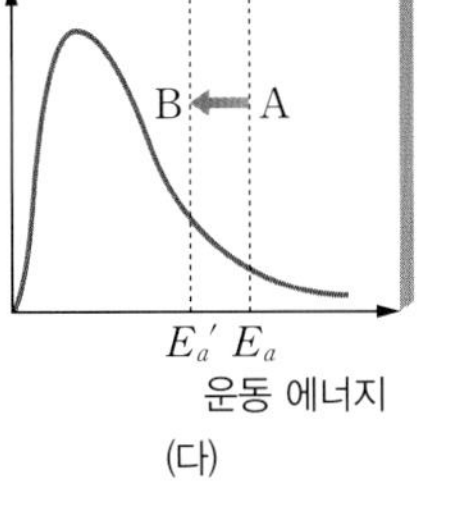

(다)

(가)~(다)의 A → B의 변화로 설명할 수 있는 현상을 보기에서 골라 옳게 짝 지은 것은?

보기

ㄱ. 압력솥에서 밥을 하면 밥이 빨리 된다.
ㄴ. 꺼져가는 불씨에 입김을 불어 넣으면 불씨가 되살아난다.
ㄷ. 상처가 난 곳에 과산화 수소수를 바르면 거품이 발생한다.

	(가)	(나)	(다)
①	ㄱ	ㄴ	ㄷ
②	ㄱ	ㄷ	ㄴ
③	ㄴ	ㄱ	ㄷ
④	ㄴ	ㄷ	ㄱ
⑤	ㄷ	ㄴ	ㄱ

• 평균 분자 운동 에너지는 온도에 의해서만 변하며, 주어진 그래프의 밑면적은 전체 입자 수에 비례한다.

02

› 온도와 활성화 에너지

다음은 기체 A의 분해 반응의 열화학 반응식이다.

$$A(g) \longrightarrow 2B(g),\ \varDelta H$$

표는 3개의 동일한 강철 용기에 같은 양의 A 기체를 각각 넣고 조건을 달리하여 반응시킨 결과를 나타낸 것이다.

실험	온도	첨가한 물질	초기 반응 속도
Ⅰ	T_1	없음	v
Ⅱ	T_2	없음	$4v$
Ⅲ	T_1	X(s)	$4v$

이에 대한 설명으로 옳은 것만을 보기에서 있는 대로 고른 것은?

보기

ㄱ. $\varDelta H$는 실험 Ⅲ이 Ⅱ보다 작다.
ㄴ. 반응 속도 상수(k)는 실험 Ⅱ가 Ⅰ보다 크다.
ㄷ. 활성화 에너지(E_a)는 실험 Ⅱ와 Ⅲ이 같다.

① ㄴ　② ㄷ　③ ㄱ, ㄴ　④ ㄴ, ㄷ　⑤ ㄱ, ㄴ, ㄷ

• 반응 속도 상수는 온도에 의해 변하며, 활성화 에너지는 촉매에 의해 변하고, $\varDelta H$는 반응물과 생성물의 종류와 상태에 따라 변한다.

03

> 온도와 촉매의 영향

다음은 A가 B를 생성하는 반응의 화학 반응식과 반응 속도식이다.

$$A(g) \longrightarrow B(g),\ v=k[A]\ (k\text{는 반응 속도 상수})$$

표는 부피가 같은 3개의 강철 용기에 각각 A(g)를 넣고 3가지 조건에서 반응시키는 것을 나타낸 것이다.

실험	A의 초기 농도(M)	온도(K)	첨가한 정촉매
Ⅰ	a	$2T$	없음
Ⅱ	a	$2T$	있음
Ⅲ	$4a$	T	없음

이에 대한 설명으로 옳은 것만을 보기에서 있는 대로 고른 것은?

보기

ㄱ. 반응 속도 상수(k)는 실험 Ⅲ이 Ⅰ의 2배이다.

ㄴ. 활성화 에너지(E_a)는 실험 Ⅰ이 가장 크다.

ㄷ. $\dfrac{\text{유효 충돌수}}{\text{전체 분자 수}}$는 실험 Ⅱ가 가장 크다.

① ㄱ ② ㄷ ③ ㄱ, ㄴ ④ ㄴ, ㄷ ⑤ ㄱ, ㄴ, ㄷ

• 반응 속도 상수는 농도에 무관하고 온도에 의해 변하며, 활성화 에너지는 농도, 온도와 무관하고 촉매에 의해 변한다.

04

> 반응 속도식과 온도, 촉매

그림에서 (가)는 강철 용기에 A(g)를 넣고 $A(g) \longrightarrow B(g)$의 반응이 일어날 때, (나)와 (다)는 (가)의 조건에서 온도를 변화시키거나 촉매를 넣어 반응시켰을 때 각각 반응 시간에 따른 A(g)의 농도를 나타낸 것이다.

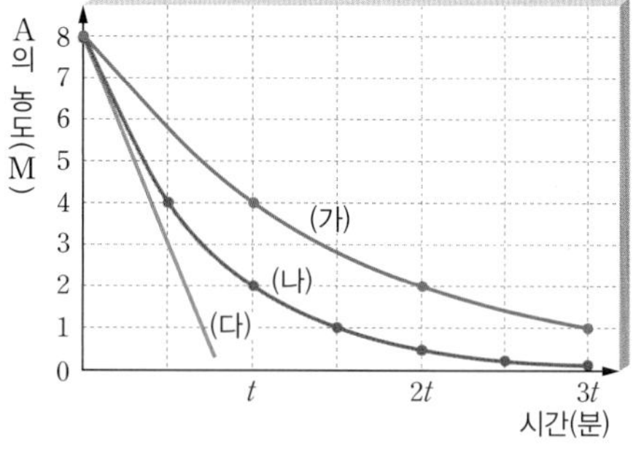

이에 대한 설명으로 옳은 것만을 보기에서 있는 대로 고른 것은?

보기

ㄱ. 반응 속도 상수(k)는 (나)가 (가)의 2배이다.

ㄴ. (다)는 촉매를 넣었을 때의 결과이다.

ㄷ. 활성화 에너지(E_a)는 (가)>(나)>(다)이다.

① ㄱ ② ㄷ ③ ㄱ, ㄴ ④ ㄴ, ㄷ ⑤ ㄱ, ㄴ, ㄷ

• 정촉매는 활성화 에너지를 낮추어 반응 속도를 빠르게 하는데, 이때 반응 경로가 변하므로 반응 차수가 변할 수 있다. 1차 반응에서 반응 속도 상수와 반감기는 반비례한다.

05

> 반감기와 촉매의 영향

다음은 $A(g)$가 $B(g)$를 생성하는 화학 반응식이다.

$$A(g) \longrightarrow 2B(g)$$

표는 일정한 온도에서 동일한 강철 용기에 $A(g)$를 넣고 반응시켰을 때 정촉매를 사용한 경우와 사용하지 않은 경우 각각 반응 시간에 따른 $A(g)$의 부분 압력을 나타낸 것이다.

실험	$A(g)$의 부분 압력(기압)		
	0분	t분	$2t$분
Ⅰ	20	10	5
Ⅱ	8	2	0.5

이에 대한 설명으로 옳은 것만을 보기에서 있는 대로 고른 것은?

보기
ㄱ. 활성화 에너지는 실험 Ⅰ이 Ⅱ보다 크다.
ㄴ. 초기 반응 속도는 실험 Ⅰ이 Ⅱ보다 빠르다.
ㄷ. $3t$분일 때 순간 반응 속도는 실험 Ⅰ이 Ⅱ의 10배이다.

① ㄱ ② ㄷ ③ ㄱ, ㄴ ④ ㄴ, ㄷ ⑤ ㄱ, ㄴ, ㄷ

• 온도와 부피가 일정하므로 A의 양(mol)은 A의 부분 압력에 비례하는 것을 이용하여 실험 Ⅰ과 Ⅱ에서의 반감기를 구하고, 각 실험에서 반응 속도식을 구한다.

06

> 표면 촉매와 반응 속도

그림은 $N_2(g)$와 $H_2(g)$가 고체 X 표면에 흡착되어 $NH_3(g)$의 생성이 촉진되는 과정을 모형으로 나타낸 것이다.

이에 대한 설명으로 옳은 것만을 보기에서 있는 대로 고른 것은?

보기
ㄱ. X를 구성하는 원소는 C, H, O, N이다.
ㄴ. X를 사용하지 않을 때와 활성화물의 에너지가 다르다.
ㄷ. X를 작은 조각으로 만들어 반응시키면 반응 속도가 빨라진다.

① ㄱ ② ㄷ ③ ㄱ, ㄴ ④ ㄴ, ㄷ ⑤ ㄱ, ㄴ, ㄷ

• 고체 X는 표면에서 촉매 작용을 하는 표면 촉매로, 금속 또는 금속 화합물로 이루어져 있다.

통합 실전 문제

Ⅲ. 반응 속도와 촉매

> 정답과 해설 143쪽

01

> 반응 속도와 농도

다음은 A와 B가 반응하여 C를 생성하는 반응의 화학 반응식이다.

$$aA(g) + bB(g) \longrightarrow cC(g) \quad (a \sim c\text{는 반응 계수})$$

그림은 부피가 같은 3개의 강철 용기에 A와 B의 양을 달리하여 넣고 반응시켰을 때, t초 후 용기 속에 존재하는 A와 B의 분자를 모형으로 나타낸 것이다.

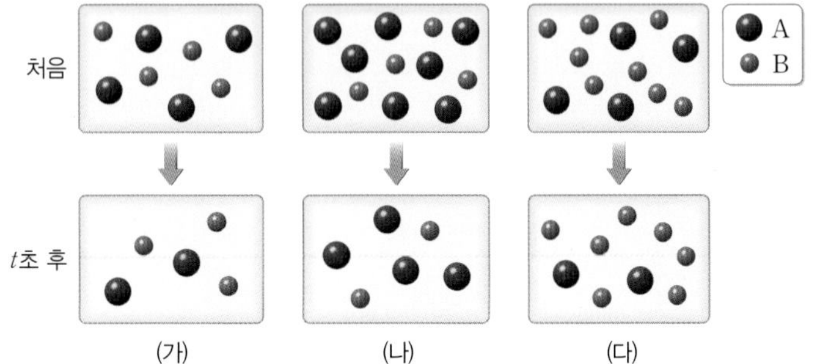

이에 대한 설명으로 옳은 것만을 보기에서 있는 대로 고른 것은? (단, 온도는 일정하다.)

보기
ㄱ. $a+b=4$이다.
ㄴ. $2t$초 후에 용기 속 반응물의 분자 수는 (가)가 (나)보다 크다.
ㄷ. (다)에서 A와 B의 농도를 각각 2배로 하면 초기 반응 속도는 4배가 된다.

① ㄱ ② ㄴ ③ ㄱ, ㄷ ④ ㄴ, ㄷ ⑤ ㄱ, ㄴ, ㄷ

• A의 농도가 일정할 때 B의 농도와 반응 속도의 관계, B의 농도가 일정할 때 A의 농도와 반응 속도의 관계로부터 반응 속도식을 구한다.

02

> 1차 반응과 반감기

표는 일정한 온도에서 강철 용기에 기체 A와 B를 넣어 $2A(g) + B(g) \longrightarrow C(g)$의 반응이 일어날 때, 반응 전 기체의 양(mol)과 반응 후 t초일 때 기체의 전체 양(mol)을 나타낸 것이다.

실험	반응 전 기체의 양(mol)		t초일 때 기체의 전체 양(mol)
	A	B	
Ⅰ	6	6	9
Ⅱ	6	12	15
Ⅲ	12	6	12

이에 대한 설명으로 옳은 것만을 보기에서 있는 대로 고른 것은?

보기
ㄱ. A의 반감기는 t초이다.
ㄴ. 초기 반응 속도는 실험 Ⅱ가 Ⅲ의 2배이다.
ㄷ. $2t$초일 때 B의 양(mol)은 실험 Ⅰ이 Ⅲ의 2배이다.

① ㄱ ② ㄷ ③ ㄱ, ㄴ ④ ㄴ, ㄷ ⑤ ㄱ, ㄴ, ㄷ

• 화학 반응식의 양적 관계를 이용하여 각 실험에서 A와 B의 변화량을 통해 반응 차수를 구한다.

03

> 반응 차수와 반응 속도

다음은 일정한 온도에서 2개의 강철 용기에 각각 들어 있는 X, Y로부터 Z가 생성되는 두 반응의 화학 반응식과 반응 속도식이다. k는 반응 속도 상수이고, m과 n은 반응 차수이다.

$$X(g) \longrightarrow Z(g),\ v=2k[X]^m \quad Y(g) \longrightarrow Z(g),\ v=k[Y]^n$$

그림 (가)는 [X]에 따른 반응 속도를, (나)는 반응 시간에 따른 [Y]를 각각 나타낸 것이다.

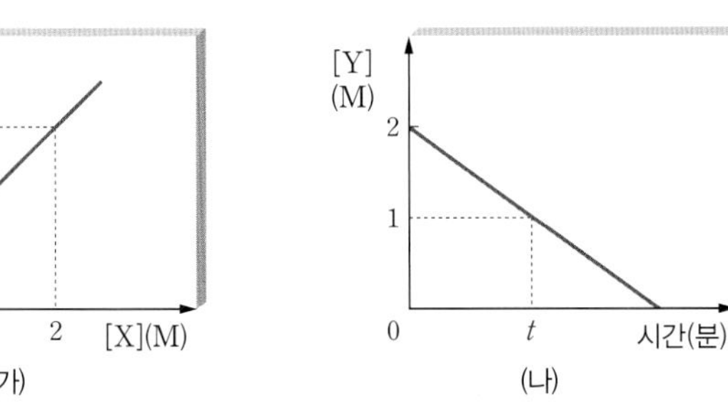

이에 대한 설명으로 옳은 것만을 보기에서 있는 대로 고른 것은?

보기

ㄱ. $m+n=1$이다.

ㄴ. (나)에서 t분에서의 반응 속도는 $\frac{1}{2}v_2$이다.

ㄷ. $v_2=\frac{2}{t}$이다.

① ㄱ ② ㄷ ③ ㄱ, ㄴ ④ ㄴ, ㄷ ⑤ ㄱ, ㄴ, ㄷ

- 반응 속도는 $\frac{\text{반응물의 농도 감소량}}{\text{반응 시간}}$ 또는 $\frac{\text{생성물의 농도 증가량}}{\text{반응 시간}}$이다. 1차 반응은 반응 속도가 반응물의 농도에 정비례하고, 0차 반응은 반응 속도가 반응물의 농도에 관계없이 일정하다.

04

> 온도와 반응 속도

다음은 기체 A로부터 기체 B와 C가 생성되는 반응의 화학 반응식과 온도가 서로 다른 강철 용기 Ⅰ과 Ⅱ에서 A(g)가 반응할 때 시간에 따른 반응 속도(v)를 나타낸 것이다.

$$2A(g) \longrightarrow 2B(g) + C(g)$$

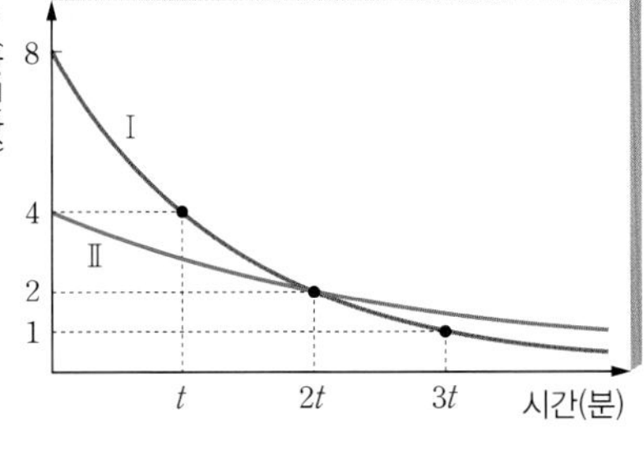

이에 대한 설명으로 옳은 것만을 보기에서 있는 대로 고른 것은? (단, 강철 용기의 온도는 일정하게 유지된다.)

보기

ㄱ. 반응 속도 상수(k)는 Ⅰ에서가 Ⅱ에서의 2배이다.

ㄴ. $2t$분에서 A(g)의 농도는 Ⅰ과 Ⅱ가 같다.

ㄷ. $4t$분에서 순간 반응 속도는 Ⅱ에서가 Ⅰ에서의 2배이다.

① ㄱ ② ㄴ ③ ㄱ, ㄷ ④ ㄴ, ㄷ ⑤ ㄱ, ㄴ, ㄷ

- 반감기가 일정한 반응은 1차 반응이다. 반응 속도 상수는 반감기에 반비례한다.

05

> 온도와 반응 속도

다음은 A가 반응하여 B를 생성하는 화학 반응식이다.

$$2A(g) \longrightarrow B(g)$$

강철 용기에서 이 반응이 일어날 때, 그림 (가)는 온도 T_1과 T_2에서 A의 초기 농도에 따른 초기 반응 속도를, (나)는 서로 다른 조건에서 A를 반응시키는 것을 나타낸 것이다.

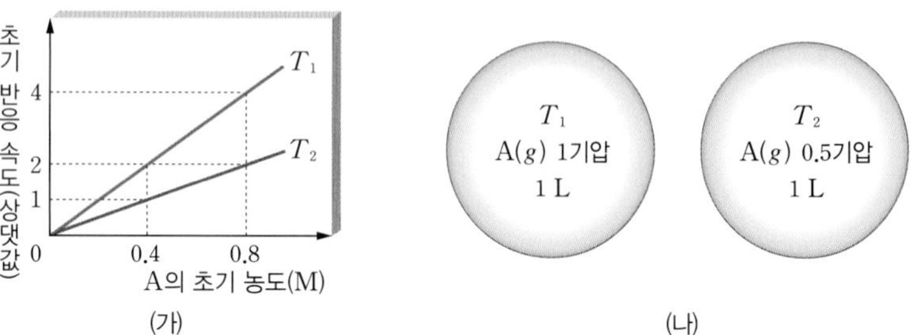

(가)

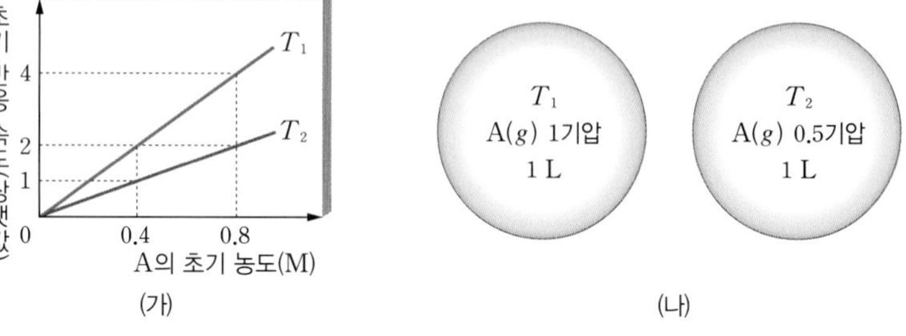

(나)

이에 대한 설명으로 옳은 것만을 보기에서 있는 대로 고른 것은?

보기

ㄱ. 반응 속도식은 $v=k[A]^2$이다.

ㄴ. $T_1>T_2$이다.

ㄷ. T_2에서 반감기가 t라고 할 때 (나)의 두 용기에서 순간 반응 속도가 같아지는 시간은 $2t$이다.

① ㄱ ② ㄴ ③ ㄱ, ㄷ ④ ㄴ, ㄷ ⑤ ㄱ, ㄴ, ㄷ

A의 양(mol)은 A의 부분 압력에 비례하며, A의 부분 압력과 양(mol)의 관계는 이상 기체 방정식으로부터 알 수 있다.

06

> 반응 속도와 화학 평형

다음은 정반응과 역반응이 모두 1차 반응인 화학 반응식이다.

$$A(g) \underset{k_2}{\overset{k_1}{\rightleftarrows}} B(g)$$ (k_1과 k_2는 각각 정반응과 역반응의 반응 속도 상수)

그림은 온도만 T_1과 T_2로 다른 조건에서 반응 시간에 따른 B의 농도를 나타낸 것이다. T_2에서 평형 상수 K는 1이다.

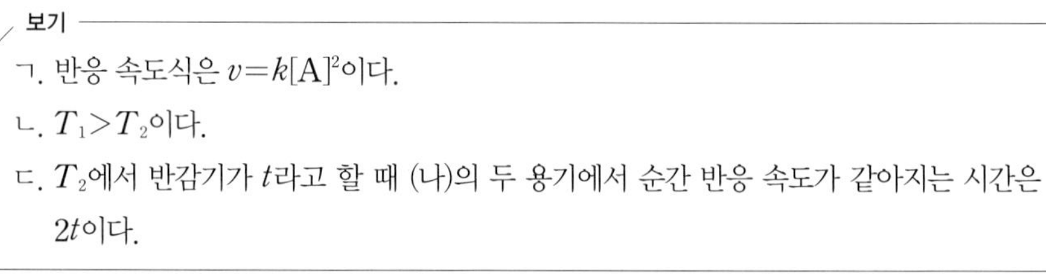

이에 대한 설명으로 옳은 것만을 보기에서 있는 대로 고른 것은?

보기

ㄱ. 정반응은 발열 반응이다.

ㄴ. T_1에서 k_1은 k_2보다 크다.

ㄷ. T_2에서 $k_1=k_2$이다.

① ㄱ ② ㄷ ③ ㄱ, ㄴ ④ ㄴ, ㄷ ⑤ ㄱ, ㄴ, ㄷ

평형 상태에서는 정반응과 역반응의 속도가 같으며, T_2에서 평형 상수 $K=\frac{[B]}{[A]}=1$이므로 A와 B의 농도가 같다.

07

반응 속도와 촉매

그림은 A가 B를 생성하는 반응에서 촉매를 사용하지 않은 경우 (가)와 촉매 X(*s*)를 사용한 경우 (나)의 반응의 진행에 따른 엔탈피를 나타낸 것이다.

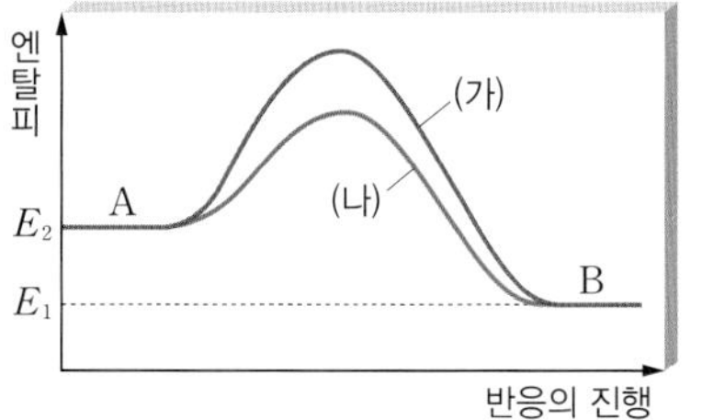

이에 대한 설명으로 옳은 것만을 보기에서 있는 대로 고른 것은? (단, (가)와 (나) 두 반응은 같은 온도에서 일어난다.)

보기
ㄱ. (가)와 (나)의 정반응의 속도 상수는 같다.
ㄴ. X(*s*)를 사용하면 유효 충돌수가 증가한다.
ㄷ. (가)에서 정반응의 활성화 에너지－역반응의 활성화 에너지$=E_1-E_2$이다.

① ㄱ ② ㄷ ③ ㄱ, ㄴ ④ ㄴ, ㄷ ⑤ ㄱ, ㄴ, ㄷ

반응 엔탈피(ΔH)는 정반응의 활성화 에너지－역반응의 활성화 에너지이다.

08

효소와 무기 촉매

그림은 A의 분해 반응인 $2A(aq) \longrightarrow 2B(l) + C(g)$에서 A(*aq*)에 물질 X 또는 Y를 첨가했을 때 온도에 따른 반응 속도를 나타낸 것이다. X와 Y는 무기 촉매와 효소 중 하나이다.

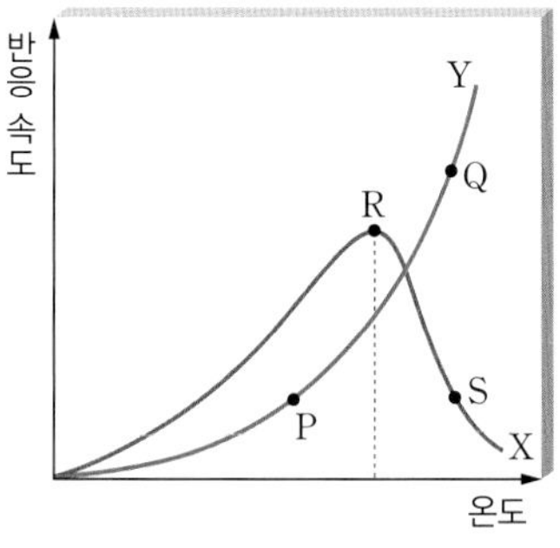

이에 대한 설명으로 옳은 것만을 보기에서 있는 대로 고른 것은?

보기
ㄱ. X는 A의 분해 반응에서만 촉매 작용을 할 수 있다.
ㄴ. X를 첨가했을 때 반응 속도 상수(k)는 R에서가 S에서보다 크다.
ㄷ. Y를 첨가했을 때 활성화 에너지(E_a)는 P에서가 Q에서보다 크다.

① ㄱ ② ㄷ ③ ㄱ, ㄴ ④ ㄴ, ㄷ ⑤ ㄱ, ㄴ, ㄷ

효소는 기질 특이성이 있으며, 효소의 활성은 온도와 pH의 영향을 받는다.

> 정답과 해설 145쪽

01

다음은 기체 A와 B로부터 기체 C가 생성되는 화학 반응식이다.

$$2A(g) + B(g) \longrightarrow 2C(g)$$

표는 일정한 온도에서 4개의 강철 용기에 A(g)와 B(g)를 각각 넣은 후 반응시킨 실험 Ⅰ ~ Ⅳ의 반응 조건을, 그림은 Ⅰ ~ Ⅳ에서 반응 시간에 따른 B(g)의 농도를 나타낸 것이다.

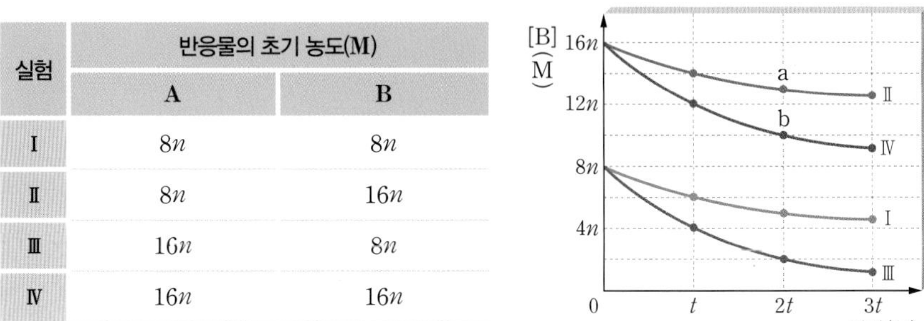

실험	반응물의 초기 농도(M)	
	A	B
Ⅰ	$8n$	$8n$
Ⅱ	$8n$	$16n$
Ⅲ	$16n$	$8n$
Ⅳ	$16n$	$16n$

(1) 이 반응의 반응 속도식을 쓰고, 그 근거를 서술하시오.

(2) a와 b에서의 순간 반응 속도를 비교하고, 그 이유를 서술하시오.

KEY WORDS
(1) 실험 Ⅰ과 Ⅲ(또는 Ⅱ와 Ⅳ), 실험 Ⅰ과 Ⅱ(또는 Ⅲ과 Ⅳ)의 결과 비교
(2) a와 b에서 A의 농도

02

그림은 2가지 반응 (가) $2A(g) \longrightarrow B(g)$와 (나) $C(g) \longrightarrow D(g)$에서 2개의 강철 용기에 A(g)와 C(g)를 각각 넣고 반응시켰을 때, 반응 시간에 따른 B와 D의 농도를 나타낸 것이다. (단, 온도는 일정하다.)

(1) (가)와 (나)의 초기 반응 속도를 비교하고, 그 이유를 서술하시오.

(2) (가)와 (나)의 반응물의 초기 농도에 따른 반응 속도를 비교하여 그래프로 나타내시오. (단, 반응 속도의 크기는 상댓값으로 나타낸다.)

KEY WORDS
(1) (가)와 (나)의 반응 속도 상수, A와 C의 초기 농도 값
(2) 직선의 기울기

03

그림은 2가지 반응 $2HCl(g) \longrightarrow H_2(g) + Cl_2(g)$와 $2HI(g) \longrightarrow H_2(g) + I_2(g)$의 반응 경로를 나타낸 것이고, 표는 반응물과 생성물을 이루는 결합의 결합 에너지를 나타낸 것이다.

H−Cl + H−Cl ➡ (H⋯H / Cl⋯Cl, 활성화물) ➡ H−H + Cl−Cl

H−I + H−I ➡ (H⋯H / I⋯I, 활성화물) ➡ H−H + I−I

결합	H−H	Cl−Cl	I−I	H−Cl	H−I
결합 에너지(kJ/mol)	436	243	152	431	298

(1) 위 자료를 이용하여 두 반응의 (정반응의 활성화 에너지−역반응의 활성화 에너지) 값을 구하시오.

(2) 2가지 반응 중 정반응의 활성화 에너지가 더 큰 반응을 쓰고, 그 이유를 서술하시오.

KEY WORDS
(2) 활성화물, 결합 에너지

04

그림은 가역 반응 $A(g) \rightleftharpoons B(g)$에서 강철 용기에 $A(g)$를 넣고 반응시켰을 때, 반응 시간에 따른 $A(g)$의 농도를 나타낸 것이다.

A의 농도(M)
(가)
(다)
(나)
시간(분)

(가)는 T K에서 용기에 $A(g)$만을 넣었을 때의 결과이고, (나)와 (다)는 (가)에서 어떤 반응 조건을 변화시켰을 때의 결과이다.

(1) 정반응이 발열 반응인지 흡열 반응인지 쓰고, 그 근거를 제시하여 서술하시오.

(2) (가)~(다)의 활성화 에너지의 크기를 비교하고, 그 이유를 서술하시오.

KEY WORDS
(1) 온도와 반응 속도, 온도와 평형 이동
(2) 촉매와 활성화 에너지

논구술 대비 문제 Ⅲ. 반응 속도와 촉매

예시 문제

> **출제 의도**
> 반응 속도 측정 결과로부터 반응 속도식을 파악하고, 반감기의 정의로부터 주어진 제시문을 이용하여 반감기와 특정 시간에서의 반응물 농도를 구할 수 있는지 평가한다.

다음은 반응 속도와 반응 속도식에 대한 설명이다.

(제시문 1) 화학 반응에서 반응 속도는 $\frac{\text{반응물의 농도 감소량}}{\text{반응 시간}}$ 또는 $\frac{\text{생성물의 농도 증가량}}{\text{반응 시간}}$으로 나타낼 수 있다. 반응 속도는 반응물의 종류에 따라 달라지고, 같은 반응이라도 반응물의 농도에 따라 달라진다. $a\text{A} + b\text{B} \longrightarrow c\text{C} + d\text{D}$의 반응에서 반응 속도($v$)는 반응 속도 상수 k를 이용하여 $v=k[\text{A}]^m[\text{B}]^n$ 형태의 반응 속도식으로 나타낼 수 있다. 반응 속도식에서 농도의 지수인 m과 n을 반응 차수라고 하고, 반응 차수는 화학 반응식의 계수와 관계가 없으며 실험에 의해서만 알아낼 수 있다.

(제시문 2) 위 제시문에서 주어진 반응 속도식은 반응 속도가 반응물의 농도에 어떻게 의존하는지를 알려주며, 이를 미분된 속도식이라고 한다. 반응의 빠르기 외에도 반응이 시작된 후 어떤 특정한 시간에 반응물과 생성물의 농도가 얼마인지 알아야 되는 경우가 있는데, 이것은 적분된 속도식을 이용하여 구할 수 있다. 한 종류의 반응물(A)만이 관여하는 반응에서 미분된 반응 속도식은 $v=k[\text{A}]^n$이고, 이 식을 대수학을 이용하여 적분하면 $n=1$인 경우에는 $\ln[\text{A}]_t=-kt+\ln[\text{A}]_0$이 얻어지고 $n=2$인 경우에는 $\frac{1}{[\text{A}]_t}=kt+\frac{1}{[\text{A}]_0}$이 얻어진다. 여기에서 $[\text{A}]_0$는 초기 농도이고, $[\text{A}]_t$는 반응이 시작된 후 t초에서의 농도를 나타낸다.

(제시문 3) 2가지 반응 $\text{AB}(g) \longrightarrow \text{A}(g) + \text{B}(g)$(반응 Ⅰ)과 $2\text{C}(g) \longrightarrow \text{D}(g) + 2\text{E}(g)$(반응 Ⅱ)에서 반응물의 초기 농도에 따른 초기 반응 속도를 측정한 결과는 표와 같다.

[반응 Ⅰ]

$[\text{AB}]_0$(M)	초기 반응 속도(M/s)
0.1	2.0×10^{-3}
0.2	4.0×10^{-3}
0.3	6.0×10^{-3}

[반응 Ⅱ]

$[\text{C}]_0$(M)	초기 반응 속도(M/s)
0.1	1.0×10^{-4}
0.2	4.0×10^{-4}
0.3	9.0×10^{-4}

1 **$[\text{AB}]_0$와 $[\text{C}]_0$가 각각 0.1 M일 때 두 반응의 반감기($t_{1/2}$)를 구하고, 그 근거를 서술하시오. (단, ln2는 0.7로 계산한다.)**

2 **$[\text{AB}]_0$와 $[\text{C}]_0$가 각각 3.2 M일 때 이 농도가 0.4 M로 감소하는 데 각각 걸리는 시간을 구하고, 그 근거를 서술하시오.**

문제 해결 과정

1 반응물의 농도와 초기 반응 속도의 관계로부터 반응 차수와 반응 속도 상수를 구하고, 각 반응 차수에 해당하는 적분 속도식을 이용한다. 반감기는 반응물의 농도가 초기 농도의 반으로 되는 데 걸리는 시간임을 이용하여 적분 속도식에 농도 값을 대입하여 구한다.

2 농도가 $\frac{1}{8}$로 감소하는 데 걸린 시간은 1차 반응인 경우 반감기를 이용하여 구하고, 2차 반응인 경우 적분 속도식에 농도 값을 대입하여 구한다.

> 문제 해결을 위한 배경 지식
> - **반응 속도식:** 반응물의 초기 농도와 초기 반응 속도의 비례 관계로부터 구한다.
> - **반감기:** 반응물의 농도가 처음 농도의 $\frac{1}{2}$로 감소하는 데 걸리는 시간
> - **1차 반응의 반감기:** 반응물의 초기 농도에 관계없이 일정하다.

예시 답안

1 1차 반응의 경우 주어진 적분 속도식 $\ln[A]_t=-kt+\ln[A]_0$으로부터 식을 변형하면 $\ln\frac{[A]_t}{[A]_0}=-kt$이다.

반감기가 1번 지난 시간에서 A의 농도 $[A]_t$는 $\frac{1}{2}[A]_0$이므로 이 값을 변형한 식에 대입하여 풀면 $\ln\frac{[A]_t}{[A]_0}=\ln\frac{\frac{[A]_0}{2}}{[A]_0}=-kt_{1/2}$이 되어 $t_{1/2}=\frac{\ln2}{k}=\frac{0.7}{k}$이다.

2차 반응의 경우 주어진 적분 속도식 $\frac{1}{[A]_t}=kt+\frac{1}{[A]_0}$에 $[A]_t=\frac{1}{2}[A]_0$을 대입하여 풀면 $\frac{2}{[A]_0}=kt_{1/2}+\frac{1}{[A]_0}$이므로 $t_{1/2}=\frac{1}{k[A]_0}$이다.

반응 Ⅰ의 경우 반응 속도가 $[AB]_0$에 정비례하므로 1차 반응이고, 반응 속도식은 $v=k[AB]$이다.

$k=\frac{v}{[AB]}$에서 표에 주어진 결과 값을 대입하면 $k=\frac{v}{[AB]}=\frac{2.0\times10^{-3}\ M/s}{0.1\ M}=0.02\ /s$이므로 반감기는 $t_{1/2}=\frac{0.7}{k}=\frac{0.7}{0.02/s}=35\ s$이다.

반응 Ⅱ의 경우 반응 속도가 $[C]_0$의 제곱에 비례하므로 2차 반응이고, 반응 속도식은 $v=k[C]^2$이다.

$k=\frac{v}{[C]^2}$에서 표에 주어진 결과 값을 대입하면 $k=\frac{v}{[C]^2}=\frac{1.0\times10^{-4}\ M/s}{(0.1\ M)^2}=0.01\ /(M\cdot s)$이고, $[C]_0$가 0.1 M이므로 반감기는 $t_{1/2}=\frac{1}{k[C]_0}=\frac{1}{0.01\ /(M\cdot s)\times0.1\ M}=1000\ s$이다.

2 반응 Ⅰ은 1차 반응이고 반감기가 35 s이므로 AB의 농도가 $\frac{1}{8}\left(=\left(\frac{1}{2}\right)^3\right)$로 줄어드는 데 걸리는 시간은 $35\ s\times3=105\ s$이다.

반응 Ⅱ는 적분 속도식 $\frac{1}{[C]_t}=kt+\frac{1}{[C]_0}$에 대입하면 $\frac{1}{0.4}=0.01t+\frac{1}{3.2}$이므로 $t=218.75\ s$이다.

실전 문제

> 정답과 해설 147쪽

1 다음은 반응 속도 결정 단계와 반응 속도식에 관한 설명이다.

(가) 대부분의 화학 반응은 반응물이 충돌하여 중간 생성물을 거치지 않고 곧바로 생성물을 생성하는 단일 단계 반응이 아니라 반응물이 여러 단계 반응을 거쳐 생성물로 변하는 다단계 반응이다.

(나) 단일 단계 반응의 반응 차수는 화학 반응식에서 반응물의 계수와 일치한다. 예를 들어 단일 단계 반응으로 알려진 $NO(g) + O_3(g) \longrightarrow NO_2(g) + O_2(g)$ 반응의 반응 속도식은 $v=k[NO][O_3]$이다.

한편 다단계 반응에서 각 단계 반응을 차례로 나타낸 것을 반응 메커니즘이라 하고, 반응 메커니즘의 여러 단계 반응 중 가장 느린 단계 반응을 속도 결정 단계라고 하는데, 전체 반응 속도식은 속도 결정 단계의 반응 속도식과 같다. 예를 들어 $NO_2(g) + CO(g) \longrightarrow NO(g) + CO_2(g)$ 반응은 다음과 같은 2단계 반응으로 진행된다.

1단계: $2NO_2(g) \longrightarrow NO_3(g) + NO(g)$ (느림)

2단계: $NO_3(g) + CO(g) \longrightarrow NO_2(g) + CO_2(g)$ (빠름)

이 중 속도 결정 단계는 1단계 반응이므로 전체 반응 속도식은 $v=k[NO_2]^2$이다.

(다) 다음은 물질 AB_2와 C_2 사이의 열화학 반응식이다. A~C는 임의의 원소 기호이다.

$$2AB_2(g) + C_2(g) \longrightarrow 2AB_2C(g),\ \Delta H = -434\ kJ$$

실험을 통해 결정된 이 반응의 반응 속도식은 $v=k[AB_2][C_2]$이고, 반응 메커니즘은 다음과 같으며, 전체 반응의 활성화 에너지는 63 kJ이다.

1단계: $AB_2(g) + C_2(g) \longrightarrow AB_2C(g) + C(g),\ \Delta H = -139\ kJ$

2단계: $C(g) + AB_2(g) \longrightarrow AB_2C(g),\ \Delta H = -295\ kJ$

각 단계 반응의 ΔH는 측정된 값이 아니라 결합 에너지를 이용하여 예측한 값이다.

(1) 제시문 (다)에 주어진 반응 메커니즘에 대해 반응의 진행에 따른 계의 엔탈피를 오른쪽 그림에 개략적으로 그리고, 그 근거를 서술하시오.(단, 반응 엔탈피와 활성화 에너지의 크기 등 자료로부터 알 수 있는 값은 그림에 같이 나타낸다.)

엔탈피

반응의 진행

(2) 제시문 (다)에 주어진 반응 메커니즘을 바탕으로 역반응의 반응 속도식을 추론하여 쓰고, 그 근거를 서술하시오.

답안

출제 의도

주어진 제시문의 내용을 읽고 자료로부터 물질들의 엔탈피 관계를 그림으로 나타낼 수 있는지, 활성화 에너지와 반응 엔탈피의 개념을 정확하게 이해하고 있는지 평가한다.

문제 해결을 위한 배경 지식

- **활성화 에너지와 반응 속도:** 활성화 에너지가 작은 반응일수록 반응이 일어나기 쉬워 반응 속도가 빠르다.
- **반응 엔탈피(ΔH):** (생성물의 엔탈피－반응물의 엔탈피) 또는 (정반응의 활성화 에너지－역반응의 활성화 에너지)와 같다.

2 다음은 고체 촉매에 대한 설명이다.

(가) 반응 과정에서 자신은 변하지 않으면서 반응 속도를 변화시키는 물질을 촉매라고 한다. 촉매에는 반응 속도를 빠르게 하는 정촉매와 느리게 하는 부촉매가 있다. 정촉매는 반응이 진행되는 과정을 변화시켜 활성화 에너지가 더 작은 경로로 반응이 진행되게 만들어 반응 속도를 빠르게 한다.

(나) 산업에서 많이 이용되는 촉매의 종류로는 표면 촉매, 광촉매, 유기 촉매 등이 있다. 이 중 표면 촉매는 산업에서 가장 많이 사용되는 촉매로, 주로 금속 또는 금속의 화합물로 이루어진 고체 촉매이다. 고체 촉매의 표면에 반응물이 흡착되면 반응물을 이루는 원자 사이의 결합이 약해지거나 끊어져 활성화 에너지가 작아지므로 반응이 쉽게 일어날 수 있다.

(다) 에텐(C_2H_4)의 수소 첨가 반응은 그림과 같이 백금이나 팔라듐과 같은 금속 촉매 표면에서 반응이 촉진된다.

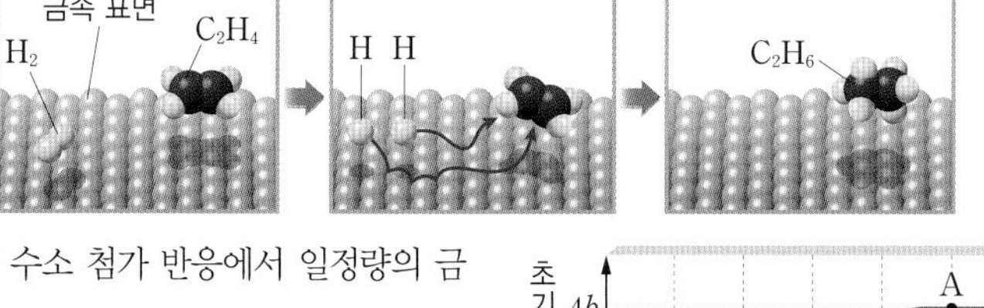

(라) 에텐의 수소 첨가 반응에서 일정량의 금속 촉매를 사용하여 반응시켰을 때 수소의 초기 농도에 따른 초기 반응 속도는 그림과 같다.

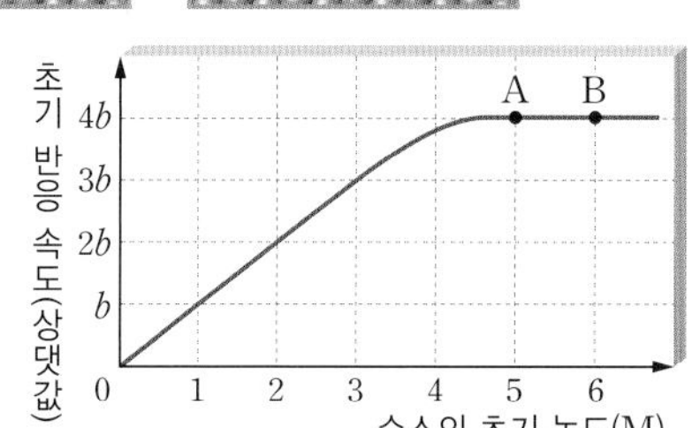

(1) 에텐의 수소 첨가 반응의 반응 차수는 수소의 초기 농도에 따라 어떻게 변하는지 쓰고, 그 이유를 서술하시오.

(2) 제시문 (라) 그림의 B에서 초기 반응 속도를 A에서보다 빠르게 하기 위한 방법을 2가지만 쓰고, 그 이유를 서술하시오.

답안

출제 의도

주어진 제시문을 읽고 촉매의 특성을 파악하여 금속 촉매를 사용했을 때의 반응 속도 그래프를 분석할 수 있는지 평가한다.

문제 해결을 위한 배경 지식

- **정촉매와 부촉매:** 정촉매를 넣으면 활성화 에너지가 낮아져 반응 속도가 빨라진다. 반대로 부촉매를 넣으면 활성화 에너지가 높아져 반응 속도가 느려진다.
- **에텐의 수소 첨가 반응:** 에텐(C_2H_4)에 수소 한 분자를 첨가하면 탄소 원자 사이의 2중 결합이 끊어져 단일 결합이 되어 에테인(C_2H_6)이 된다.

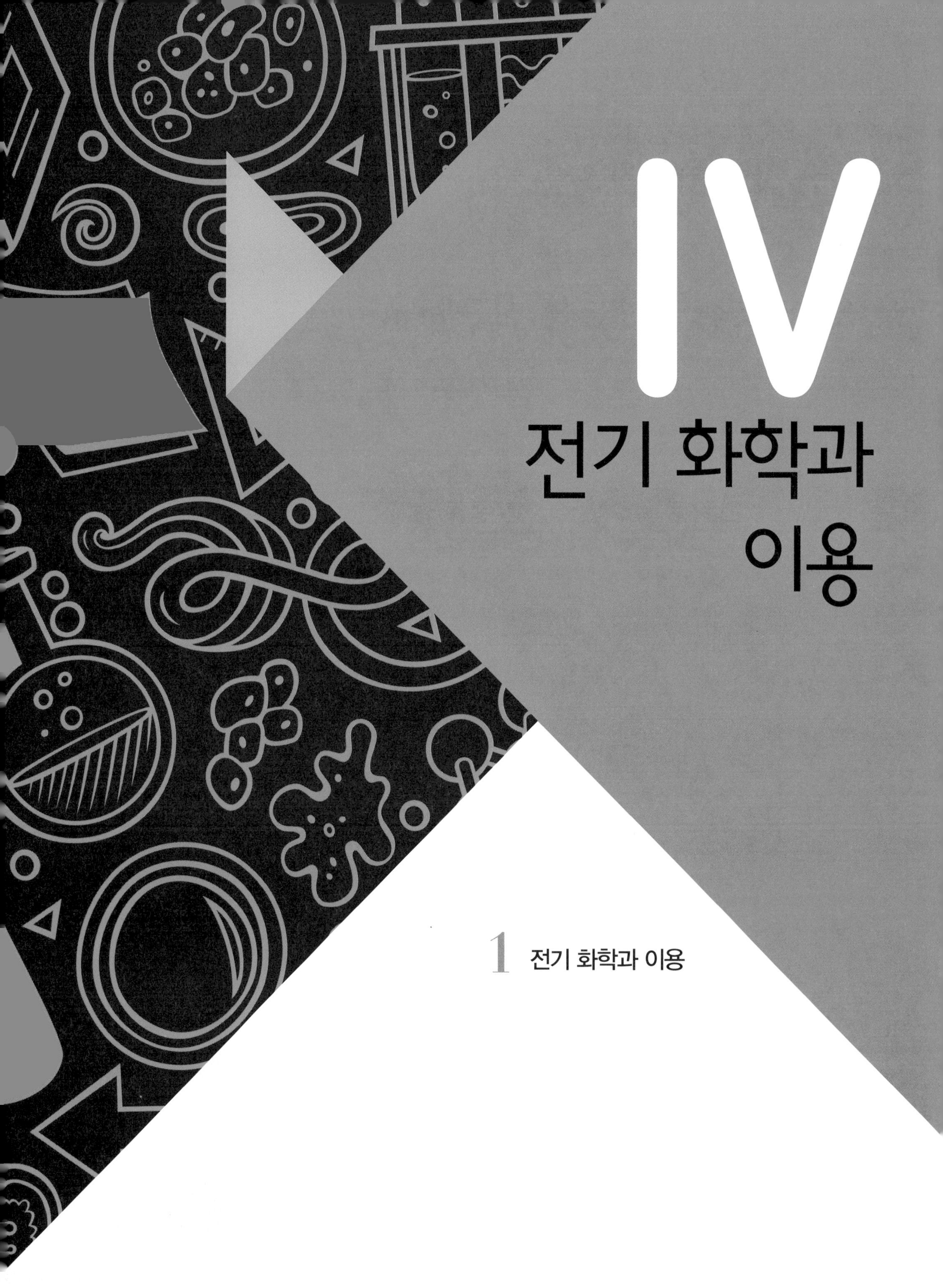

IV 전기 화학과 이용

1 전기 화학과 이용

단원 Preview

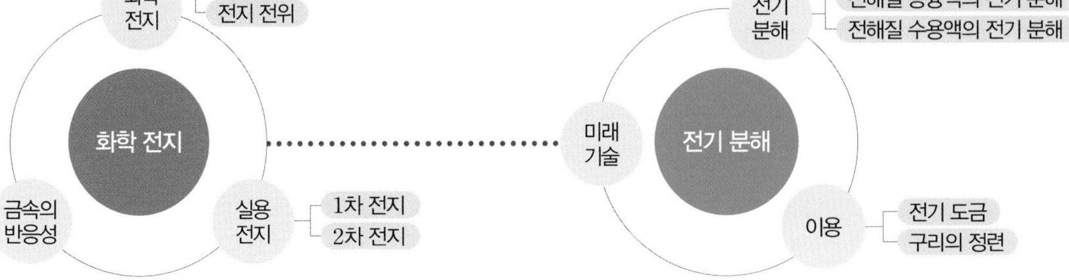

화학 전지

전기 분해

01 화학 전지

학습 Point 금속의 반응성 > 볼타 전지와 다니엘 전지 > 표준 환원 전위 > 실용 전지와 연료 전지

1 금속의 반응성

박물관에 전시된 유물 중에는 철제 농기구와 같이 심하게 부식된 것도 있고, 금관과 같이 원형이 거의 그대로 보존된 것도 있다. 이는 금속의 종류에 따라 금속이 공기 중의 산소 또는 물과 반응하는 정도가 다르기 때문에 나타나는 현상이다.

1. 금속의 이온화 경향

탐구 093쪽

금속 원자가 전자를 잃고 양이온이 되려는 경향을 이온화 경향이라고 한다. 금속은 종류에 따라 바닥상태의 전자 배치와 이온화 에너지가 다르므로 금속마다 이온화 경향이 다르다.

K Ca Na Mg Al Zn Fe Ni Sn Pb H Cu Hg Ag Pt Au

크다 ← 반응성 → 작다

▲ **금속의 이온화 경향** 수소(H)는 금속이 아니지만 전자를 잃고 양이온이 되려는 경향이 있으므로 수소를 포함하여 반응성을 비교한다.

금속이 전자를 잃는 반응을 산화라고 하며, 금속이 전자를 잃기 쉬울수록 다른 물질과 쉽게 반응한다. 즉, 이온화 경향이 큰 금속일수록 산화되기 쉽고 반응성이 크다.

금속	물과의 반응	산소와의 반응	산과의 반응	반응성
K	찬물과 반응한다.	쉽게 산화된다.	반응한다.	크다.
Ca				↑
Na				
Mg	높은 온도의 물과 반응한다.	서서히 산화된다.		
Al				
Zn				
Fe	거의 반응하지 않는다.			
Ni				
Sn				
Pb				
Cu		산화되기 어렵다.	거의 반응하지 않는다.	
Hg				
Ag				
Pt				↓
Au				작다.

▲ **금속의 반응성 비교**

금속의 반응성
청동이나 철로 만들어진 유물은 심하게 부식된 상태로 발견되지만, 금으로 만든 유물은 원형이 거의 보존된 상태로 발견된다. 이는 금속의 이온화 경향 차이 때문이다.

신라시대 유물(단조 철부, 금귀걸이)
출처: 국립중앙박물관 (www.museum.go.kr)

금속의 이온화 경향
금속의 이온화 경향이 클수록 금속의 반응성이 크다. 즉, 이온화 경향이 클수록 전자를 잃기 쉽고, 양이온이 되기 쉬우며, 산화되기 쉽고, 환원력이 크며, 산이나 물과의 반응성이 크다.

마그네슘(Mg)의 반응
Mg은 찬물과는 거의 반응하지 않지만, 뜨거운 물과는 격렬하게 반응한다.

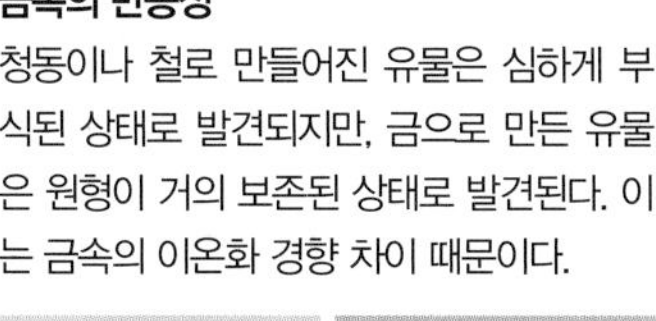

찬물 뜨거운 물

2. 금속의 상대적 반응성

집중 분석 094쪽

어떤 금속의 이온이 녹아 있는 수용액에 다른 금속을 넣었을 때의 반응을 관찰함으로써 금속의 반응성을 비교할 수 있다.

(1) **반응성이 큰 금속(A)과 반응성이 작은 금속(B) 이온의 반응:** 금속 B의 이온이 녹아 있는 수용액에 금속 A를 넣으면 반응성이 큰 금속 A는 전자를 잃고 산화되고, 반응성이 작은 금속 B의 이온은 전자를 얻고 환원된다.

$$A(s) + B^{2+}(aq) \longrightarrow A^{2+}(aq) + B(s)$$

(산화: A → A^{2+}, 환원: B^{2+} → B)

금속 A는 금속 B보다 산화되기 쉬우므로 위 반응에서는 금속 A가 산화되는 반응이 일어난다. 이때 금속 A는 양이온이 되어 용액 속으로 녹아 들어가고, 용액 속에 녹아 있던 금속 B의 이온(B^{2+})은 금속 B로 금속 A의 표면에서 석출된다.

예를 들어 Zn은 Cu보다 반응성이 크므로 Cu^{2+}이 녹아 있는 수용액에 금속 Zn을 넣으면 Zn은 전자를 잃고 산화되고, Cu^{2+}은 전자를 얻고 환원된다.

$$Zn(s) + Cu^{2+}(aq) \longrightarrow Zn^{2+}(aq) + Cu(s)$$

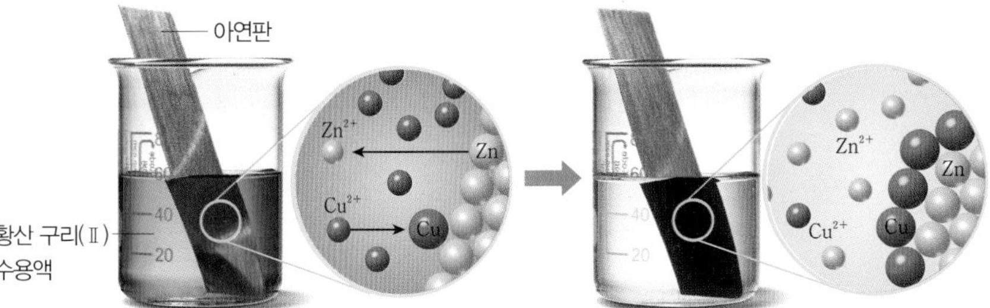

▲ **Zn과 Cu^{2+}의 반응** 수용액에서 푸른색을 띠는 Cu^{2+}이 Cu(s)로 석출되므로 반응이 진행될수록 수용액의 푸른색이 점차 옅어진다.

(2) **반응성이 작은 금속(C)과 반응성이 큰 금속(D) 이온의 반응:** 금속 C를 금속 D의 이온이 녹아 있는 수용액에 넣으면 아무 반응이 일어나지 않는다. 예를 들어 Zn^{2+}이 녹아 있는 수용액에 금속 Cu를 넣으면 수용액에서는 아무 변화가 일어나지 않는다.

시야 확장 ⊕ 금속과 금속 이온의 반응에서 이온 수 변화

수용액은 중성이므로 양이온과 음이온의 총 전하량의 합은 0이다. 금속과 금속 이온 사이의 반응에서 음이온은 반응에 참여하지 않으므로 반응 전 양이온의 총 전하량과 반응 후 양이온의 총 전하량은 서로 같다. 이는 산화 환원 반응이 일어날 때 주고받는 전자 수가 같기 때문이다.

❶ 반응 전 금속 이온의 전하수=반응 후 금속 이온의 전하수
➡ 용액 속 전체 양이온의 수는 변하지 않는다.
예 $Zn + Cu^{2+} \longrightarrow Zn^{2+} + Cu$ ➡ Cu^{2+} 1개가 반응하여 Zn^{2+} 1개가 생성된다.

❷ 반응 전 금속 이온의 전하수>반응 후 금속 이온의 전하수
➡ 용액 속 전체 양이온의 수는 증가한다.
예 $3Mg + 2Al^{3+} \longrightarrow 3Mg^{2+} + 2Al$ ➡ Al^{3+} 2개가 반응하여 Mg^{2+} 3개가 생성된다.

❸ 반응 전 금속 이온의 전하수<반응 후 금속 이온의 전하수
➡ 용액 속 전체 양이온의 수는 감소한다.
예 $Zn + 2Ag^{+} \longrightarrow Zn^{2+} + 2Ag$ ➡ Ag^{+} 2개가 반응하여 Zn^{2+} 1개가 생성된다.

구리와 질산 은 수용액의 반응

질산 은($AgNO_3$) 수용액에 구리(Cu) 선을 넣으면 Ag보다 반응성이 큰 Cu는 Cu^{2+}으로 산화되어 용액 속에 녹아 들어가 용액의 색깔을 푸른색으로 만든다. 수용액 속에 들어 있던 Ag^{+}은 환원되어 Cu 선 표면에서 Ag(s)으로 석출된다.

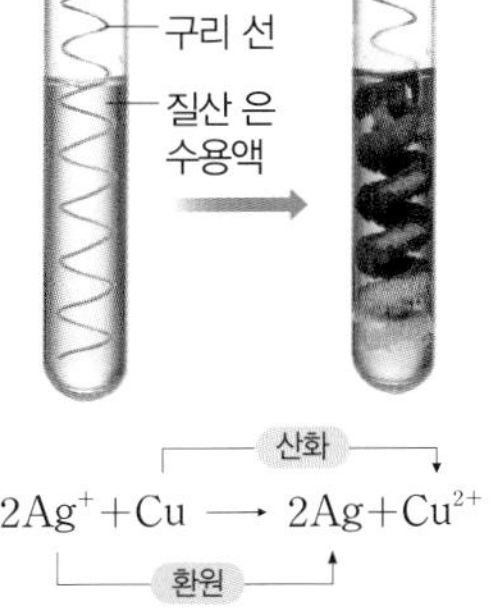

$$2Ag^{+} + Cu \longrightarrow 2Ag + Cu^{2+}$$

(산화: Cu → Cu^{2+}, 환원: Ag^{+} → Ag)

금속의 상대적 반응성 비교

• 반응성이 A>B인 경우
$A(s) + B^{2+}(aq) \longrightarrow A^{2+}(aq) + B(s)$
➡ 산화 환원 반응이 일어난다.

• 반응성이 A<B인 경우
$A(s) + B^{2+}(aq)$
➡ 반응이 일어나지 않는다.

3. 금속과 산의 반응

수소(H)보다 반응성이 큰 금속을 산 수용액에 넣으면 금속은 산화되어 용액 속으로 녹아 들어가고, 수소 이온(H^+)은 환원되어 수소(H_2) 기체가 발생한다. 하지만 H보다 반응성이 작은 금속을 산 수용액에 넣으면 아무 반응이 일어나지 않는다. 예를 들어 H보다 반응성이 큰 금속 아연(Zn)을 $HCl(aq)$에 넣으면 Zn과 $HCl(aq)$이 반응하면서 H_2 기체가 발생하지만, H보다 반응성이 작은 금속 Cu를 $HCl(aq)$에 넣으면 아무 반응도 일어나지 않는다.

- $Zn(s) + 2H^+(aq) \longrightarrow Zn^{2+}(aq) + H_2(g)$
- $Cu(s) + 2H^+(aq) \longrightarrow$ 반응이 일어나지 않음.

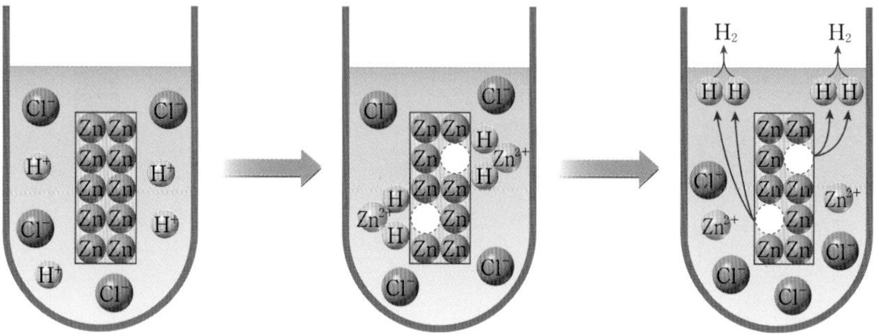

▲ 금속 Zn과 $HCl(aq)$의 반응

금속과 산의 반응에서 양이온 수 변화

산화 환원 반응에서 전자 이동이 일어날 때 주고받는 전자 수는 같지만, 반응하는 이온의 전하량에 따라 수용액 속 이온 수가 달라진다.

- 1족 금속 원소: 금속 원자 1개와 수소 이온 1개가 전자를 주고받으므로 수용액 속 양이온 수는 변하지 않고 일정하다.
- 2족, 13족 금속 원소: 2족 금속 원자 1개와 수소 이온 2개, 3족 금속 원자 1개와 수소 이온 3개가 전자를 주고받으므로 수용액 속 양이온 수는 감소한다.

 화학 전지

우리 주변에서 사용하는 휴대용 전자제품에는 다양한 화학 전지가 사용된다. 각종 완구, 소형 전자기기에는 건전지나 니켈카드뮴 전지, 휴대폰에는 리튬 이온 전지, 자동차에는 납축전지 등이 사용된다. 이러한 화학 전지는 공통적으로 산화 환원 반응을 이용하여 전기 에너지를 발생시킨다.

화학 전지

자발적으로 일어나는 산화 환원 반응에 의해 생기는 전자의 이동을 이용하여 전류를 얻는 장치

1. 화학 전지의 원리

화학 전지는 기본적으로 반응성이 다른 두 물질(주로 금속)과 전해질 수용액으로 구성되어 있다. 전해질 수용액에 서로 다른 두 금속을 담근 후 도선으로 연결하면 반응성이 큰 금속은 산화되어 전자를 내놓고, 전자는 도선을 따라 반응성이 작은 금속으로 이동하여 반응성이 작은 금속에서 환원 반응이 일어난다. 전자는 (−)극에서 나와 (+)극으로 이동하기 때문에 산화 반응이 일어나는 전극(금속)이 (−)극, 전자가 이동하여 환원 반응이 일어나는 전극(금속)이 (+)극이 된다.

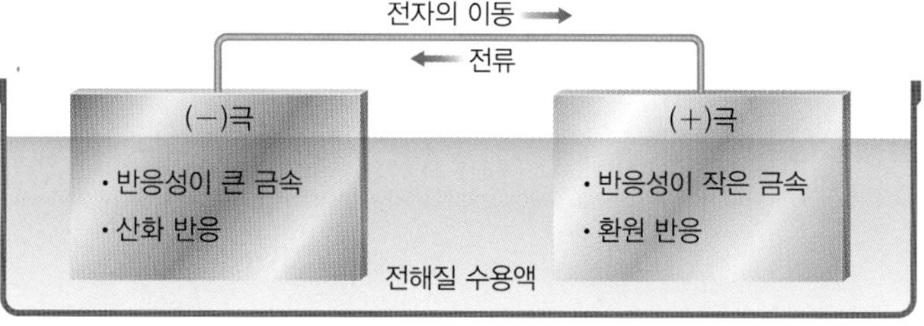

▲ 화학 전지의 구성

과일 전지

오렌지에 아연(Zn)판과 구리(Cu)판을 각각 꽂고 도선으로 연결하면 간단하게 과일 전지를 만들 수 있다. 오렌지뿐만 아니라 거의 모든 과일을 이용하여 전지를 만들 수 있는데, 이는 과일즙이 전해질 수용액의 역할을 하기 때문이다.

(1) **볼타 전지:** 아연(Zn)판과 구리(Cu)판을 묽은 황산(H_2SO_4)에 담근 후 도선으로 연결하면 Zn판에서 Cu판으로 전자가 이동하여 전류가 흐르는데, 이러한 전지를 볼타 전지라고 한다.

① 각 전극에서의 반응

- (−)극: Cu보다 반응성이 큰 Zn이 (−)극이 된다. Zn이 전자를 내놓고 Zn^{2+}으로 산화되어 용액 속으로 녹아 들어가고, 전자는 도선을 따라 Cu판으로 이동한다. 반응이 진행될수록 Zn판의 질량이 감소하고, 용액 속 Zn^{2+}의 농도가 증가한다.
- (+)극: Zn보다 반응성이 작은 Cu가 (+)극이 된다. 용액 속에 들어 있는 수소 이온(H^+)이 전자를 얻어 수소(H_2) 기체로 환원된다. (+)극에서 환원 반응이 일어나지만 Cu가 환원되는 것은 아니므로 반응이 진행되어도 Cu판의 질량은 변하지 않는다.

(−)극(산화 전극): $Zn(s) \longrightarrow Zn^{2+}(aq) + 2e^-$

(+)극(환원 전극): $2H^+(aq) + 2e^- \longrightarrow H_2(g)$

전체 반응: $Zn(s) + 2H^+(aq) \longrightarrow Zn^{2+}(aq) + H_2(g)$

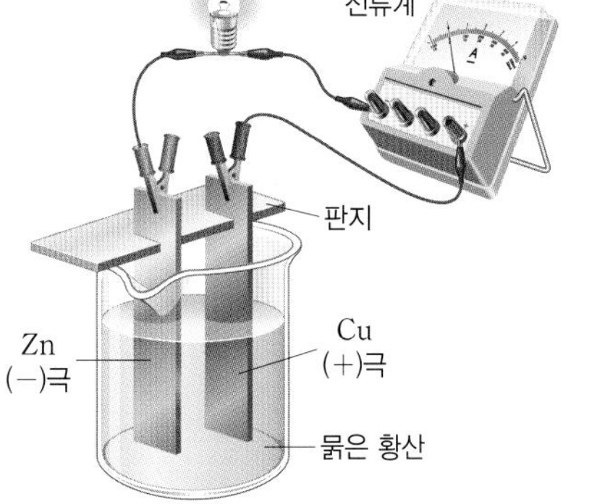

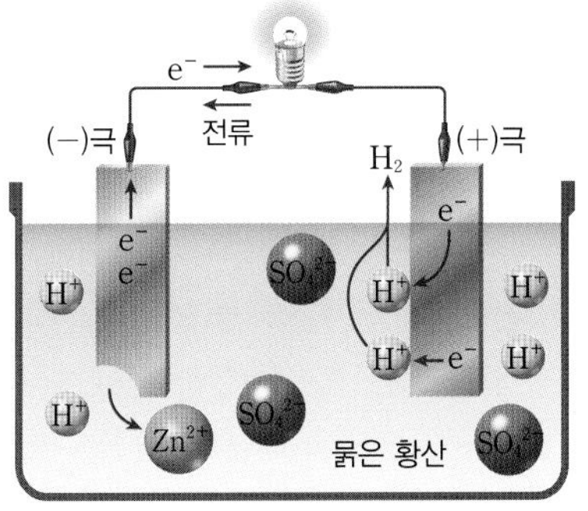

▲ 볼타 전지와 모형

볼타(Volta, A., 1745~1827)
이탈리아의 물리학자. 1780년 그의 친구 갈바니(Galvani, L. A., 1737~1798)는 2개의 서로 다른 금속을 개구리의 근육과 접촉시키면 전류가 발생한다는 것을 발견하였다. 이후 과학자들은 동물 조직이 전기를 발생시키는 데 필수라고 생각하였다. 하지만 볼타는 동물 조직을 사용하지 않은 전지를 만들어 전류는 생명체의 조직과 관계가 없다는 것을 증명하였다. 전압의 단위인 볼트(V)는 그의 업적을 기념하여 붙여진 이름이다.

반쪽 반응
화학 반응에서 전자의 이동을 쉽게 나타내기 위해 동시에 일어나는 반응을 반으로 나누어 나타낸 것으로, 각 반응은 독립적으로 일어날 수 없는 불완전한 반응이기 때문에 반쪽 반응이라고 한다. 산화 반응과 환원 반응을 각각 산화 반쪽 반응, 환원 반쪽 반응이라고 한다.

시선 집중 ★ 금속과 산의 반응과 볼타 전지

❶ Zn판과 Cu판을 각각 묽은 황산(H_2SO_4)에 담가 놓았을 때

Zn판에서는 Zn이 산화되고 수소(H_2) 기체가 발생하지만, Cu판에서는 아무 변화도 일어나지 않는다. Zn은 H보다 반응성이 크지만, Cu는 H보다 반응성이 작기 때문이다.

Zn판에서 일어나는 반응: $Zn(s) + 2H^+(aq) \longrightarrow Zn^{2+}(aq) + H_2(g)$

❷ Zn판과 Cu판을 각각 묽은 황산(H_2SO_4)에 담근 후 도선으로 연결했을 때

볼타 전지가 형성되어 (−)극인 Zn판에서는 Zn이 산화되고, (+)극인 Cu판에서는 H^+이 환원되어 H_2 기체가 발생한다.

전체 반응: $Zn(s) + 2H^+(aq) \longrightarrow Zn^{2+}(aq) + H_2(g)$

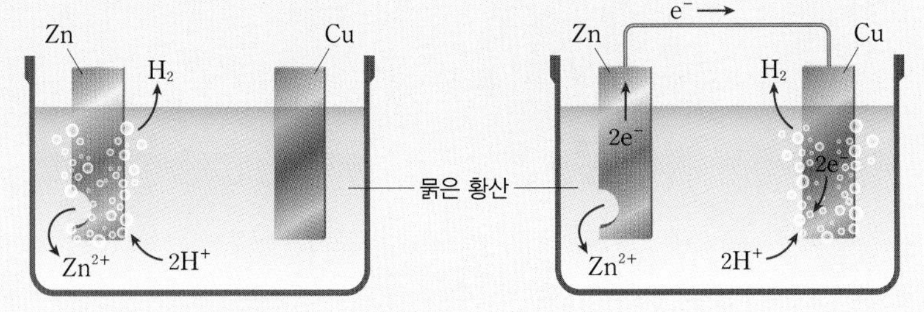

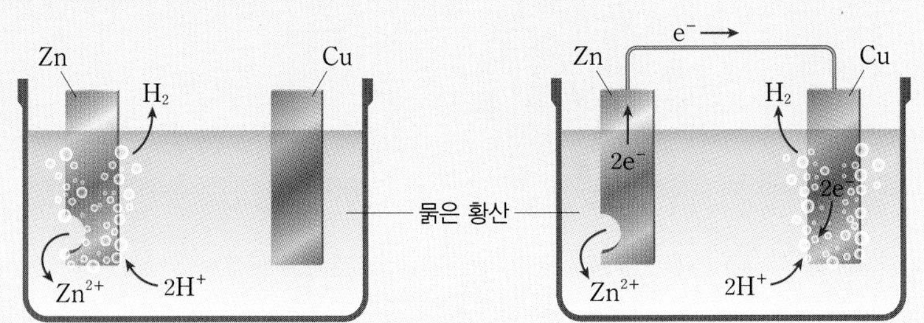

② **분극 현상:** 볼타 전지에서는 전류가 흐르기 시작한 후 곧 전압이 급격히 낮아지는데, 이러한 현상을 분극 현상이라고 한다. 분극 현상은 전류가 흐르면서 발생한 H_2 기체가 기포를 형성하여 Cu판 표면을 둘러싸면서 용액 속의 H^+이 Cu판에 접근하는 것을 방해하기 때문에 나타난다. 즉, H^+의 환원이 원활하게 일어나지 못해 생기는 현상이다.

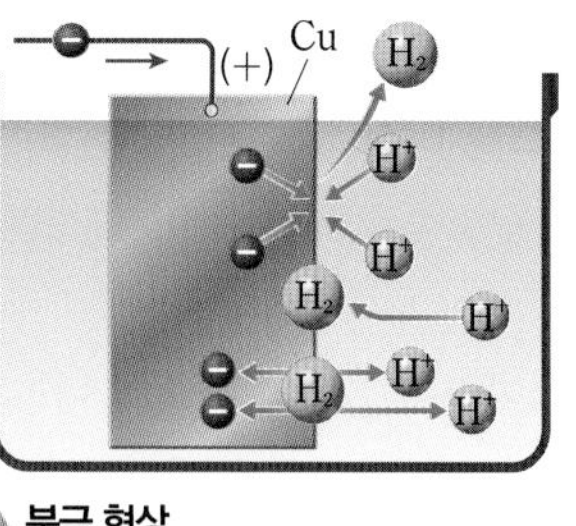

▲ 분극 현상

분극 현상을 막기 위해서는 Cu판을 둘러싸는 H_2 기체를 제거하면 되는데, 감극제(또는 소극제)라고 하는 산화제를 첨가하면 H_2 기체를 물(H_2O)로 산화시켜 Cu판 주변의 H_2 기체를 제거할 수 있다. 감극제로는 이산화 망가니즈(MnO_2), 과산화 수소(H_2O_2), 다이크로뮴산 칼륨($K_2Cr_2O_7$) 등을 사용한다.

예 $2MnO_2 + H_2 \longrightarrow Mn_2O_3 + H_2O$

분극 현상의 원인

- Cu판을 둘러싼 H_2가 H^+의 접근을 방해하여 H^+의 환원 반응이 잘 일어나지 못한다.
- Cu판에서 H_2가 전자를 내놓아 H^+이 되는 역반응이 일어난다.

(2) **다니엘 전지:** 볼타 전지에서 나타나는 분극 현상을 해결하기 위해 고안된 전지로, Zn판을 황산 아연($ZnSO_4$) 수용액에, Cu판을 황산 구리(Ⅱ)($CuSO_4$) 수용액에 넣은 두 개의 반쪽 전지를 염다리로 연결한 전지이다.

① 각 전극에서의 반응

- (−)극: Cu보다 반응성이 큰 Zn이 (−)극이 된다. Zn이 전자를 내놓고 Zn^{2+}으로 산화되어 용액 속으로 녹아 들어가고, 전자는 도선을 따라 Cu판으로 이동한다. 반응이 진행될수록 Zn판의 질량은 감소하고, 용액 속 Zn^{2+}의 농도는 증가한다.
- (+)극: Zn보다 반응성이 작은 Cu가 (+)극이 된다. 용액 속에 들어 있는 Cu^{2+}이 전자를 얻어 Cu로 환원되어 석출된다. 전류가 흐를수록 푸른색을 띠는 Cu^{2+}의 수가 감소하므로 용액의 푸른색이 점차 옅어진다.

(−)극(산화 전극): $Zn(s) \longrightarrow Zn^{2+}(aq) + 2e^-$
(+)극(환원 전극): $Cu^{2+}(aq) + 2e^- \longrightarrow Cu(s)$
전체 반응: $Zn(s) + Cu^{2+}(aq) \longrightarrow Zn^{2+}(aq) + Cu(s)$

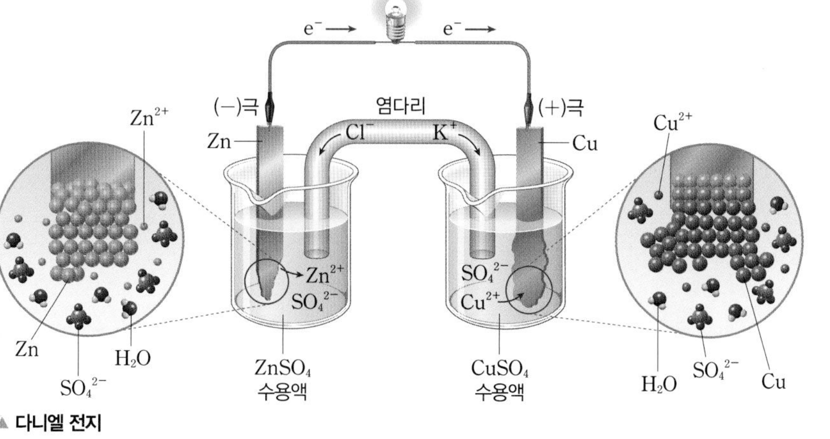

▲ 다니엘 전지

반쪽 전지

한 금속을 그 금속의 이온이 들어 있는 수용액에 담근 것을 반쪽 전지라고 한다. 전지는 산화가 일어나는 반쪽 전지와 환원이 일어나는 반쪽 전지로 이루어져 있다.

다공성 용기를 이용한 다니엘 전지

염다리 대신 다공성 용기를 이용하여 다니엘 전지를 구성할 수 있다.

다공성 용기 안에는 $CuSO_4$ 수용액과 Cu 전극을, 다공성 용기 밖에는 $ZnSO_4$ 수용액과 Zn 전극을 넣고 두 전극을 도선으로 연결한다. 여기서 다공성 용기는 두 용액이 섞이지 않으면서 작은 구멍을 통해 이온이 이동할 수 있게 하여 전하의 균형을 맞추는 역할을 한다.

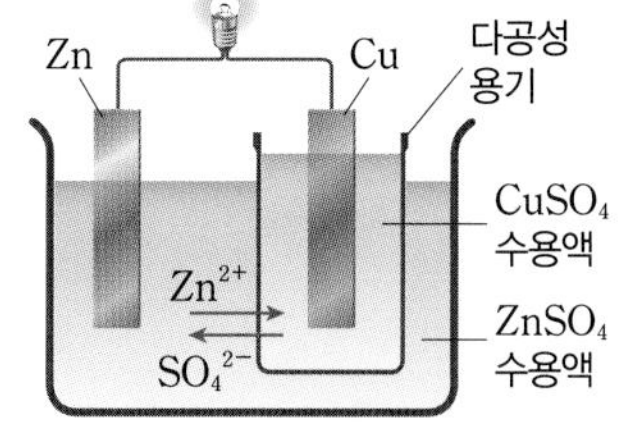

② **염다리:** 다니엘 전지의 두 반쪽 전지는 염다리로 연결되어 있다. 염다리는 KCl, KNO_3, Na_2SO_4 등을 한천 용액에 넣어 녹인 다음 U자관에 넣고 굳혀서 만든 것으로, 양쪽 반쪽 전지의 전해질 수용액이 섞이지 않으면서 양쪽 반쪽 전지의 전하가 균형을 이루도록 하는 역할을 한다. 다니엘 전지에 전류가 흐르기 시작하면 $ZnSO_4$ 수용액에서는 Zn^{2+}의 농도가 증가하여 전하의 불균형이 생기는데, 이때 전하의 균형을 맞추기 위해 염다리 속 음이온이 $ZnSO_4$ 수용액 쪽으로 이동한다. 마찬가지로 $CuSO_4$ 수용액에서는 Cu^{2+}의 농도가 감소하여 전하의 불균형이 생기므로 균형을 맞추기 위해 염다리 속 양이온이 $CuSO_4$ 수용액 쪽으로 이동한다.

시야 확장 ⊕ 전지의 표시 방법

❶ 화학 전지의 구성은 다음과 같은 기호를 이용하여 나타낼 수 있다.
- (−)극은 왼쪽에, (+)극은 오른쪽에 나타낸다.
- 서로 다른 상의 물질이 접촉할 때는 | 로 표시하고, 염다리와 같은 물질로 두 전극이 분리될 때는 ‖로 표시한다.
- 물질의 상태, 용액의 농도 등은 괄호 안에 표시한다.

❷ 볼타 전지의 표시: (−) Zn(*s*) | H_2SO_4(*aq*) | Cu(*s*) (+)
➡ Zn과 Cu 두 금속이 물질의 상이 다른 H_2SO_4(*aq*)에 담겨 있다.

❸ 다니엘 전지의 표시: (−) Zn(*s*) | $ZnSO_4$(*aq*) ‖ $CuSO_4$(*aq*) | Cu(*s*) (+)
➡ 금속 Zn이 $ZnSO_4$(*aq*)에 담겨 있고, 금속 Cu가 $CuSO_4$(*aq*)에 담겨 있다. 이때 두 반쪽 전지는 염다리에 의해 분리되어 있다.

2. 전지 전위

심화 096~097쪽

(1) **전극 전위(electrode potential):** 화학 전지에서는 (−)극에서 산화가 일어나려는 힘과 (+)극에서 환원이 일어나려는 힘으로 인해 두 전극 사이에 전위차가 생긴다. 이 전위차를 기전력(electromotive force) 또는 전압(voltage)이라고 한다. 즉, 두 반쪽 전지의 전위가 서로 다르기 때문에 전위차가 생기는데, 각 반쪽 전지의 전위를 전극 전위라고 한다. 화학 반응에서 각 물질의 엔탈피 값은 측정할 수 없지만, 반응 엔탈피(ΔH, 생성물과 반응물의 엔탈피 차)는 측정할 수 있듯이 화학 전지에서는 각 전극의 전극 전위는 측정할 수 없지만, 두 전극의 전위차는 측정할 수 있다. 따라서 한 반쪽 전지의 전극 전위를 기준으로 다른 반쪽 전지의 상대적인 전위 값으로 전극 전위를 나타낸다.

(2) **표준 수소 전극(standard hydrogen electrode):** 전극 전위를 측정할 때 기준이 되는 전극으로, 모든 반쪽 전지의 전극 전위는 표준 수소 전극의 전극 전위에 대한 상댓값으로 나타낸다. 표준 수소 전극은 25 ℃, 1 M H^+의 수용액에 Pt 전극을 꽂고, 그 주위에 1기압의 H_2 기체를 접촉시켜 만든 반쪽 전지로, 모든 전극 전위의 기준이 되며, 표준 수소 전극의 전극 전위는 0.00 V로 정한다.

$$2H^+(aq,\ 1\ M,\ 25\ ℃) + 2e^- \longrightarrow H_2(g,\ 1기압,\ 25\ ℃)$$
$$E^\circ = 0.00\ V$$

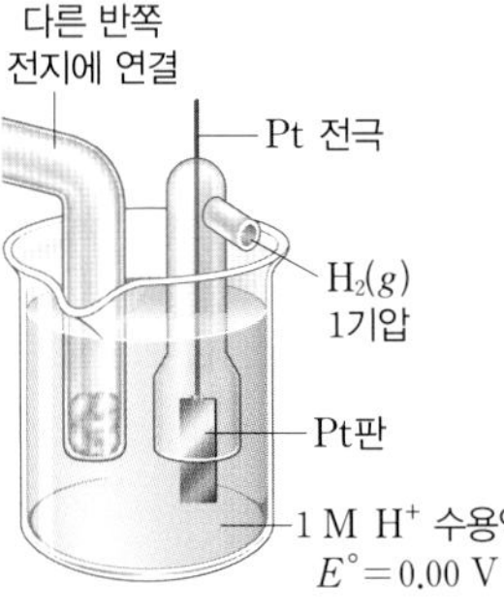

▲ 표준 수소 전극

표준 상태
기체의 양을 다룰 때 표준 상태는 0 ℃, 1기압으로 정하지만, 열역학이나 전기 화학에서는 표준 상태의 조건이 25 ℃, 1기압이며, 용액의 경우는 1 M 농도일 때가 표준 상태이다.

백금(Pt) 전극
표준 수소 전극에서 Pt판은 H_2 기체와 H^+ 사이에서 전자를 전달하는 매개체로 작용하며, Pt 자체는 반응성이 매우 작아 반응에 관여하지 않기 때문에 전극으로 사용할 수 있다. 구리 반쪽 전지에서 Cu가 아닌 용액 중의 Cu^{2+}이 환원되기 때문에 Cu 대신 Pt을 전극으로 사용할 수 있다. 산화가 일어나는 (−)극에서는 사용된 금속의 산화가 일어나는 경우를 제외하고 용액 중의 물질이 산화되거나 연료 전지와 같이 외부에서 주입되는 H_2 기체의 산화가 일어나는 경우 Pt을 전극으로 사용할 수 있다.

(3) **표준 전극 전위(E°)**: 25 ℃, 1기압에서 반쪽 전지의 수용액의 농도가 1 M일 때 표준 수소 전극과 연결하여 측정한 전극 전위를 말한다.

① **표준 환원 전위(E°)**: 표준 수소 전극과 연결하여 측정한 반쪽 전지의 전위를 환원 반응의 형태로 나타냈을 때의 전위를 표준 환원 전위라고 한다.

- 구리 반쪽 전지($Cu(s)|CuSO_4(aq, 1\ M)$): 구리는 수소보다 반응성이 작기 때문에 구리 반쪽 전지에서는 환원 반응($Cu^{2+} + 2e^- \longrightarrow Cu$)이 일어나고, 표준 수소 전극에서는 산화 반응($H_2 \longrightarrow 2H^+ + 2e^-$)이 일어난다. 이때 구리 반쪽 전지와 표준 수소 전극의 전위차는 0.34 V이므로 구리 반쪽 전지의 표준 환원 전위는 +0.34 V이다.

  $Cu^{2+}(aq) + 2e^- \longrightarrow Cu(s) \quad E^\circ = +0.34\ V$

- 아연 반쪽 전지($Zn(s)|ZnSO_4(aq, 1\ M)$): 아연은 수소보다 반응성이 크기 때문에 아연 반쪽 전지에서는 산화 반응($Zn \longrightarrow Zn^{2+} + 2e^-$)이 일어나고, 표준 수소 전극에서는 환원 반응($2H^+ + 2e^- \longrightarrow H_2$)이 일어난다. 이때 아연 반쪽 전지와 표준 수소 전극의 전위차는 0.76 V이므로 아연의 산화 반응이 일어날 때 전극 전위는 +0.76 V, 아연의 환원 반응이 일어날 때의 전극 전위인 표준 환원 전위는 −0.76 V이다.

  $Zn^{2+}(aq) + 2e^- \longrightarrow Zn(s) \quad E^\circ = -0.76\ V$

구리 반쪽 전지의 전극 전위 측정

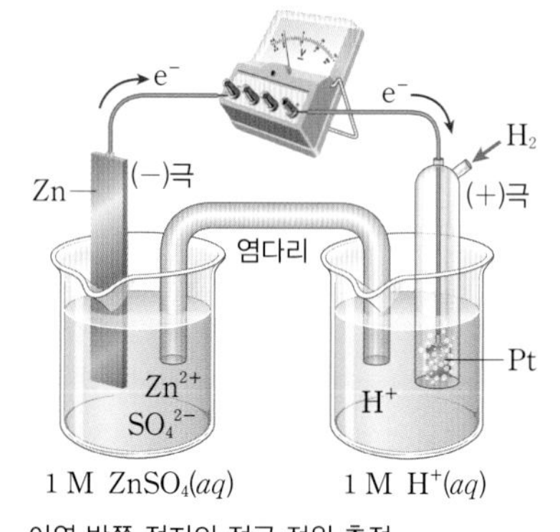

아연 반쪽 전지의 전극 전위 측정

▲ **표준 환원 전위 측정**

- 표준 환원 전위의 의미: 표준 환원 전위가 큰 물질일수록 환원되기 쉽다. 표준 환원 전위가 (+)값이면 수소보다 환원되기 쉽고, (−)값이면 수소보다 환원되기 어렵다. 화학 전지에서는 표준 환원 전위가 크면 환원 전극이 되고, 표준 환원 전위가 작으면 산화 전극이 된다.

전극 반응(반쪽 반응)	표준 환원 전위(V)	환원되는 경향
$F_2(g) + 2e^- \longrightarrow 2F^-(aq)$	+2.87	환원되기 쉽다. ↑
$O_2(g) + 4H^+(aq) + 4e^- \longrightarrow 2H_2O(l)$	+1.23	
$Ag^+(aq) + e^- \longrightarrow Ag(s)$	+0.80	
$2H^+(aq) + 2e^- \longrightarrow H_2(g)$	0.00	
$Pb^{2+}(aq) + 2e^- \longrightarrow Pb(s)$	−0.13	
$Fe^{2+}(aq) + 2e^- \longrightarrow Fe(s)$	−0.45	
$2H_2O(l) + 2e^- \longrightarrow H_2(g) + 2OH^-(aq)$	−0.83	
$Al^{3+}(aq) + 3e^- \longrightarrow Al(s)$	−1.66	
$Mg^{2+}(aq) + 2e \longrightarrow Mg(s)$	−2.37	
$Na^+(aq) + e^- \longrightarrow Na(s)$	−2.71	

표준 전극 전위 측정 시 표준 수소 전극

표준 수소 전극에서는 H_2 기체와 H^+ 사이에 산화 환원 반응이 일어난다. 수소보다 반응성이 큰 금속으로 만든 전극과 연결하면 환원 전극이 되어 $2H^+ + 2e^- \longrightarrow H_2$의 반응이 일어나고, 수소보다 반응성이 작은 금속으로 만든 전극과 연결하면 산화 전극이 되어 $H_2 \longrightarrow 2H^+ + 2e^-$의 반응이 일어난다.

② 표준 산화 전위: 표준 수소 전극과 연결하여 측정한 반쪽 전지의 전위를 산화 반응의 형태로 나타냈을 때의 전위로, 표준 환원 전위와 크기가 같고 부호가 반대이다. 표준 산화 전위가 큰 물질일수록 산화되기 쉽다.

예 아연의 표준 환원 전위: $Zn^{2+}(aq) + 2e^- \longrightarrow Zn(s)$ $E° = -0.76$ V

아연의 표준 산화 전위: $Zn(s) \longrightarrow Zn^{2+}(aq) + 2e^-$ $E° = +0.76$ V

(4) **표준 전지 전위($E°_{전지}$)**: 표준 상태에서 두 반쪽 전지를 연결한 화학 전지의 전위

① **표준 전지 전위**: 환원 반응이 일어나는 반쪽 전지의 표준 환원 전위에서 산화 반응이 일어나는 반쪽 전지의 표준 환원 전위를 빼서 구한다. 집중 분석 095쪽

$$E°_{전지} = E°_{환원\ 전극} - E°_{산화\ 전극} = E°_{(+)극} - E°_{(-)극}$$

예 $Zn^{2+}(aq)|Zn(s)$과 $Cu^{2+}(aq)|Cu(s)$의 각 반쪽 전지를 연결하여 만든 화학 전지의 전위

$Zn^{2+}(aq) + 2e^- \longrightarrow Zn(s)$ $E° = -0.76$ V

$Cu^{2+}(aq) + 2e^- \longrightarrow Cu(s)$ $E° = +0.34$V

상대적으로 표준 환원 전위가 큰 구리가 (+)극(환원 전극)이 되고, 상대적으로 표준 환원 전위가 작은 아연이 (−)극(산화 전극)이 되므로 $E°_{전지} = E°_{(+)극} - E°_{(-)극} = (+0.34\text{ V}) - (-0.76\text{ V}) = +1.10$ V이다.

② 전극의 종류와 표준 전지 전위: 전지를 구성하는 두 전극을 이루는 금속의 이온화 경향 차이가 클수록 두 전극의 표준 환원 전위의 차가 커지므로 전지 전위가 커진다.

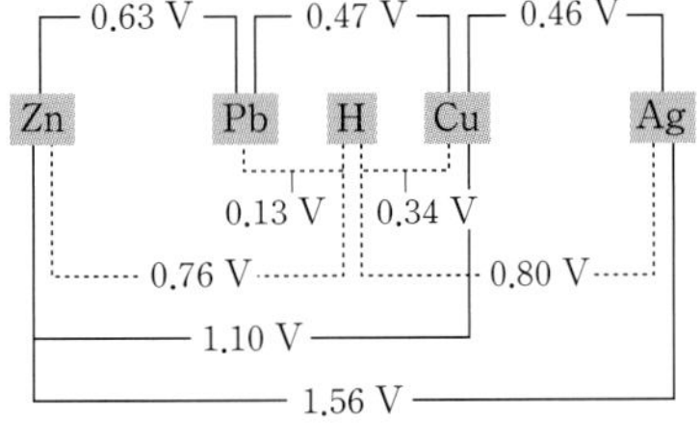

시선 집중 ★ 반응의 자발성 예측

화학 전지의 전지 전위 값을 이용하면 화학 전지에서 전지 반응이 자발적으로 일어나는지 여부를 예측할 수 있다. 산화 환원 반응의 표준 전지 전위($E°$)가 (+)값이면 전지 반응이 자발적으로 일어나고, (−)값이면 전지 반응이 아닌 역반응이 자발적으로 일어난다.

❶ $Fe(s) + Cu^{2+}(aq) \longrightarrow Fe^{2+}(aq) + Cu(s)$

이 반응이 일어나도록 전지를 만든다고 가정하면 Fe이 산화되고 Cu^{2+}이 환원된다. 이때 각 전극의 표준 환원 전위는 다음과 같다.

(−)극(산화 전극): $Fe^{2+}(aq) + 2e^- \longrightarrow Fe(s)$ $E° = -0.45$ V

(+)극(환원 전극): $Cu^{2+}(aq) + 2e^- \longrightarrow Cu(s)$ $E° = +0.34$ V

표준 전지 전위는 (+0.34 V)−(−0.45 V)=+0.79 V이므로 위 전지 반응은 자발적으로 일어남을 예측할 수 있다.

❷ $Pb(s) + Zn^{2+}(aq) \longrightarrow Pb^{2+}(aq) + Zn(s)$

이 반응이 일어나도록 전지를 만든다고 가정하면 Pb이 산화되고 Zn^{2+}이 환원된다. 이때 각 전극의 표준 환원 전위는 다음과 같다.

(−)극(산화 전극): $Pb^{2+}(aq) + 2e^- \longrightarrow Pb(s)$ $E° = -0.13$ V

(+)극(환원 전극): $Zn^{2+}(aq) + 2e^- \longrightarrow Zn(s)$ $E° = -0.76$ V

표준 전지 전위는 −0.76 V−(−0.13 V)=−0.63 V이므로 위 전지 반응은 자발적으로 일어나지 않음을 예측할 수 있다.

표준 전극 전위와 전지 전위

물질의 성질에는 물질의 양에 관계없는 세기 성질과 물질의 양에 따라 달라지는 크기 성질이 있다. 세기 성질에는 온도, 밀도, 전극 전위, 전지 전위 등이 있고, 크기 성질에는 질량, 부피, 엔탈피 등이 있다.

전극 전위와 전지 전위는 전지 속 물질의 양이나 반응하는 양에 관계없는 세기 성질이므로 화학 반응식의 계수가 2배가 되어도 전지 전위는 변하지 않는다.

$Ag^+ + e^- \longrightarrow Ag$ $E° = +0.80$ V

$2Ag^+ + 2e^- \longrightarrow 2Ag$ $E° = +1.60$ V (×)

$2Ag^+ + 2e^- \longrightarrow 2Ag$ $E° = +0.80$ V (○)

금속의 반응성과 반응의 자발성

반응성이 큰 금속을 반응성이 작은 금속의 이온과 반응시키면 반응이 일어나지만, 반대인 경우에는 반응이 일어나지 않는다.

$Zn + Cu^{2+} \longrightarrow Zn^{2+} + Cu$ … (1)

$Cu + Fe^{2+} \not\longrightarrow$ … (2)

(1)의 반응이 일어나도록 화학 전지를 만든다고 가정한 후 전지 전위를 구하면 (+)값이 나오지만, (2)의 반응이 일어나도록 화학 전지를 만든다고 가정한 후 전지 전위를 구하면 (−)값이 나온다.

③ 실용 전지

볼타 전지와 다니엘 전지는 부피가 크고 전해질 용액을 관리하기가 어려워 실생활에서 사용하기에 적합하지 않다. 이러한 단점을 극복하고자 과학자들은 전지의 크기를 줄이고 전기 저장 용량을 늘리는 등의 연구를 거듭하였고, 현재는 다양한 전지가 개발되어 우리 주위에서 그 용도에 맞게 사용되고 있다. 앞으로도 전지의 효율성을 높이기 위한 연구는 지속될 것이며, 이러한 연구는 미래의 첨단 과학 제품의 상용화에 큰 영향을 끼칠 것이다.

1. 1차 전지와 2차 전지

실용 전지는 일정 시간 동안 사용하면 전극을 구성하는 물질의 화학 변화로 인해 전압이 떨어진다. 1차 전지는 한 번 방전되면 전극 물질을 원래 상태로 복원할 수 없어 재사용이 불가능하고, 2차 전지는 방전되어도 전기 에너지를 가하면 전극 물질을 원래 상태로 복원할 수 있어 여러 번 사용이 가능하다.

충전과 방전
사용한 전지에 전류를 흘려주어 전지가 재생되는 과정을 충전이라 하고, 전지를 사용하여 전지가 소모되는 과정을 방전이라고 한다.

구분	전지의 종류	용도
1차 전지	망가니즈 건전지	벽시계, 장난감, 손전등
	알칼리 건전지	
	산화 은 전지	손목 시계, 소형 전자제품
2차 전지	납축전지	자동차
	니켈카드뮴 전지	전기 면도기
	리튬 이온 전지	휴대전화, 노트북
	리튬 고분자 전지	로봇, 무인 비행기

▲ 1차 전지와 2차 전지의 종류

2. 여러 가지 전지

(1) **망가니즈 건전지:** (−)극은 아연 금속, (+)극은 탄소 막대, 전해질은 염화 암모늄(NH_4Cl)을 사용한다. 아연 금속과 탄소 막대 사이에는 염화 암모늄 수용액, 탄소 가루, 이산화 망가니즈(MnO_2)를 혼합한 반죽으로 채우는데, 여기서 이산화 망가니즈는 분극 현상을 줄이는 감극제 역할을 한다.

건전지
실생활에서 가장 많이 이용하는 전지로, 건전지에서 사용하는 전해질은 수분이 거의 없는 반죽 상태라는 의미에서 건전지(dry cell)라는 이름이 붙여졌다.

(−)극(산화 전극): $Zn(s) \longrightarrow Zn^{2+}(aq) + 2e^-$

(+)극(환원 전극): $2NH_4^+(aq) + 2MnO_2(s) + 2e^-$
$\longrightarrow 2NH_3(aq) + Mn_2O_3(s) + H_2O(l)$

전체 반응: $Zn(s) + 2NH_4^+(aq) + 2MnO_2(s)$
$\longrightarrow Zn^{2+}(aq) + 2NH_3(aq) + Mn_2O_3(s) + H_2O(l)$

(−)극에서는 Zn이 Zn^{2+}으로 산화되고, (+)극에서는 H^+이 H_2로 환원된다. 이때 (+)극에서는 H_2가 생성되지 않는데, 그 이유는 감극제인 MnO_2에 의해 H_2가 H_2O로 산화되기 때문이다.

망가니즈 건전지는 가격이 저렴하고 휴대하기가 쉽다. 하지만 산성을 띠는 염화 암모늄 수용액으로 인해 오래 사용하면 아연통이 부식되어 내부 물질이 건전지 밖으로 흘러나올 수 있고, 수명이 짧은 단점이 있다.

망가니즈 건전지의 구조

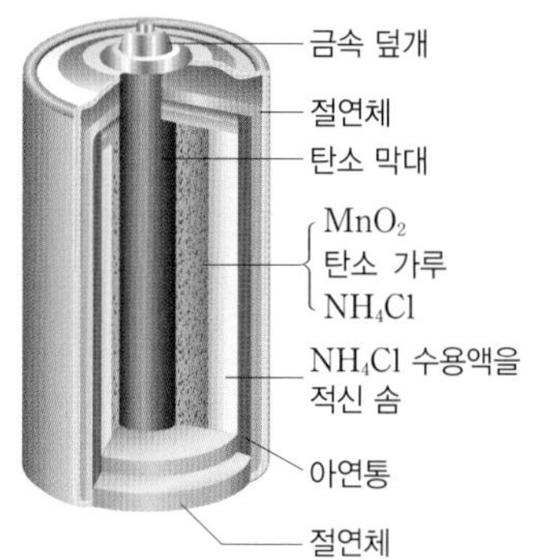

(2) **알칼리 건전지:** 망가니즈 건전지와 구성 물질이 비슷하나, 전해질로 산성염인 염화 암모늄 대신 강염기인 수산화 칼륨(KOH)을 사용한다. 알칼리 건전지는 염기성 전해질 수용액을 사용함으로써 아연통의 부식을 방지할 수 있어 망가니즈 건전지에 비해 수명이 길고, 안정적인 전류와 전압, 강한 전력을 얻을 수 있는 장점이 있다.

(−)극(산화 전극): $Zn(s) + 2OH^-(aq) \longrightarrow ZnO(s) + H_2O(l) + 2e^-$

(+)극(환원 전극): $2MnO_2(s) + H_2O(l) + 2e^- \longrightarrow Mn_2O_3(s) + 2OH^-(aq)$

전체 반응: $Zn(s) + 2MnO_2(s) \longrightarrow ZnO(s) + Mn_2O_3(s)$

알칼리 건전지

(−) Zn|KOH|MnO_2, C(+)

(3) **납축전지:** (−)극은 납(Pb)판, (+)극은 이산화 납(PbO_2)판, 전해질은 황산(H_2SO_4)을 사용한다. 납축전지는 부피가 크고 무겁기 때문에 휴대용으로 사용하지 않고 주로 자동차의 전원 공급 장치로 사용한다.

(−)극(산화 전극): $Pb(s) + SO_4^{2-}(aq) \longrightarrow PbSO_4(s) + 2e^-$

(+)극(환원 전극): $PbO_2(s) + 4H^+(aq) + SO_4^{2-}(aq) + 2e^- \longrightarrow PbSO_4(s) + 2H_2O(l)$

전체 반응: $Pb(s) + PbO_2(s) + 2H_2SO_4(aq) \underset{\text{충전}}{\overset{\text{방전}}{\rightleftharpoons}} 2PbSO_4(s) + 2H_2O(l)$

납축전지는 2차 전지로, 외부에서 전원을 연결하여 전기 에너지를 가하면 역반응이 일어나 전극 물질을 생성하므로 충전하여 재사용할 수 있다. 납축전지 1개의 전지 전위는 2 V이며, 자동차에 사용하는 납축전지의 전지 전위는 12 V로 전지 6개를 직렬로 연결하여 사용한다.

납축전지를 여러 차례 충전하여 사용하면 충전을 하더라도 전극 물질이 완전히 원래 상태로 돌아가지 않으므로 두 전극의 질량이 점차 증가하고 묽은 황산의 농도가 감소한다. 따라서 묽은 황산의 비중을 측정하면 납축전지의 교체 시기를 가늠할 수 있다.

납축전지

(−)Pb|H_2SO_4|PbO_2(+)

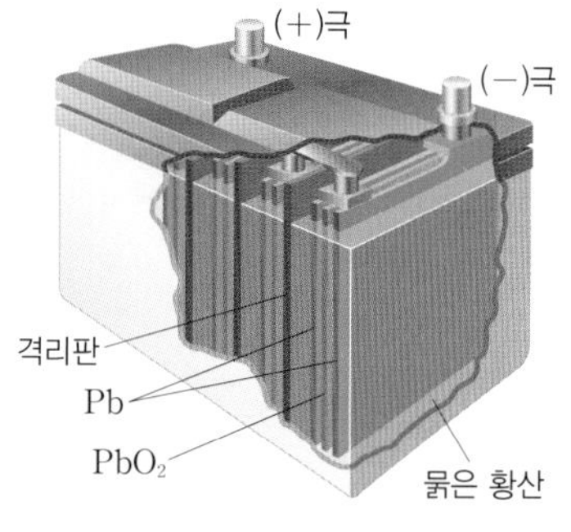

(4) **산화 은 전지:** (−)극은 아연(Zn), (+)극은 산화 은(Ag_2O), 전해질은 수산화 칼륨(KOH)을 사용한다. 산화 은 전지는 은을 포함하고 있기 때문에 가격이 비싸지만 수은 전지보다 전압(1.5 V)이 세다.

(−)극(산화 전극): $Zn(s) + 2OH^-(aq) \longrightarrow ZnO(s) + H_2O(l) + 2e^-$

(+)극(환원 전극): $Ag_2O(s) + H_2O(l) + 2e^- \longrightarrow 2Ag(s) + 2OH^-(aq)$

전체 반응: $Zn(s) + Ag_2O(s) \longrightarrow ZnO(s) + 2Ag(s)$

산화 은 전지는 전력 소비가 적은 손목 시계, 계산기, 카메라 등에 주로 이용된다.

산화 은 전지

(5) **니켈카드뮴 전지:** (−)극은 금속 카드뮴(Cd), (+)극은 금속 니켈(Ni)을 지지체로 하는 산화 니켈(NiO_2)이며, 전해질은 수산화 칼륨(KOH)을 사용한다.

(−)극(산화 전극): $Cd(s) + 2OH^-(aq) \longrightarrow Cd(OH)_2(s) + 2e^-$

(+)극(환원 전극): $NiO_2(s) + 2H_2O(l) + 2e^- \longrightarrow Ni(OH)_2(s) + 2OH^-(aq)$

전체 반응: $Cd(s) + NiO_2(s) + 2H_2O(l) \longrightarrow Cd(OH)_2(s) + Ni(OH)_2(s)$

니켈카드뮴 전지는 2차 전지로, 충전하여 재사용할 수 있다. 니켈카드뮴 전지는 무게에 비해 효율이 좋고 수명이 길다는 장점이 있으며, 과거에는 전기 면도기, 전기 공구, 사진기의 플래시 등에 이용하였지만 현재는 중금속인 카드뮴의 위험성으로 인해 사용을 규제하고 있다.

수은 전지

(−)극은 금속 아연(Zn), (+)극은 산화 수은(HgO)과 접촉해 있는 강철, 전해질은 수산화 칼륨(KOH)을 사용한다. 수은 전지는 오랜 시간 동안 일정한 전압(1.3 V)을 공급할 수 있지만, 독성이 있으며 환경오염의 원인이 되므로 사용이 규제되고 있다.

(6) **리튬 이온 전지:** 리튬 이온 전지는 (+)극에 사용하는 물질의 종류에 따라 전지의 종류와 용도가 달라진다. (+)극에는 $LiCoO_2$을 일반적으로 사용하는데, 이 물질을 사용하는 리튬 이온 전지는 주로 휴대전화, 노트북, 디지털카메라, 휴대용 전자기기 등에 이용된다. $LiNiMnCoO_2$을 (+)극 물질로 사용하는 전지는 전동 공구, 전기 자전거, 전기 자동차 등에 이용되며, 현재 개발 중인 전기 자동차용 배터리의 주를 이루고 있다. 이외에도 $LiMn_2O_4$, $LiFePO_4$ 등의 다양한 물질을 (+)극으로 사용하는 리튬 이온 전지들이 계속 개발되고 있다.

한편, (−)극에 사용하는 물질은 Li의 산화 환원 반응이 쉽게 일어날 수 있는 구조를 가진 흑연, 리튬−타이타늄 결정, 실리콘−흑연 복합체 등이 있으며, 리튬 이온 염($LiPF_6$ 등)을 유기 용매에 용해한 용액을 전해질 용액으로 사용한다.

- 원리: 리튬 이온 전지가 방전될 때 (−)극에서는 전극 물질과 결합하고 있거나 또는 전극 물질의 공간에 갇혀 있던 Li이 산화하면서 Li^+을 생성하여 전해질 용액 속으로 이동하고, (+)극에서는 (−)극에서 이동해 온 전자를 받아 전이 금속 이온의 산화수가 감소하는 환원 반응이 일어난다. 이때 (+)극에서의 전하의 균형을 맞추기 위해 전해질 용액 중의 Li^+이 (+)극 내부로 이동한다. 반대로 리튬 이온 전지를 충전할 때는 Li^+이 (+)극에서 (−)극으로 이동한다.

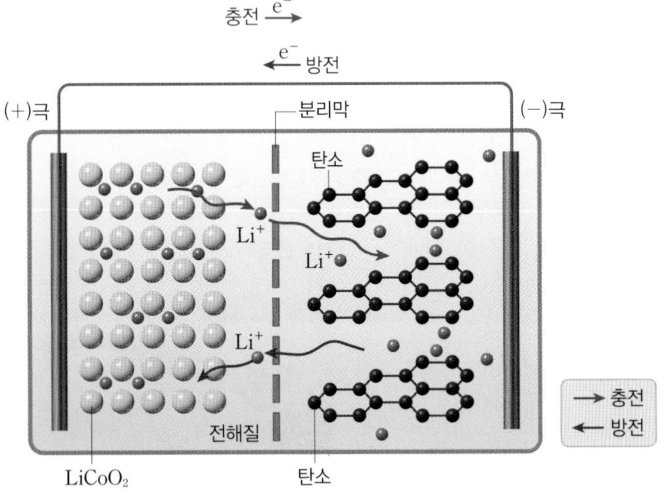

▲ 리튬 이온 전지의 원리

리튬 이온 전지는 다른 2차 전지에 비해 에너지 밀도가 매우 크며, 수백 번 이상 충전이 가능하고 자기 방전되는 정도가 작아 각종 IT기기나 전기 구동 장치 등에 폭넓게 이용되고 있다.

(7) **리튬 고분자 전지:** 리튬 이온 전지는 전해질로 염을 유기 용매에 녹여 만든 액체를 사용하므로 폭발 위험성이 있는데, 이 위험성을 낮추기 위해 리튬 고분자 전지는 안정적인 고분자(고분자 중합체) 상태의 전해질을 사용한다. 기존 전지보다 성능이 뛰어나지만 가격이 비싸 고가의 휴대전화, 로봇 등의 제품에 제한적으로 사용된다. 전지를 담는 용기의 벽이 얇아 모양을 비교적 자유롭게 만들 수 있고, 제품의 무게를 가볍게 만들 수 있으며, 폴더블 기기에 이용할 수 있다.

리튬 이온 전지를 이용한 자동차

실용 전지의 발달 과정

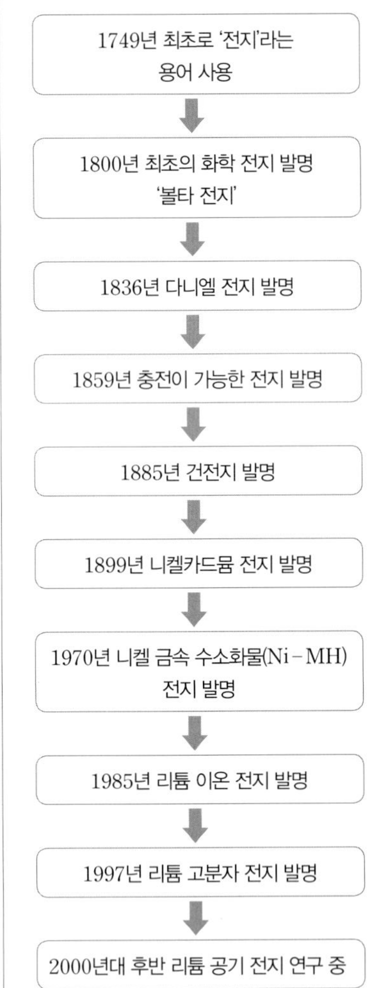

자기 방전
사용하지 않더라도 시간이 지나면서 저절로 전압이 떨어지는 현상

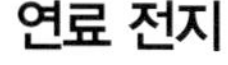

연료 전지

현재 사용되고 있는 전지들은 용기 속에 반응물을 넣고 화학 반응을 일으켜 전기를 발생시킨다. 전지에서 반응물이 소모되면 전지를 폐기하거나 외부에서 에너지를 공급하여 충전해야 하지만, 연료 전지는 자동차에 연료가 떨어지면 연료를 주입하듯이 반응물이 소모되면 반응물을 보충하여 사용한다.

1. 수소 연료 전지

연료가 연속적으로 산화되는 반응으로부터 전기 에너지를 얻는 전지를 연료 전지라고 한다. 연료 전지에 사용하는 연료는 메탄올, 수소, 천연가스, 나프타 등이 있으며, 이중 수소를 연료로 사용하는 수소 연료 전지가 대표적이다. 연료 전지에 사용하는 전해질로는 인산, 수산화 칼륨, 고분자 전해질 막, 용융 탄산염 등이 있다.

(1) **수소 연료 전지의 원리:** 수소 연료 전지는 수소를 연료로, 공기 중의 산소를 산화제로 사용한다. 연료 전지의 전극은 금속 촉매를 주입한 다공성 탄소 전극을 사용하고, (−)극에는 수소 기체를, (+)극에는 산소 기체를 공급한다. 수소 연료 전지에 사용하는 전해질은 다양하며, 그중 고분자 전해질 막을 사용한 연료 전지는 자동차에 주로 이용된다.

연료 전지의 (−)극에 수소(H_2) 기체를 공급하면 백금 촉매가 수소 분자(H_2)를 산화시켜 수소 이온(H^+)을 생성하고, 생성된 H^+은 고분자 전해질 막을 통과하여 (+)극으로 이동한다. (+)극으로 산소(O_2) 기체를 공급하면 백금 촉매가 산소 분자(O_2)를 산소 원자(O)로 분리하고, 산소 원자(O)는 (−)극에서 이동해 온 H^+, 전자와 결합하여 물을 생성한다.

(−)극(산화 전극): $2H_2(g) \longrightarrow 4H^+(aq) + 4e^-$

(+)극(환원 전극): $O_2(g) + 4H^+(aq) + 4e^- \longrightarrow 2H_2O(l)$

전체 반응: $2H_2(g) + O_2(g) \longrightarrow 2H_2O(l)$

연료 전극
전해질
공기 전극

❶ **수소의 산화**
연료 전극에서 수소가 수소 이온과 전자로 분리된다.

❷ **수소 이온의 이동**
전해질을 통해 수소 이온이 연료 전극에서 공기 전극으로 이동한다.

(−)극
(+)극

❸ **전자의 이동과 전류 발생**
도선을 통해 전자가 연료 전극에서 공기 전극으로 이동하면서 전류가 흐른다.

❹ **산소의 환원과 물의 생성**
공기 전극에서 수소 이온, 전자, 산소가 결합하면서 물이 생성된다.

▲ 연료 전지의 전기 발생 원리

수산화 칼륨 연료 전지
우주선에 사용하였던 초기의 연료 전지는 전해질로 고온의 수산화 칼륨(KOH) 용액을 사용하였다.

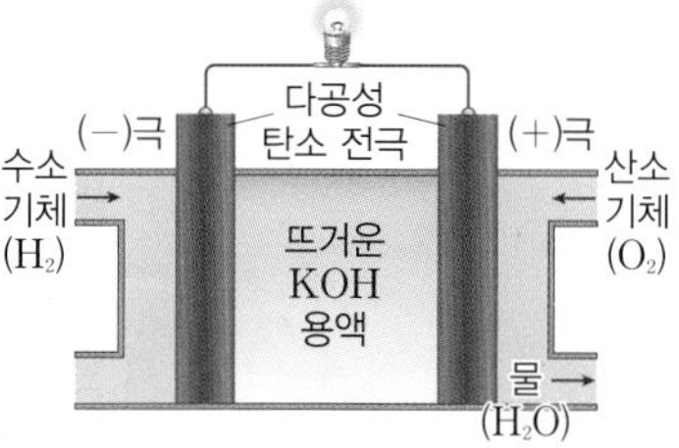

연료 전지에서 일어나는 반응은 다음과 같다.

(−)극: $2H_2 + 4OH^- \longrightarrow 4H_2O + 4e^-$

(+)극: $O_2 + 2H_2O + 4e^- \longrightarrow 4OH^-$

전체 반응: $2H_2 + O_2 \longrightarrow 2H_2O$

수소 연료 전지에서 사용한 전해질의 종류에 따라 전극에서 일어나는 반응은 약간씩 다르지만 전체 반응은 수소와 산소가 반응하여 물을 생성하는 반응으로 수소 연료 전지의 종류에 관계없이 같다.

(2) **연료 전지의 특징**

① 충전할 필요가 없으며, 연료를 공급하는 한 계속해서 전기 에너지를 생산할 수 있다.

② 에너지 효율이 높은 편이며, 반응 과정에서 발생하는 열을 이용하면 최대 80 % 가까이 에너지 효율을 높일 수 있다.

③ 소음이 적고, 수소와 산소가 반응하여 물을 생성하므로 환경오염에서 비교적 자유롭다.

④ 수소를 생산하는 비용이 비싸며, 수소의 폭발 위험성 해결, 수소 저장 기술 개발 등의 과제가 남아 있다.

(3) **수소 연료 전지의 이용:** 수소 연료 전지는 1960년대 유인 달 탐사 우주선인 아폴로 11호에 사용되었다. 아폴로 11호에서 수소 연료 전지는 필요한 전기 에너지를 생산하였고, 반응 결과 생성된 물은 식수로 이용되었다. 초기의 수소 연료 전지는 가격과 효율성의 문제로 특수 분야에서만 사용되었지만, 현재는 전기 자동차, 전기 자전거, 드론 등의 전원 장치, 가정이나 건물의 난방 및 발전, 대규모 발전, 휴대용 전자기기 등에 사용된다.

▲ 전기 자동차 ▲ 수소 발전 ▲ 휴대용 연료 전지

자동차용 연료 전지

연료 전지는 사용하는 연료 및 전해질의 종류에 따라 작동 온도, 효율, 사용 목적이 달라지므로 연료 전지의 명칭에 연료 혹은 전해질의 이름을 붙여 구분한다. 이중 자동차에 많이 사용하는 연료 전지는 고분자 전해질 막을 사용한 고체 산화물 연료 전지로 부피가 작고 무게가 가벼우며 작동 온도가 낮은 장점이 있다.

시야 확장 + 리튬 공기 전지

현재 전기 자동차용 전지로 가장 많이 이용되고 있는 전지는 리튬 이온 전지이다. 자동차가 500 km 이상을 주행하기 위해서는 연료의 에너지 밀도가 700 Wh/kg 이상이어야 한다고 알려져 있다. 하지만 리튬 이온 전지의 한계 에너지 밀도는 약 250 Wh/kg으로, 리튬 이온 전지를 사용하는 전기 자동차의 주행거리는 비교적 짧은 편이다.

과학자들은 전기 자동차의 주행거리를 늘리기 위해 리튬 이온 전지 뿐 아니라 리튬 공기 전지도 연구하고 있다. 이론적으로 리튬 공기 전지의 한계 에너지 밀도는 11,140 Wh/kg으로, 자동차 연료로 사용하는 가솔린의 에너지 밀도 13,000 Wh/kg에 근접한 값을 나타낸다.

리튬 공기 전지의 (−)극은 금속 Li, (+)극은 다공성 탄소로 이루어져 있고 (+)극에 산소(O_2) 기체를 공급하여 전기를 생산할 수 있다.

리튬 공기 전지가 방전될 때 (−)극에서는 Li이 산화되어 Li^+이 되고, (+)극에서는 O_2가 환원되어 O_2^-이 된 후 (−)극에서 이동해 오는 Li^+과 반응하여 Li_2O_2을 생성한다.

(−)극: $2Li(s) \longrightarrow 2Li^+(aq) + 2e^-$

(+)극: $O_2(g) + e^- \longrightarrow O_2^-(aq)$

$O_2^-(aq) + Li^+(aq) \longrightarrow LiO_2(s)$

$LiO_2(s) + Li^+(aq) + e^- \longrightarrow Li_2O_2(s)$

전체 반응: $2Li(s) + O_2(g) \longrightarrow Li_2O_2(s)$

▲ 리튬 공기 전지의 방전

과정이 살아 있는 탐구

금속의 반응성

금속과 금속 이온 사이의 반응을 통해 금속의 반응성을 비교할 수 있다.

과정

실험 1

1 $ZnSO_4$ 수용액, $FeSO_4$ 수용액, $CuSO_4$ 수용액이 담긴 시험관을 각각 2개씩 준비한다.

2 각 수용액이 담긴 시험관에 다음과 같이 금속 조각을 넣고 변화를 관찰한다.

수용액	$ZnSO_4(aq)$		$FeSO_4(aq)$		$CuSO_4(aq)$	
금속 조각	Fe	Cu	Zn	Cu	Zn	Fe

실험 2

Fe, Cu, Zn 조각을 묽은 염산(HCl)이 담긴 시험관에 각각 넣고 변화를 관찰한다.

유의점

- 실험복, 보안경, 실험용 장갑을 착용한다.
- 금속 표면이 산화되어 있으므로 표면의 불순물을 제거하고 사용한다.
- 시약이 피부나 옷에 닿지 않도록 주의한다.
- 실험 후 사용한 시약은 지정된 통에 모아 처리한다.

결과 및 정리

1 **실험 1의 결과 및 해석은 표와 같다.**

수용액	$ZnSO_4(aq)$		$FeSO_4(aq)$		$CuSO_4(aq)$	
금속 조각	Fe	Cu	Zn	Cu	Zn	Fe
변화 여부	×	×	Fe 석출	×	Cu 석출	Cu 석출
반응성 비교	Zn>Fe	Zn>Cu	Zn>Fe	Fe>Cu	Zn>Cu	Fe>Cu

실험 1에서 일어나는 반응

- $Zn + Fe^{2+} \longrightarrow Zn^{2+} + Fe$
- $Zn + Cu^{2+} \longrightarrow Zn^{2+} + Cu$
- $Fe + Cu^{2+} \longrightarrow Fe^{2+} + Cu$

2 **실험 2의 결과 및 해석은 표와 같다.**

금속 조각	Fe	Cu	Zn
변화 여부	기포 발생	×	기포 발생
반응성 비교	Fe>H	H>Cu	Zn>H

실험 2에서 일어나는 반응

- $Zn + 2H^+ \longrightarrow Zn^{2+} + H_2$
- $Fe + 2H^+ \longrightarrow Fe^{2+} + H_2$

3 **금속의 반응성:** 실험 1과 실험 2의 결과를 종합하면 반응성은 Zn>Fe>H>Cu 순이다.

탐구 확인 문제

> 정답과 해설 148쪽

01 위 탐구에 대한 설명으로 옳지 않은 것을 있는 대로 고르면? (정답 2개)

① $Zn(s)$과 $HCl(aq)$의 반응에서 산소 기체가 발생한다.
② $Fe(s)$과 $HCl(aq)$의 반응에서 용액 속 전체 이온 수는 감소한다.
③ $Zn(s)$과 $CuSO_4(aq)$의 반응에서 용액의 푸른색은 점점 옅어진다.
④ $Fe(s)$과 $CuSO_4(aq)$의 반응에서 용액 속 전체 이온 수는 증가한다.
⑤ $Cu(s)$보다 반응성이 작은 $Ag(s)$을 $HCl(aq)$에 넣으면 반응이 일어나지 않는다.

02 표는 금속 A와 B를 묽은 염산과 C 이온이 들어 있는 수용액에 각각 넣은 후 관찰한 결과의 일부를 나타낸 것이다.

금속	A	B
묽은 염산에서의 변화	수소 발생	변화 없음
C 이온의 수용액에서의 변화	−	C 석출

금속 A~C의 반응성의 크기를 비교하시오. (단, A~C는 임의의 원소 기호이다.)

실전에 대비하는

집중 분석

금속과 금속 이온 사이의 반응에서 이온 수 변화

금속과 금속 이온 사이의 반응 실험으로부터 금속의 반응성을 비교하는 문제와 반응 과정에서 용액 속에 존재하는 양이온 수 변화로부터 금속 이온의 전하와 양적 관계를 판단하는 문제가 시험에서 자주 출제된다. 반응 전후 용액 속에 존재하는 양이온의 총 전하량이 변하지 않는다는 사실을 이용하여 이러한 문제를 해결해 보자.

❶ 이온 수가 감소하는 경우

[자료] 금속 B 이온의 수용액에 금속 A를 넣었을 때, 반응한 금속 A 원자 수에 따른 전체 양이온 수 변화

전체 양이온 수: $4N$, $3N$, $2N$ / 반응한 A 원자 수: N, $2N$

(1) 양이온 수가 변하는 것으로 보아 반응이 일어났다는 것을 알 수 있다. ➡ 반응성: A>B

(2) A 원자 N개가 반응했을 때 용액 속 양이온은 $3N$개 이므로 용액 속에는 반응에서 생성된 A 이온 N개와 B 이온 $2N$개가 존재한다. 따라서 A 원자 N개와 B 이온 $2N$개가 반응하므로 A 원자와 B 이온은 1 : 2의 몰비로 반응한다.

➡ $A + 2B^{+} \longrightarrow A^{2+} + 2B$

(3) 반응한 A 원자가 $2N$개일 때는 B 이온 $4N$개와 반응하므로 용액 속 B 이온은 모두 반응하여 반응이 완결된 상태이다. ➡ 용액 속에는 반응에서 생성된 A 이온 $2N$개가 존재한다.

❷ 이온 수가 증가하는 경우

[자료] 금속 D 이온의 수용액에 금속 C를 넣었을 때, 반응한 금속 C 원자 수에 따른 전체 양이온 수 변화

전체 양이온 수: $3N$, $2.5N$, $2N$ / 반응한 C 원자 수: $1.5N$, $3N$

(1) 양이온 수가 변하는 것으로 보아 반응이 일어났다는 것을 알 수 있다. ➡ 반응성: C>D

(2) C 원자 $1.5N$개가 반응했을 때 용액 속 양이온은 $2.5N$개이므로 용액 속에는 반응에서 생성된 C 이온 $1.5N$개와 D 이온 N개가 존재한다. 따라서 C 원자 $1.5N$개와 D 이온 N개가 반응하므로 C 원자와 D 이온은 3 : 2의 몰비로 반응한다.

➡ $3C + 2D^{3+} \longrightarrow 3C^{2+} + 2D$

(3) 반응한 C 원자가 $3N$개일 때는 D 이온 $2N$개와 반응하므로 용액 속 D 이온은 모두 반응하여 반응이 완결된 상태이다. ➡ 용액 속에는 반응에서 생성된 C 이온 $3N$개가 존재한다.

> 정답과 해설 148쪽

유제

다음은 금속과 관련된 산화 환원 반응 실험이다.

[실험 과정]

(가) 금속 B를 $A(NO_3)_x(aq)$에 넣는다.

(나) 금속 A를 $C(NO_3)_2(aq)$에 넣는다.

[실험 결과]

- (가)의 수용액에서 양이온 수가 감소하였다.
- (나)의 수용액에서 양이온 수가 증가하였다.

이에 대한 설명으로 옳은 것만을 보기에서 있는 대로 고르시오. (단, A~C는 임의의 원소 기호이다.)

보기

ㄱ. (가)에서 B의 산화수는 증가한다.

ㄴ. A~C의 이온 중 산화수가 가장 큰 것은 A 이온이다.

ㄷ. 금속 B를 $C(NO_3)_2(aq)$에 넣으면 수용액 속 전체 이온 수가 증가한다.

실전에 대비하는

표준 환원 전위와 전지 전위

다니엘 전지에서 각 전극과 전해질 용액에서 일어나는 변화, 제시된 전지의 전위를 판단하는 문제가 시험에서 자주 출제된다. 한 전극에서 환원될 수 있는 물질이 한 가지인 경우와 두 가지 이상인 경우 해당 전지의 표준 전지 전위를 계산해 보자.

❶ 한 전극에 전극 물질이 한 가지만 제시된 경우

[자료] 25 °C, 1기압에서 금속 A와 B를 전극으로 하는 전지와 이와 관련된 반쪽 반응에 대한 표준 환원 전위(E°)

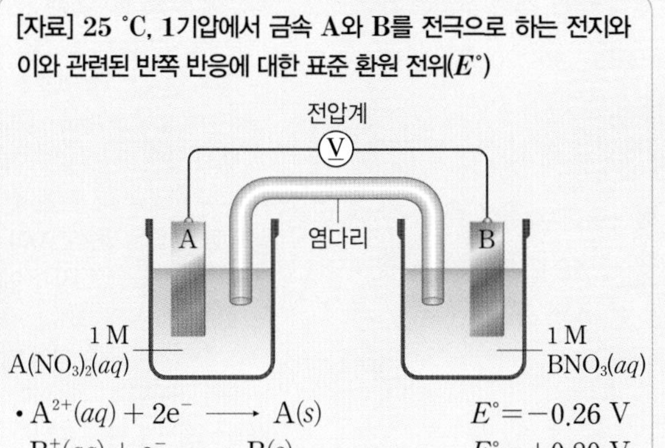

• $A^{2+}(aq) + 2e^- \longrightarrow A(s)$　　$E^\circ = -0.26$ V

• $B^{+}(aq) + e^- \longrightarrow B(s)$　　$E^\circ = +0.80$ V

(1) 표준 환원 전위가 더 작은 전극이 산화 반응이 일어나는 (−)극, 표준 환원 전위가 더 큰 전극이 환원 반응이 일어나는 (+)극이 된다.

(2) A 전극: 표준 환원 전위가 더 작으므로 산화 반응이 일어나는 (−)극이다.

(3) B 전극: 표준 환원 전위가 더 크므로 환원 반응이 일어나는 (+)극이다.

(4) 표준 전지 전위: $E^\circ_{전지} = E^\circ_{(+)극} - E^\circ_{(-)극} = +0.80\text{ V} - (-0.26\text{ V}) = +1.06\text{ V}$

❷ 한 전극에 전극 물질이 두 가지 이상 제시된 경우

[자료] 25 °C, 1기압에서 백금(Pt)과 아연(Zn)을 전극으로 하는 전지와 이와 관련된 반쪽 반응에 대한 표준 환원 전위(E°)

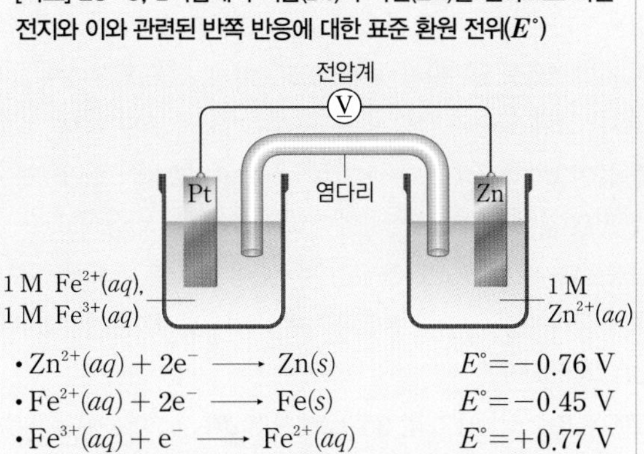

• $Zn^{2+}(aq) + 2e^- \longrightarrow Zn(s)$　　$E^\circ = -0.76$ V

• $Fe^{2+}(aq) + 2e^- \longrightarrow Fe(s)$　　$E^\circ = -0.45$ V

• $Fe^{3+}(aq) + e^- \longrightarrow Fe^{2+}(aq)$　　$E^\circ = +0.77$ V

(1) Zn 전극: (−)극이다.

(2) Pt 전극: (+)극이다. Fe^{2+}과 Fe^{3+} 중 표준 환원 전위가 큰 Fe^{3+}의 환원 반응이 먼저 일어나고, 용액 속 Fe^{3+}이 모두 환원되면 Fe^{2+}의 환원 반응이 일어난다.

(3) 표준 전지 전위: $E^\circ_{전지} = E^\circ_{(+)극} - E^\circ_{(-)극} = +0.77\text{V} - (-0.76\text{V}) = +1.53\text{ V}$

> 정답과 해설 148쪽

그림은 25 °C, 1기압에서 금속 A와 B를 전극으로 하는 전지를 나타낸 것이고, 자료는 이와 관련된 반쪽 반응에 대한 표준 환원 전위(E°)이다.

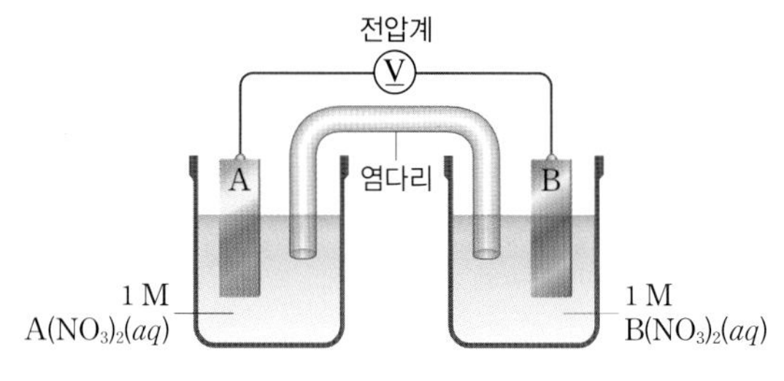

• $A^{2+}(aq) + 2e^- \longrightarrow A(s)$　　$E^\circ = -0.13$ V

• $B^{2+}(aq) + 2e^- \longrightarrow B(s)$　　$E^\circ = -1.03$ V

이에 대한 설명으로 옳은 것만을 보기에서 있는 대로 고르시오. (단, A, B는 임의의 원소 기호이다.)

보기

ㄱ. 표준 전지 전위는 +1.16 V이다.

ㄴ. 전류가 흐르면 A 전극의 질량이 증가한다.

ㄷ. 전류가 흐르면 $\frac{[A^{2+}]}{[B^{2+}]} > 1$이 된다.

전지 전위와 열역학

열역학 제2법칙에서 열화학의 기본을 정립한 깁스(Gibbs, J. W., 1839~1903)를 기리기 위해 깁스 자유 에너지(G로 표시)라고 불리는 양을 정하였는데, G는 어떤 변화에서 유용한 일을 하는 데 이용할 수 있는 최대 에너지라는 의미를 가지고 있다. 자유 에너지 G와 전지 전위는 어떤 관계에 있는지 알아보자.

❶ 자유 에너지와 반응의 자발성

어떤 반응이 일어날 때 자유 에너지 변화(ΔG)는 그 반응이 자발적으로 일어날 수 있는지에 대한 정보를 제공한다. 어떤 반응의 $\Delta G<0$인 경우 반응이 자발적으로 일어나고, $\Delta G>0$인 경우 반응이 자발적으로 일어나지 못하며, $\Delta G=0$인 경우 평형 상태를 의미한다.

ΔG를 통해 금속과 금속 이온 사이의 반응이 자발적으로 일어나는지 여부도 예측할 수 있다. 예를 들어 $Pb + Zn^{2+} \longrightarrow Pb^{2+} + Zn$의 반응이 일어나는 전지를 만든다고 가정할 때 표준 전지 전위 값이 (+)값이면 자발적으로 일어나는 반응이고, (−)값이면 자발적으로 일어날 수 없는 반응이다. 이는 ΔG가 전지 전위와 다음과 같은 관계를 이루기 때문으로 자유 에너지 변화로 금속과 금속 이온 사이의 반응의 자발성 여부를 예측할 수 있다.

$\Delta G^\circ=-nFE^\circ$

(ΔG°: 표준 상태(1기압, 25 ℃)에서의 ΔG, n: 반응에서 이동하는 전자의 양(mol), F: 패러데이 상수, E°: 표준 전지 전위)

ΔG°와 E°는 서로 부호가 반대이기 때문에 $E^\circ>0$인 경우 $\Delta G^\circ<0$이 되고, $E^\circ<0$인 경우 $\Delta G^\circ>0$이 된다.

- $\Delta E^\circ>0$ 또는 $\Delta G^\circ<0$ ➡ 자발적으로 일어나는 반응
- $\Delta E^\circ<0$ 또는 $\Delta G^\circ>0$ ➡ 자발적으로 일어날 수 없는 반응

❷ 평형 상수의 결정

ΔG°는 평형 상수 K와 다음과 같은 관계식으로 나타낼 수 있다.

$\Delta G^\circ=-RT\ln K$

$\Delta G^\circ=-nFE^\circ$이므로 $nFE^\circ=RT\ln K$의 관계가 성립하고 이 식을 정리하면 다음과 같다.

$$E^\circ=\frac{RT}{nF}\ln K$$

25 ℃에서 상수를 대입하고 자연 로그 대신 상용 로그를 취하면 다음과 같은 식을 얻을 수 있다.

$$E^\circ=\frac{0.0592\ \mathrm{V}}{n}\log K$$

여기서 V는 전압의 단위 Volt이다.

예를 들어 다음과 같은 반응에서

$NiO_2(s) + 2Cl^-(aq) + 4H^+(aq) \longrightarrow Cl_2(g) + Ni^{2+}(aq) + 2H_2O(l)$

이 반응의 표준 전지 전위가 0.320 V일 때 25 ℃에서 이 반응의 평형 상수는 다음과 같다.

$$0.320\ \mathrm{V}=\frac{0.0592\ \mathrm{V}}{2}\log K,\ K=6\times10^{10}$$

이 반응의 평형 상수는 매우 크므로 화학 전지에서 일어나는 반응은 역반응이 거의 일어나지 않음을 알 수 있다.

자유 에너지와 전지 전위

ΔG는 화학 반응에서 얻을 수 있는 최대 일이고, 자발적으로 일어나는 반응에서 ΔG는 (−)의 값이고, 일의 양은 (+)의 값이므로 최대 일$=-\Delta G$이다. 한편, 전지에서 얻을 수 있는 일은 전자의 이동에 의해 얻어진다. 전자가 이동하는 힘은 전위차의 크기에 비례하므로, 전자의 이동에 의해 얻어지는 일은 이동한 전자의 양과 전위차에 비례하게 된다. 따라서 최대 일$=nFE^\circ$가 되며(F는 비례 상수), $\Delta G^\circ=-nFE^\circ$의 관계가 성립한다.

❸ 농도에 따른 전지 전위

표준 전지 전위는 전해질 용액의 농도가 1 M일 때의 전위이다. 다른 농도의 전해질 용액으로 만든 전지를 사용하거나 전지를 사용하는 동안 전해질의 농도가 변하면 Nernst 식을 이용하여 전지 전위를 구할 수 있다. 표준 상태가 아닌 상태에서 ΔG는 반응 지수 Q와 다음과 같은 관계가 성립한다.

$\Delta G = \Delta G^\circ + RT\ln Q$

위 식에 $\Delta G^\circ = -nFE^\circ$, $\Delta G = -nFE$를 대입하면

$-nFE = -nFE^\circ + RT\ln Q$이고 양변을 $-nF$로 나누면

$E = E^\circ - \dfrac{RT}{nF}\ln Q$이며, 자연 로그 대신 상용 로그를 취하고 25 ℃에서 상수 값을 대입하면

$E = E^\circ - \dfrac{0.0592\ \text{V}}{n}\log Q$의 Nernst 식이 얻어진다.

예를 들어 $[Ni^{2+}] = 1.0\times10^{-4}$ M, $[Cr^{3+}] = 2.0\times10^{-3}$ M일 때 전지의 반쪽 반응이 다음과 같다면 전지 전위는 다음과 같이 구할 수 있다.

$Ni^{2+}(aq) + 2e^- \longrightarrow Ni(s) \quad E^\circ = -0.25\ \text{V}$

$Cr^{3+}(aq) + 3e^- \longrightarrow Cr(s) \quad E^\circ = -0.74\ \text{V}$

이 전지에서는 Cr의 산화 반응과 Ni^{2+}의 환원 반응이 일어나므로 전체 반응식은 다음과 같다.

$3Ni^{2+}(aq) + 2Cr(s) \longrightarrow 3Ni(s) + 2Cr^{3+}(aq)$

반응에서 6몰의 전자가 이동하므로 Nernst 식에 대입하면

$E = E^\circ - \dfrac{0.0592\ \text{V}}{6}\log\dfrac{[Cr^{3+}]^2}{[Ni^{2+}]^3}$

표준 전지 전위가 $-0.25\ \text{V} - (-0.74\ \text{V}) = 0.49\ \text{V}$이므로

$E = 0.49\ \text{V} - \dfrac{0.0592\ \text{V}}{6}\log\dfrac{(2.0\times10^{-3})^2}{(1.0\times10^{-4})^3} = 0.42\ \text{V}$가 된다.

네른스트(Nernst, W. H., 1864~1941)
근대 물리화학의 토대를 쌓은 독일의 과학자로, 열역학 제3법칙을 공식화하여 1920년에 노벨 화학상을 받았다.

❹ 전지 전위를 이용한 물질의 농도 측정

물속에 미량 녹아 있는 Cu^{2+}의 농도는 전지 전위를 측정하여 알아낼 수 있다. Cu^{2+}이 녹아 있는 물에 구리 전극을 담근 반쪽 전지와 1 M $AgNO_3$ 수용액에 은 전극을 담근 반쪽 전지를 염다리로 연결하여 측정한 전지 전위가 0.62 V라면 Cu^{2+}의 농도는 다음과 같다.

Cu가 Ag보다 반응성이 크므로 전지에서 일어나는 반응은

$Cu(s) + 2Ag^+(aq) \longrightarrow Cu^{2+}(aq) + 2Ag(s)$이다.

반응에서 2몰의 전자가 이동하므로 Nernst식에 대입하면

$E = E^\circ - \dfrac{0.0592\ \text{V}}{2}\log\dfrac{[Cu^{2+}]}{[Ag^+]^2}$이고, 구리와 은의 표준 환원 전위가 각각 +0.34 V, +0.80 V이므로 표준 전지 전위 $E^\circ = (+0.80\ \text{V}) - (+0.34\ \text{V}) = 0.46\ \text{V}$이며, 농도를 결정하기 위해 만든 전지의 전위 $E = 0.62\ \text{V}$이므로

$0.62\ \text{V} = 0.46\ \text{V} - \dfrac{0.0592\ \text{V}}{2}\log\dfrac{[Cu^{2+}]}{[Ag^+]^2} \quad \therefore \log\dfrac{[Cu^{2+}]}{[Ag^+]^2} = -5.4,\ \dfrac{[Cu^{2+}]}{[Ag^+]^2} = 4.0\times10^{-6}$

Ag^+의 농도가 1 M이므로 $[Cu^{2+}] = 4\times10^{-6}$ M이다.

개념 모아 정리하기

정답과 해설 149쪽

01 화학 전지

❶ 금속의 반응성

1. 이온화 경향 금속이 전자를 잃고 양이온이 되려는 경향으로, 이온화 경향이 큰 금속일수록 산화되기 (❶)고, 반응성이 (❷)다.

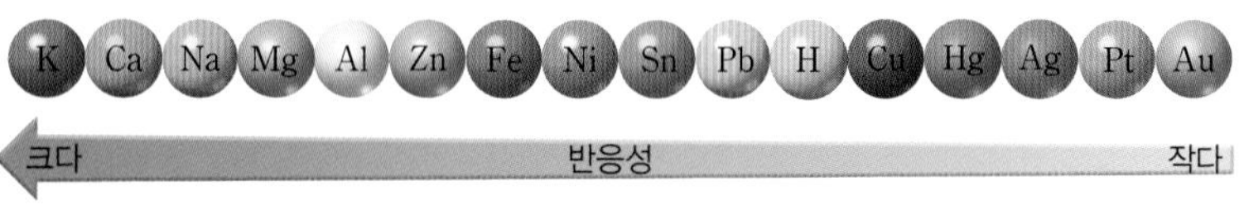

2. 금속과 금속 이온 사이의 반응

- 반응성이 A > B인 경우: B의 이온이 녹아 있는 수용액에 금속 A를 넣어 반응시키면 A는 (❸)되어 A의 이온이 되고, B의 이온은 (❹)되어 A 표면에서 금속으로 석출된다.
  예 $Zn(s) + Cu^{2+}(aq) \longrightarrow Zn^{2+}(aq) + Cu(s)$ ➡ 반응성: Zn > Cu

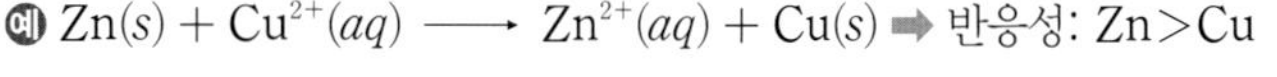

아연판 / 황산 구리(Ⅱ) 수용액

- 반응성이 A < B인 경우: 금속 A를 B의 이온이 녹아 있는 수용액에 넣어도 반응이 일어나지 않는다.
  예 $Cu(s) + Zn^{2+}(aq) \not\longrightarrow$ 반응 안함 ➡ 반응성: Zn > Cu

❷ 화학 전지

1. 볼타 전지 아연(Zn)판과 구리(Cu)판을 묽은 황산(H_2SO_4)에 담근 후 도선으로 연결한 전지

- 전극 반응: (❺)극: $Zn(s) \longrightarrow Zn^{2+}(aq) + 2e^-$
  (❻)극: $2H^+(aq) + 2e^- \longrightarrow H_2(g)$
- (❼) 현상: 반응에서 생성된 H_2 기체가 Cu판을 둘러싸 전압이 떨어지는 현상

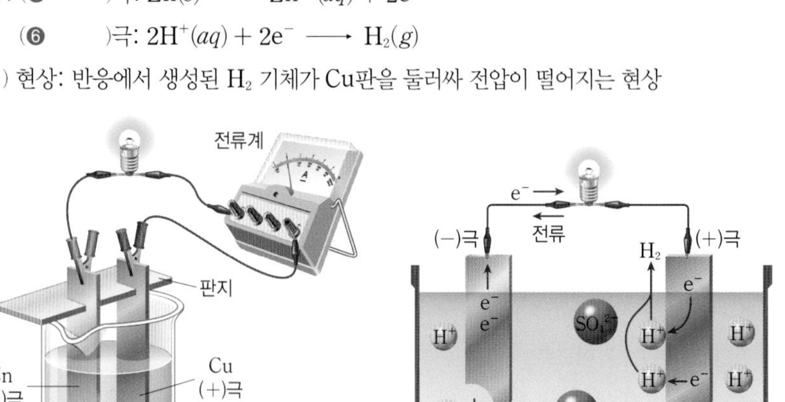

2. 다니엘 전지 $ZnSO_4$ 수용액에 Zn판을, $CuSO_4$ 수용액에 Cu판을 넣은 반쪽 전지를 염다리로 연결한 전지

- 전극 반응: (−)극: $Zn(s) \longrightarrow Zn^{2+}(aq) + 2e^-$
  (+)극: $Cu^{2+}(aq) + 2e^- \longrightarrow Cu(s)$
- (❽): 전해질 수용액에서 이온의 전하 균형을 맞추는 역할을 한다.

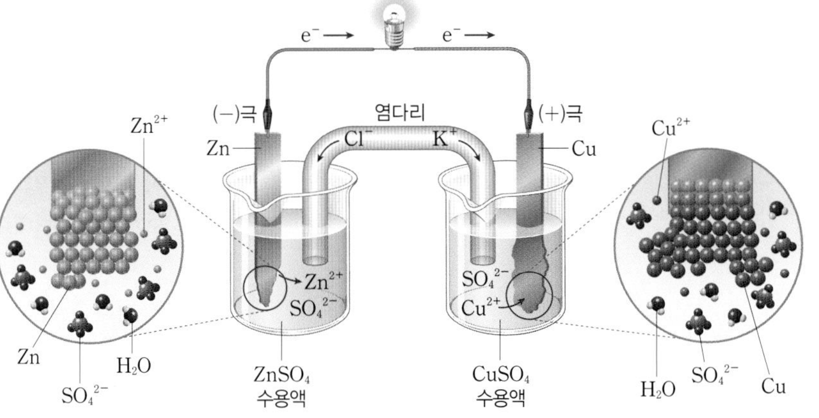

3. 표준 환원 전위($E°$) 표준 수소 전극과 연결하여 측정한 반쪽 전지의 전위를 환원 반응의 형태로 나타냈을 때의 전위

- 표준 환원 전위가 클수록 환원되기 (❾)다.
- 전지에서 표준 환원 전위가 큰 쪽이 (+)극이 되어 환원 반응이 일어나고, 표준 환원 전위가 작은 쪽이 (−)극이 되어 산화 반응이 일어난다.

4. 표준 전지 전위($E°_{전지}$)

$$E°_{전지} = E°_{(+)극} - E°_{(-)극}$$

③ 실용 전지

1차 전지와 2차 전지

- 1차 전지: 한 번 사용하면 재사용이 불가능한 전지로, 망가니즈 건전지, 알칼리 건전지 등이 있다.
- 2차 전지: 여러 번 충전하여 재사용할 수 있는 전지로, 납축전지, 니켈카드뮴 전지, 리튬 이온 전지, 리튬 고분자 전지 등이 있다.

④ 연료 전지

1. 수소 연료 전지 수소를 연료로 하여 산화 환원 반응을 이용하여 전기를 생산하는 전지

(−)극: $2H_2(g) \longrightarrow 4H^+(aq) + 4e^-$

(+)극: $O_2(g) + 4H^+(aq) + 4e^- \longrightarrow 2H_2O(l)$

전체 반응: $2H_2(g) + O_2(g) \longrightarrow 2H_2O(l)$

2. 수소 연료 전지의 특징 충전할 필요가 없고 에너지 효율이 높으며, 최종 생성물이 (❿)이므로 환경 오염에서 비교적 자유롭다.

3. 수소 연료 전지의 활용 전기 자동차, 가정이나 건물의 난방 및 발전, 대규모 발전 등

01 그림과 같이 질산 은($AgNO_3$) 수용액에 구리(Cu) 선을 넣어 두었더니 수용액이 점차 푸른색으로 변했다.
이에 대한 설명으로 옳은 것만을 보기에서 있는 대로 고르시오.

구리 선
질산 은 수용액

보기
ㄱ. Cu는 Ag보다 산화되기 쉽다.
ㄴ. Cu에서 Ag^+으로 전자가 이동한다.
ㄷ. 수용액 속 전체 양이온 수는 증가한다.

02 다음은 금속과 금속 이온 사이의 반응에 대한 실험이다. (단, A, B는 임의의 원소 기호이다.)

(가) $ANO_3(aq)$에 구리(Cu) 선을 넣어 두었더니 구리 표면에서 금속 A가 석출되고, 수용액이 점차 푸른색으로 변했다.
(나) $Cu(NO_3)_2(aq)$에 금속 B를 넣어 두었더니 푸른색이 점차 옅어졌다.

(1) 금속 A, B, Cu의 반응성의 크기를 부등호로 비교하시오.
(2) (가)에서 수용액 속 전체 양이온 수 변화를 쓰시오.

03 그림은 금속 A와 B, 묽은 황산을 사용하여 만든 화학 전지를 나타낸 것이다.
이에 대한 설명으로 옳은 것만을 보기에서 있는 대로 고르시오. (단, A, B는 임의의 원소 기호이다.)

A B
$H_2SO_4(aq)$

보기
ㄱ. A와 B는 같은 금속이어야 한다.
ㄴ. 금속 A와 B는 모두 수소보다 반응성이 크다.
ㄷ. 묽은 황산 대신 묽은 염산을 사용해도 전류가 흐른다.

04 그림은 볼타 전지의 구조를 나타낸 것이다.

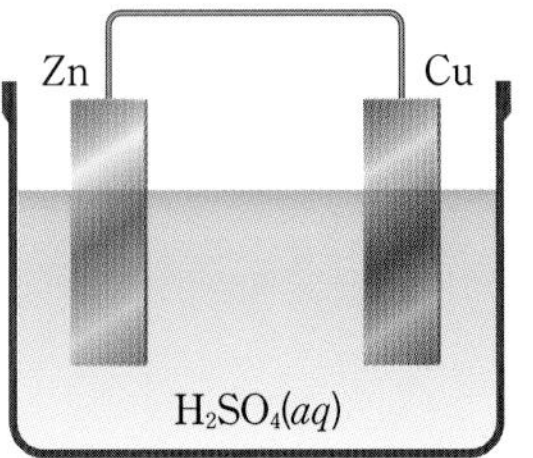
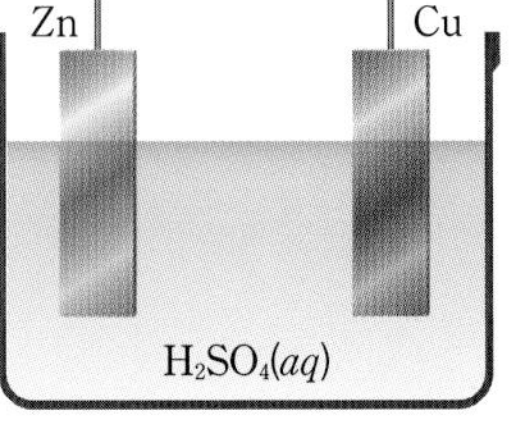

이 전지에서 일어나는 변화에 대한 설명으로 옳은 것만을 보기에서 있는 대로 고르시오.

보기
ㄱ. Zn은 산화되고, Cu는 환원된다.
ㄴ. 용액 속 전체 이온 수는 증가한다.
ㄷ. 용액의 pH가 점차 증가한다.

05 그림은 다니엘 전지의 구조를 나타낸 것이다. 염다리에는 KCl 포화 수용액이 들어 있다.

전압계
Zn Cu
염다리
$ZnSO_4(aq)$ $CuSO_4(aq)$

이에 대한 설명으로 옳은 것만을 보기에서 있는 대로 고르시오.

보기
ㄱ. 염다리를 제거하면 전류가 흐르지 않는다.
ㄴ. 전자는 Zn 전극에서 Cu 전극으로 이동한다.
ㄷ. 전압계의 (−)단자는 Cu 전극에, (+)단자는 Zn 전극에 연결해야 한다.
ㄹ. 전류가 흐르는 동안 두 비커 속 수용액에 들어 있는 전체 이온 수는 모두 증가한다.

06 그림은 볼타 전지와 다니엘 전지의 구조를 나타낸 것이다.

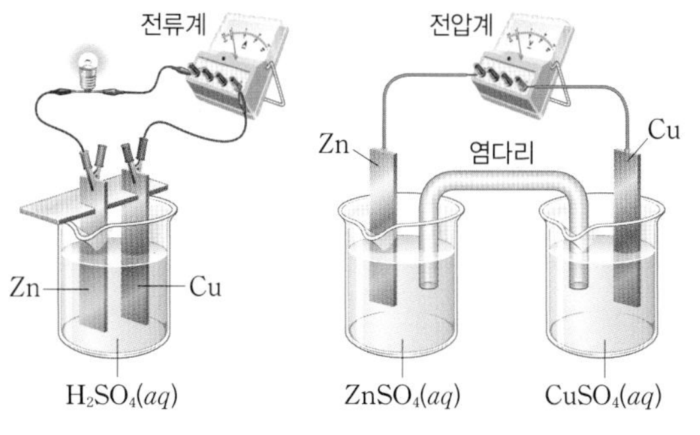

두 전지에서 일어나는 공통적인 변화를 보기에서 있는 대로 고르시오.

보기
ㄱ. 분극 현상이 나타난다.
ㄴ. Cu판의 질량이 증가한다.
ㄷ. 금속 Zn의 산화가 일어난다.

07 표는 금속 A~E의 표준 환원 전위($E°$)를 나타낸 것이다. (단, A~E는 임의의 원소 기호이다.)

반쪽 반응	표준 환원 전위(V)
$A^{2+} + 2e^- \longrightarrow A$	−1.03
$B^{2+} + 2e^- \longrightarrow B$	−0.76
$C^{2+} + 2e^- \longrightarrow C$	−0.44
$D^{2+} + 2e^- \longrightarrow D$	−0.13
$E^{2+} + 2e^- \longrightarrow E$	+0.34

(1) 금속 A~E 중 가장 산화되기 쉬운 금속을 고르시오.

(2) 2개의 반쪽 반응을 이용하여 보기와 같은 반응이 일어나도록 전지를 구성할 때 전류가 흐르는 것만을 보기에서 있는 대로 고르시오.

보기
ㄱ. $A^{2+} + D \longrightarrow A + D^{2+}$
ㄴ. $C^{2+} + B \longrightarrow C + B^{2+}$
ㄷ. $E^{2+} + C \longrightarrow E + C^{2+}$

(3) 금속 A와 E로 전지를 만들었을 때의 표준 전지 전위($E°_{전지}$)를 구하시오.

08 표는 두 금속의 표준 환원 전위($E°$)를 나타낸 것이다.

반쪽 반응	$E°$(V)
$Zn^{2+}(aq) + 2e^- \longrightarrow Zn(s)$	−0.76
$Cu^{2+}(aq) + 2e^- \longrightarrow Cu(s)$	+0.34

두 금속을 이용하여 만든 화학 전지에 대한 설명으로 옳은 것만을 보기에서 있는 대로 고르시오.

보기
ㄱ. (−)극은 아연 전극이다.
ㄴ. 표준 전지 전위($E°_{전지}$)는 +1.1 V이다.
ㄷ. 전체 반응식은 $Cu + Zn^{2+} \longrightarrow Cu^{2+} + Zn$이다.

09 표는 몇 가지 금속의 표준 환원 전위($E°$)를 나타낸 것이다.

반쪽 반응	$E°$(V)
$Zn^{2+}(aq) + 2e^- \longrightarrow Zn(s)$	−0.76
$Fe^{2+}(aq) + 2e^- \longrightarrow Fe(s)$	−0.44
$Pb^{2+}(aq) + 2e^- \longrightarrow Pb(s)$	−0.13
$Cu^{2+}(aq) + 2e^- \longrightarrow Cu(s)$	+0.34
$Ag^{+}(aq) + e^- \longrightarrow Ag(s)$	+0.80

(1) 수소보다 산화되기 쉬운 금속은 몇 종류인지 쓰시오.

(2) 두 반쪽 반응을 이용하여 화학 전지를 만들 때, 표준 전지 전위($E°_{전지}$)가 가장 큰 전지에서 일어나는 반응의 화학 반응식을 쓰시오.

10 다음은 수소 연료 전지의 두 전극에서 일어나는 반응을 각 전극의 반쪽 반응으로 나타낸 것이다.

A 전극: $2H_2 + 4OH^- \longrightarrow 4H_2O + 4e^-$
B 전극: $O_2 + 2H_2O + 4e^- \longrightarrow 4OH^-$

이에 대한 설명으로 옳은 것만을 보기에서 있는 대로 고르시오.

보기
ㄱ. A 전극은 (−)극이다.
ㄴ. 전지에서 환경오염 물질이 거의 배출되지 않는다.
ㄷ. 전류가 흐르는 동안 전극 주변 용액의 pH는 (+)극 쪽이 (−)극 쪽보다 더 크다.

01

> 금속의 반응성과 이온 수 변화

그림은 XNO_3 수용액에 금속 Y를 넣어 반응시킨 후, 금속 Z를 넣어 반응시켰을 때 수용액 속에 존재하는 양이온을 모형으로 나타낸 것이다.

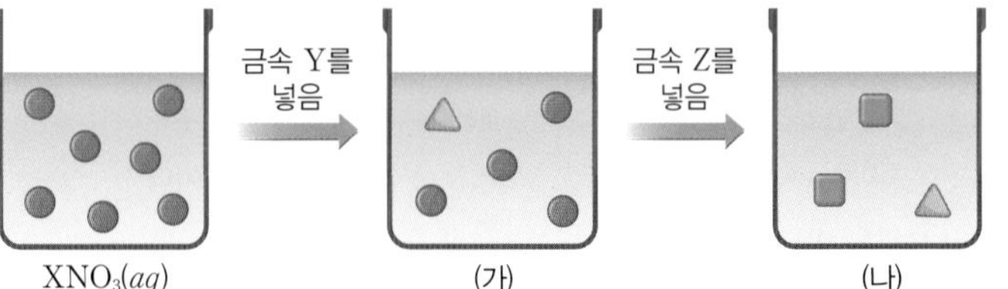

이에 대한 설명으로 옳은 것만을 보기에서 있는 대로 고른 것은? (단, X~Z는 임의의 원소 기호이고, 용액 (나)에는 금속 Z가 남아 있다.)

보기
ㄱ. Y 이온의 산화수는 +3이다.
ㄴ. X~Z 중 반응성이 가장 큰 금속은 Z이다.
ㄷ. (나) 용액에 금속 Y를 넣으면 이온 수가 감소한다.

① ㄱ ② ㄴ ③ ㄱ, ㄷ ④ ㄴ, ㄷ ⑤ ㄱ, ㄴ, ㄷ

각 용액에 금속을 넣었을 때의 반응 여부를 통해 금속의 반응성을 비교하고, 감소하는 이온과 생성되는 이온의 몰비를 통해 이온의 산화수를 판단한다.

02

> 다니엘 전지의 원리

그림은 구리(Cu)와 은(Ag)을 전극으로 하는 화학 전지에서 전지 반응이 일어나고 있는 모습을 나타낸 것이다. 염다리에는 KNO_3 포화 수용액이 들어 있다.

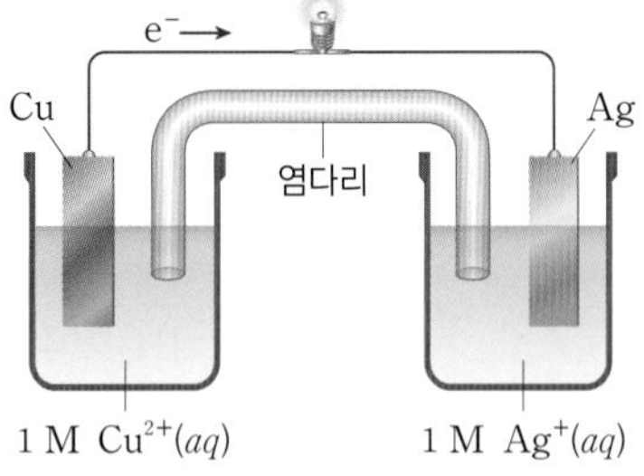

이에 대한 설명으로 옳은 것만을 보기에서 있는 대로 고른 것은?

보기
ㄱ. Ag^+의 표준 환원 전위는 Cu^{2+}보다 크다.
ㄴ. Ag^+이 녹아 있는 용액 속 전체 이온 수는 점차 감소한다.
ㄷ. 전극 물질로 Ag(s) 대신 Pt(s)을 사용하면 표준 전지 전위가 커진다.

① ㄱ ② ㄷ ③ ㄱ, ㄴ ④ ㄴ, ㄷ ⑤ ㄱ, ㄴ, ㄷ

염다리 속에 있는 전해질은 각 반쪽 전지에서 전하의 균형을 맞추기 위해 사용하는 것이며, 표준 전지 전위는 두 반쪽 전지에서 일어나는 반응을 환원 반응의 형태로 나타냈을 때의 표준 환원 전위 차이다.

고난도

03

> 금속의 반응성과 표준 환원 전위

그림은 25 °C에서 금속 A~C를 1 M HCl(aq)과 1 M HNO_3(aq)에 각각 담갔을 때 일부 금속에서 기체가 발생하는 모습을, 표는 이와 관련된 반쪽 반응의 표준 환원 전위($E°$)를 나타낸 것이다. $E°$의 크기는 $a<b<c$이다.

ㄱ ㄴ ㄷ
1 M HCl(aq)
(가)

ㄱ ㄴ ㄷ
1 M HNO_3(aq)
(나)

반쪽 반응	$E°$(V)
$A^+(aq) + e^- \longrightarrow A(s)$	a
$B^{2+}(aq) + 2e^- \longrightarrow B(s)$	b
$C^{2+}(aq) + 2e^- \longrightarrow C(s)$	c
$NO_3^-(aq) + 4H^+(aq) + 3e^- \longrightarrow NO(g) + 2H_2O(l)$	+0.96

이에 대한 설명으로 옳은 것만을 보기에서 있는 대로 고른 것은? (단, A~C는 임의의 원소 기호이다.)

보기

ㄱ. ㉠은 C이다.
ㄴ. $a, b<0$이다.
ㄷ. (가)의 ㉢과 (나)의 ㉢에서 발생하는 기체는 같다.

① ㄱ ② ㄷ ③ ㄱ, ㄴ ④ ㄴ, ㄷ ⑤ ㄱ, ㄴ, ㄷ

• (가)에서는 금속의 표준 환원 전위가 H^+보다 크면 반응이 일어나지 않고, (나)에서는 금속의 표준 환원 전위가 NO_3^-보다 크면 반응이 일어나지 않는다.

04

> 표준 환원 전위와 표준 전지 전위

표는 금속 A~C를 이용하여 다니엘 전지를 만들었을 때, (+)극과 (−)극으로 작용하는 금속과 표준 전지 전위를 나타낸 것이다.

이용한 금속	(+)극	(−)극	표준 전지 전위(V)
A와 B	A	B	+0.80
A와 C	A	C	+0.30

이에 대한 설명으로 옳은 것만을 보기에서 있는 대로 고른 것은? (단, A~C는 임의의 원소 기호이다.)

보기

ㄱ. 표준 환원 전위는 A>C>B이다.
ㄴ. B와 C를 이용한 전지의 표준 전지 전위는 +0.50 V이다.
ㄷ. B와 C를 이용하여 만든 전지에서 (+)극으로 작용하는 금속은 C이다.

① ㄱ ② ㄷ ③ ㄱ, ㄴ ④ ㄴ, ㄷ ⑤ ㄱ, ㄴ, ㄷ

• 표준 환원 전위가 큰 금속은 (+)극, 작은 금속은 (−)극으로 작용한다. 표준 전지 전위는 다음과 같이 구할 수 있다.
$E°_{전지}=E°_{(+)극}-E°_{(-)극}$

05

> 표준 환원 전위와 표준 전지 전위

다음은 금속 A~C를 이용한 전지와 관련된 자료이다.

• 전체 반응식과 표준 전지 전위($E°_{전지}$)

$A(s) + B^{2+}(aq) \longrightarrow A^{2+}(aq) + B(s)$　　$E°_{전지} = +1.10$ V

$A(s) + 2C^{+}(aq) \longrightarrow A^{2+}(aq) + 2C(s)$　　$E°_{전지} = +1.56$ V

• 표준 환원 전위

$A^{2+}(aq) + 2e^- \longrightarrow A(s)$　　$E° = -0.76$ V

$B^{2+}(aq) + 2e^- \longrightarrow B(s)$　　$E° = a$ V

$C^{+}(aq) + e^- \longrightarrow C(s)$　　$E° = b$ V

이에 대한 설명으로 옳은 것만을 보기에서 있는 대로 고른 것은? (단, A~C는 임의의 원소 기호이다.)

보기

ㄱ. A~C 중 가장 산화되기 쉬운 금속은 A이다.

ㄴ. a와 b는 모두 0보다 크다.

ㄷ. B와 C를 이용하여 만든 전지의 $E°_{전지}$는 $(b-a)$ V이다.

① ㄱ　② ㄷ　③ ㄱ, ㄴ　④ ㄴ, ㄷ　⑤ ㄱ, ㄴ, ㄷ

• 두 전지에서 일어나는 반응에서 (+)극으로 작용하는 물질과 (−)극으로 작용하는 물질을 알아내고, $E°_{전지} = E°_{(+)극} - E°_{(-)극}$의 관계로부터 표준 환원 전위 a, b 값을 구한다.

고난도

06

> 표준 환원 전위와 표준 전지 전위

표 Ⅰ은 25 °C에서 금속 A~E와 관련된 반쪽 반응의 표준 환원 전위($E°$)를, 표 Ⅱ는 각각의 반쪽 전지로 구성된 화학 전지 (가)~(마)의 표준 전지 전위($E°_{전지}$)를 나타낸 것이다. $c > d$이다.

[표 Ⅰ]

반쪽 반응	$E°$(V)
$A^{2+}(aq) + 2e^- \longrightarrow A(s)$	a
$B^{2+}(aq) + 2e^- \longrightarrow B(s)$	b
$C^{2+}(aq) + 2e^- \longrightarrow C(s)$	c
$D^{2+}(aq) + 2e^- \longrightarrow D(s)$	d
$E^{2+}(aq) + 2e^- \longrightarrow E(s)$	e

[표 Ⅱ]

전지	전지 전극	$E°_{전지}$(V)
(가)	A, C	+2.08
(나)	A, E	+0.50
(다)	B, C	+2.21
(라)	B, D	+0.47
(마)	D, E	+1.1

이에 대한 설명으로 옳은 것만을 보기에서 있는 대로 고른 것은? (단, A~E는 임의의 원소 기호이다.)

보기

ㄱ. 금속 B를 $E^{2+}(aq)$에 넣으면 금속 E가 석출된다.

ㄴ. B와 E로 전지를 구성했을 때 표준 전지 전위($E°_{전지}$)는 +0.63 V이다.

ㄷ. c가 +0.50라면 1 M $HCl(aq)$에 넣었을 때 $H_2(g)$가 발생하는 금속은 3가지이다.

① ㄱ　② ㄷ　③ ㄱ, ㄴ　④ ㄴ, ㄷ　⑤ ㄱ, ㄴ, ㄷ

• B, C로 만든 전지의 전지 전위가 가장 크므로 B와 C의 표준 환원 전위 차가 2.21 V라는 것을 기준으로 하여 표준 환원 전위가 B>C인 경우와 C>B인 경우의 각 금속의 표준 환원 전위를 구한 다음 문제에 주어진 조건에 부합하는지 확인한다.

07

> 표준 환원 전위와 산화 환원

그림은 어떤 화학 전지의 구조를 나타낸 것이고, 자료는 4가지 반쪽 반응에 대한 표준 환원 전위($E°$)이다.

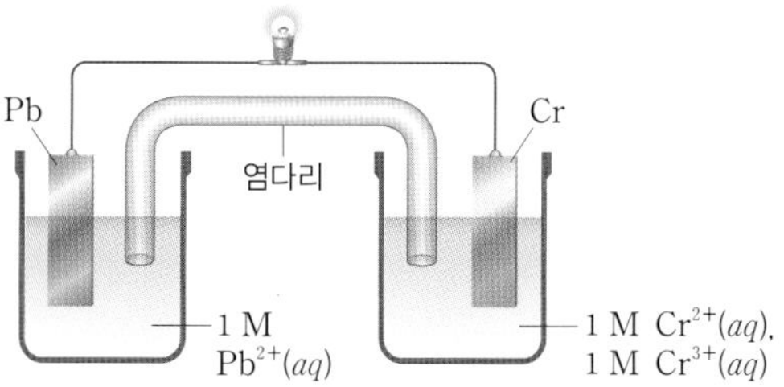

- $Pb^{2+}(aq) + 2e^- \longrightarrow Pb(s)$　　$E° = -0.13$ V
- $Cr^{3+}(aq) + e^- \longrightarrow Cr^{2+}(aq)$　　$E° = -0.42$ V
- $Cr^{2+}(aq) + 2e^- \longrightarrow Cr(s)$　　$E° = -0.91$ V
- $Cr^{3+}(aq) + 3e^- \longrightarrow Cr(s)$　　$E° = -0.74$ V

25 °C, 1기압에서 이에 대한 설명으로 옳은 것만을 보기에서 있는 대로 고른 것은? (단, 물의 증발은 무시하고, 음이온은 반응하지 않는다.)

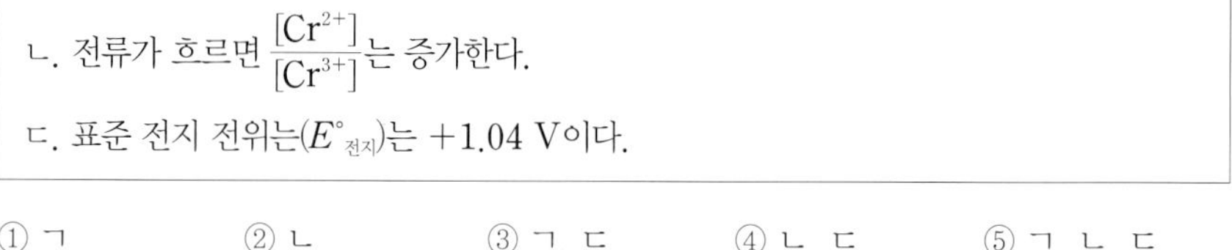

보기

ㄱ. Pb 전극에서는 산화 반응이 일어난다.

ㄴ. 전류가 흐르면 $\frac{[Cr^{2+}]}{[Cr^{3+}]}$는 증가한다.

ㄷ. 표준 전지 전위는($E°_{전지}$)는 +1.04 V이다.

① ㄱ　② ㄴ　③ ㄱ, ㄷ　④ ㄴ, ㄷ　⑤ ㄱ, ㄴ, ㄷ

• 각 전극에서 일어날 수 있는 반응 중 표준 환원 전위가 가장 작은 반응이 일어날 수 있는 전극에서 산화 반응이 일어난다.

08

> 연료 전지의 반응

그림은 25 °C, 1기압에서 연료 전지의 구조를 나타낸 것이고, 표는 연료 전지와 관련된 반쪽 반응의 표준 환원 전위($E°$)를 나타낸 것이다.

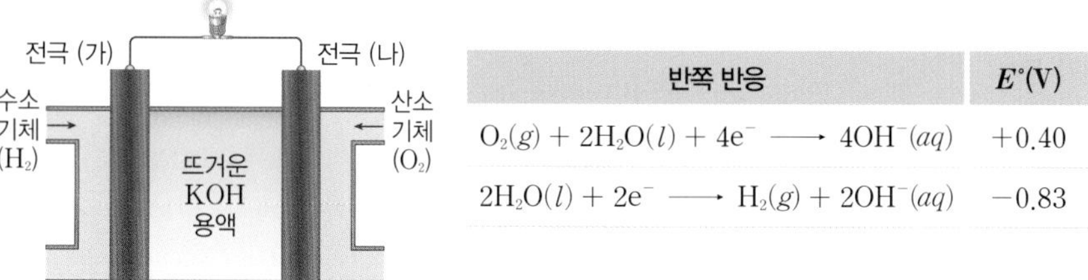

반쪽 반응	$E°$(V)
$O_2(g) + 2H_2O(l) + 4e^- \longrightarrow 4OH^-(aq)$	+0.40
$2H_2O(l) + 2e^- \longrightarrow H_2(g) + 2OH^-(aq)$	−0.83

이에 대한 설명으로 옳은 것만을 보기에서 있는 대로 고른 것은?

보기

ㄱ. 전극 (가)에서는 산화 반응이 일어난다.

ㄴ. 전지의 표준 전지 전위($E°_{전지}$)는 +2.06 V이다.

ㄷ. 일정 시간 전류가 흐르면 KOH 수용액의 pH는 증가한다.

① ㄱ　② ㄷ　③ ㄱ, ㄴ　④ ㄴ, ㄷ　⑤ ㄱ, ㄴ, ㄷ

• 표준 환원 전위가 작은 쪽이 (−)극, 큰 쪽이 (+)극이 된다.

02 전기 분해

학습 Point 전기 분해 > 도금과 구리의 정련 > 물의 광분해 > 전기 화학 기술

1 전기 분해

화학 전지는 자발적으로 일어나는 산화 환원 반응에 의해 전기 에너지를 얻지만, 반대로 외부에서 인위적으로 전기 에너지를 가해 산화 환원 반응이 일어나게 할 수도 있다.

1. 전기 분해

전해질 용융액이나 수용액에 전기 에너지를 가해 비자발적인 산화 환원 반응이 일어나게 하여 화합물을 분해하는 과정을 전기 분해라고 한다. 백금이나 탄소로 된 전극을 전해질 용액에 담근 후 직류 전원 장치를 도선으로 연결하면 양이온은 (−)극으로 이동하고, 음이온은 (+)극으로 이동한다.

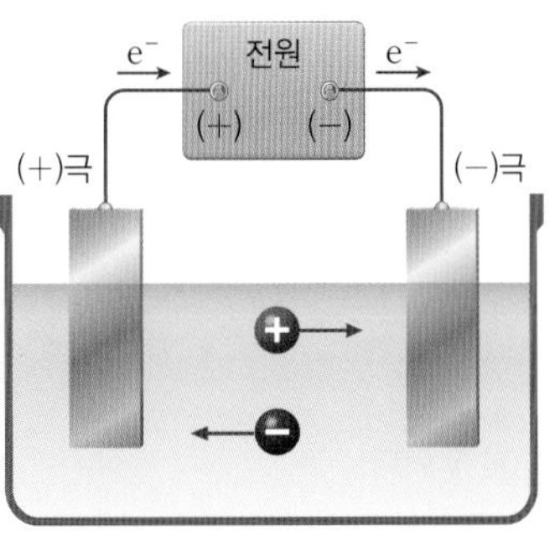

▲ 전기 분해 장치 모형

(1) **환원 전극:** (−)극, 양이온이 전자를 받아 환원된다.

(2) **산화 전극:** (+)극, 음이온이 전자를 잃고 산화된다.

(3) **전극 물질:** 전기 분해에서 전극 자체가 반응하는 현상을 막기 위해 백금(Pt)이나 탄소(C)와 같이 반응성이 매우 작은 물질을 사용한다.

2. 전해질 용융액의 전기 분해

심화 114쪽

전해질 용융액에는 전해질을 구성하는 양이온과 음이온만이 존재한다. (−)극에서는 양이온이 환원되고, (+)극에서는 음이온이 산화된다.

(1) **염화 나트륨(NaCl) 용융액의 전기 분해:** 염화 나트륨 용융액에는 나트륨 이온(Na^+)과 염화 이온(Cl^-)이 들어 있다. 이 용융액에 전류를 흘려 주면 (−)극에서는 Na^+이 전자를 받아 환원되어 나트륨(Na)이 생성되고, (+)극에서는 Cl^-이 전자를 잃고 산화되어 염소 기체(Cl_2)가 발생한다. 공업적으로 중요한 $Na(l)$과 $Cl_2(g)$를 이 방법으로 동시에 얻을 수 있다.

▲ 염화 나트륨 용융액의 전기 분해

(−)극: $2Na^+(l) + 2e^- \longrightarrow 2Na(l)$

(+)극: $2Cl^-(l) \longrightarrow Cl_2(g) + 2e^-$

전체 반응: $2Na^+(l) + 2Cl^-(l) \longrightarrow 2Na(l) + Cl_2(g)$

전해질 용융액
전해질 용융액은 전해질을 높은 온도로 가열하여 액체 상태로 만든 것이다.

산화 전극과 환원 전극
화학 전지와 전기 분해는 모두 산화 환원 반응을 이용하지만 산화 환원 반응이 일어나는 전극이 서로 반대이다.
화학 전지에서는 (−)극에서 산화 반응, (+)극에서 환원 반응이 일어나지만, 전기 분해에서는 (−)극에서 환원 반응, (+)극에서 산화 반응이 일어난다.
전자는 (−)극에서 (+)극으로 이동하는데, 화학 전지에서는 반응성이 큰 금속이 산화되며 전자를 내놓으므로 산화 전극이 (−)극이고, 전기 분해에서는 외부 전원의 (−)극에서 전자가 나와 (−)극에 연결된 전극에서 전자를 받아 물질이 환원되므로, 환원 전극이 (−)극이다.

(2) **염화 구리(Ⅱ)($CuCl_2$) 용융액의 전기 분해:** 염화 구리(Ⅱ) 용융액에는 구리 이온(Cu^{2+})과 염화 이온(Cl^-)이 들어 있다. 이 용융액에 전류를 흘려 주면 (−)극에서는 Cu^{2+}이 전자를 받아 환원되어 금속 구리(Cu)가 석출되고, (+)극에서는 Cl^-이 전자를 잃고 산화되어 $Cl_2(g)$가 발생한다.

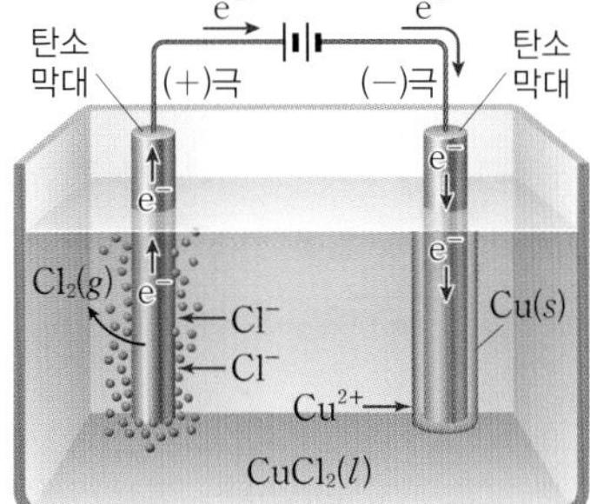

▲ 염화 구리(Ⅱ) 용융액의 전기 분해

(−)극: $Cu^{2+}(l) + 2e^- \longrightarrow Cu(s)$

(+)극: $2Cl^-(l) \longrightarrow Cl_2(g) + 2e^-$

전체 반응: $Cu^{2+}(l) + 2Cl^-(l) \longrightarrow Cu(s) + Cl_2(g)$

3. 전해질 수용액의 전기 분해

탐구 113쪽

전해질 수용액에는 용융액과는 달리 전해질의 양이온과 음이온뿐만 아니라 물도 존재하기 때문에 방전이 일어날 때 세 물질이 경쟁하게 된다. 즉, (−)극에서는 양이온과 물 중 더 환원되기 쉬운 물질이 환원되고, (+)극에서는 음이온과 물 중 더 산화되기 쉬운 물질이 산화된다.

(1) **(−)극에서의 반응**

① Li^+, K^+, Ca^{2+}, Na^+, Mg^{2+}, Al^{3+} 등 물보다 표준 환원 전위가 작은 양이온의 경우 물보다 환원되기 어려우므로 양이온 대신 물이 환원되어 수소 기체가 발생한다.

② Cu^{2+}, Ag^+ 등 물보다 표준 환원 전위가 큰 양이온의 경우 물보다 환원되기 쉬우므로 양이온이 환원되어 금속으로 석출된다.

$Li^+(aq) + e^- \longrightarrow Li(s)$ $E° = -3.05$ V

$K^+(aq) + e^- \longrightarrow K(s)$ $E° = -2.92$ V

$Na^+(aq) + e^- \longrightarrow Na(s)$ $E° = -2.71$ V

$Al^{3+}(aq) + 3e^- \longrightarrow Al(s)$ $E° = -1.66$ V

$2H_2O(l) + 2e^- \longrightarrow H_2(g) + 2OH^-(aq)$ $E° = -0.83$ V

$Cu^{2+}(aq) + 2e^- \longrightarrow Cu(s)$ $E° = +0.34$ V

$Ag^+(aq) + e^- \longrightarrow Ag(s)$ $E° = +0.80$ V

(2) **(+)극에서의 반응**

① F^-, NO_3^-, CO_3^{2-}, SO_4^{2-}, PO_4^{3-} 등 물보다 표준 산화 전위가 작은 음이온의 경우 물보다 산화되기 어려우므로 음이온 대신 물이 산화되어 산소 기체가 발생한다.

② Br^-, I^- 등 물보다 표준 산화 전위가 큰 음이온의 경우 물보다 산화되기 쉬우므로 음이온이 산화된다.

$2F^-(aq) \longrightarrow F_2(g) + 2e^-$ $E° = -2.87$ V

$2SO_4^{2-}(aq) \longrightarrow S_2O_8^{2-}(aq) + 2e^-$ $E° = -2.05$ V

$2Cl^-(aq) \longrightarrow Cl_2(g) + 2e^-$ $E° = -1.36$ V

$2H_2O(l) \longrightarrow O_2(g) + 4H^+(aq) + 4e^-$ $E° = -1.23$ V

$2I^-(aq) \longrightarrow I_2(s) + 2e^-$ $E° = -0.54$ V

$NO_3^-(aq) + 4H^+(aq) + 3e^- \longrightarrow NO(g) + 2H_2O(l)$ $E° = +0.96$ V

(3) 몇 가지 전해질 수용액의 전기 분해

① **황산 구리(Ⅱ)($CuSO_4$) 수용액의 전기 분해:** 황산 구리(Ⅱ) 수용액에는 Cu^{2+}, SO_4^{2-}, H_2O이 존재한다. 황산 구리(Ⅱ) 수용액을 전기 분해하면 (−)극에서 H_2O보다 환원되기 쉬운 Cu^{2+}이 환원되고, (+)극에서 SO_4^{2-}보다 산화되기 쉬운 H_2O이 산화된다.

(−)극: $Cu^{2+}(aq) + 2e^- \longrightarrow Cu(s)$

(+)극: $H_2O(l) \longrightarrow \frac{1}{2}O_2(g) + 2H^+(aq) + 2e^-$

전체 반응: $H_2O(l) + Cu^{2+}(aq) \longrightarrow Cu(s) + 2H^+(aq) + \frac{1}{2}O_2(g)$

- 황산 구리(Ⅱ) 수용액은 Cu^{2+}으로 인해 푸른색을 띠고 있다. 그런데 전기 분해가 진행될수록 Cu^{2+} 수가 감소하므로 수용액의 푸른색은 점점 옅어진다.
- 전기 분해가 진행되면 (−)극에서는 붉은색의 Cu가 석출되므로 (−)극 판의 질량이 증가하고, (+)극에서는 H^+이 생성되므로 수용액의 pH가 점점 감소한다.

② **염화 나트륨(NaCl) 수용액의 전기 분해:** 염화 나트륨 수용액에는 Na^+, Cl^-, H_2O이 존재한다. 염화 나트륨 수용액을 전기 분해하면 (−)극에서 Na^+보다 환원되기 쉬운 H_2O이 환원되고, (+)극에서 H_2O보다 산화되기 쉬운 Cl^-이 산화된다.

(−)극: $2H_2O(l) + 2e^- \longrightarrow H_2(g) + 2OH^-(aq)$

(+)극: $2Cl^-(aq) \longrightarrow Cl_2(g) + 2e^-$

전체 반응: $2H_2O(l) + 2Cl^-(aq) \longrightarrow H_2(g) + Cl_2(g) + 2OH^-(aq)$

전기 분해가 진행되면 OH^-이 생성되므로 수용액의 pH가 증가하고, 두 전극에서는 모두 기체가 발생하는 반응이 일어나므로 전극의 질량은 변하지 않는다.

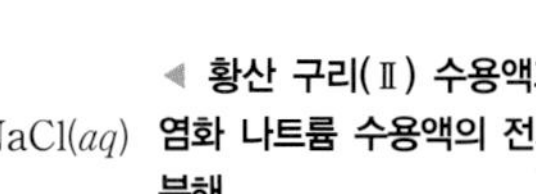

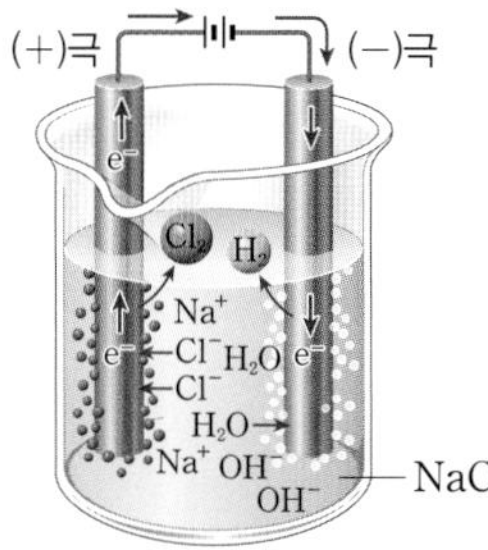

◀ **황산 구리(Ⅱ) 수용액과 염화 나트륨 수용액의 전기 분해**

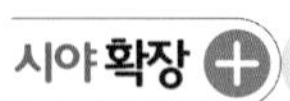

시야 확장 ⊕ NaCl 수용액의 전기 분해에서 Cl^-이 산화되는 이유

NaCl 수용액을 전기 분해할 때 (+)극에서는 H_2O과 Cl^-이 경쟁하는데, 이때 표준 산화 전위가 더 큰 H_2O이 산화되어야 하지만 실제로는 Cl^-이 산화된다. 이러한 현상이 나타나는 이유는 다음과 같은 요인에서 찾을 수 있다.

(+)극에서 어떤 물질이 산화될 것인가를 예측할 때는 표준 산화 전위를 이용하는데, 전기 분해는 표준 상태(25 ℃, 1기압, 1 M)에서 일어나지 않기 때문에 반쪽 반응의 실제 전위는 다를 수 있다. 또한 전기 분해가 적정한 속도로 일어나려면 표준 전위보다 약간 더 높은 전위가 필요한데, 이를 과전위(over potential)라고 한다. 전기 분해에 필요한 과전위는 물질마다 다른데 물의 과전위는 다른 물질에 비해 비교적 큰 0.6 V이다. 따라서 실제 물의 산화 전위는 −1.23 V+(−0.6 V) =−1.83 V이다. 이러한 이유로 과전위가 작고 물과 표준 산화 전위 차가 크지 않은 Cl^-이 산화된다. 한편, 반쪽 반응의 산화 전위는 물질의 농도에 따라 변하는데, Cl^-의 농도가 일정 농도 이상일 때는 Cl^-이 산화되며, Cl^-의 농도가 매우 낮을 때는 반대로 H_2O이 산화된다.

③ 질산 칼륨(KNO_3) 수용액의 전기 분해: 질산 칼륨 수용액에는 K^+, NO_3^-, H_2O이 존재한다. 질산 칼륨 수용액을 전기 분해하면 (−)극에서 K^+보다 환원되기 쉬운 H_2O이 환원되고, (+)극에서 NO_3^-보다 산화되기 쉬운 H_2O이 산화된다.

$$(-)극: 2H_2O(l) + 2e^- \longrightarrow H_2(g) + 2OH^-(aq)$$
$$(+)극: H_2O(l) \longrightarrow \frac{1}{2}O_2(g) + 2H^+(aq) + 2e^-$$
$$전체\ 반응: H_2O(l) \longrightarrow H_2(g) + \frac{1}{2}O_2(g)$$

전기 분해가 진행되면 (−)극에서 OH^-이, (+)극에서 H^+이 같은 양(mol)으로 생성되므로 수용액의 액성은 전체적으로 중성이다. BTB 용액을 첨가한 상태에서 전기 분해를 하면 (−)극에서는 생성되는 OH^- 때문에 전극 주변의 용액이 파란색으로 변하고, (+)극에서는 생성되는 H^+ 때문에 전극 주변의 용액이 노란색으로 변한다. 이 용액을 전체적으로 저어 주면 H^+과 OH^-의 중화 반응이 일어나 용액이 초록색으로 변한다.

질산 칼륨(KNO_3) 수용액의 전기 분해

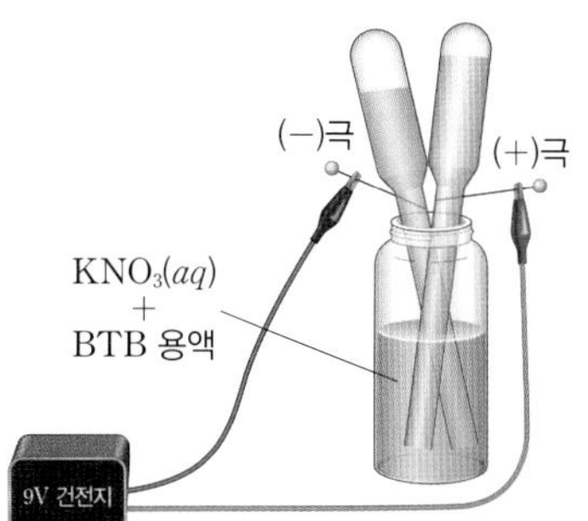
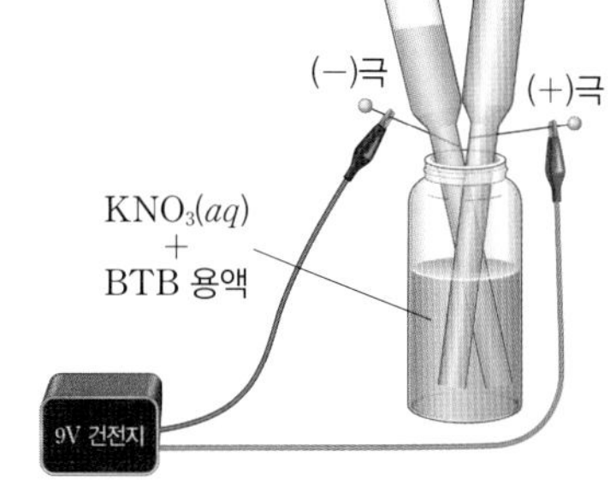

(−)극에서는 수소 기체와 함께 OH^-이 생성되어 염기성을 띠므로 첨가한 BTB 용액이 파란색으로 변하고, (+)극에서는 산소 기체와 함께 H^+이 생성되어 산성을 띠므로 BTB 용액이 노란색으로 변한다.

(4) **물의 전기 분해:** 순수한 물은 전기가 통하지 않아 전기 분해되지 않는다. 순수한 물을 전기 분해하기 위해서는 KNO_3, $NaNO_3$, Na_2CO_3, H_2SO_4 등과 같은 전해질을 조금 넣어 녹여야 한다. 이때 넣어 주는 전해질은 물이 아닌 자신이 산화되거나 환원되는 이온을 포함하지 않아야 한다.

$$(-)극: 2H_2O(l) + 2e^- \longrightarrow H_2(g) + 2OH^-(aq)$$
$$(+)극: H_2O(l) \longrightarrow \frac{1}{2}O_2(g) + 2H^+(aq) + 2e^-$$
$$전체\ 반응: H_2O(l) \longrightarrow H_2(g) + \frac{1}{2}O_2(g)$$

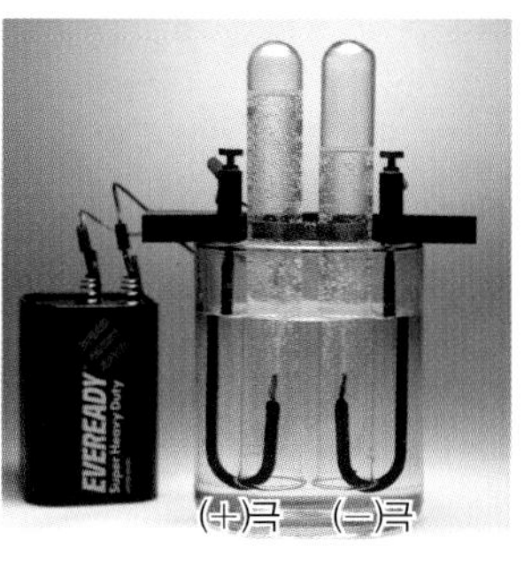

▲ 물의 전기 분해

BTB 용액의 색 변화

액성	BTB 용액 색깔
산성	노란색
중성	초록색
염기성	파란색

시선 집중 ★ 전해질 수용액의 전기 분해

❶ 전해질 수용액에 물보다 표준 환원 전위가 작은 Li^+, K^+, Na^+, Al^{3+} 등의 이온이 존재할 경우 (−)극에서는 물이 환원되어 수소 기체(H_2)가 발생한다.
$2H_2O(l) + 2e^- \longrightarrow H_2(g) + 2OH^-(aq)$

❷ 전해질 수용액에 물보다 표준 산화 전위가 작은 F^-, NO_3^-, SO_4^{2-} 등의 이온이 존재할 경우 (+)극에서는 물이 산화되어 산소 기체(O_2)가 발생한다.
$2H_2O(l) \longrightarrow O_2(g) + 4H^+(aq) + 4e^-$

❸ 표는 여러 가지 전해질 수용액을 전기 분해할 때 두 전극에서 생성되는 물질과 전극 주변 용액의 pH 변화를 정리한 것이다.

물질	(−)극		(+)극	
	생성 물질	pH 변화	생성 물질	pH 변화
$CuSO_4(aq)$	Cu	변화 없음	O_2	감소
$NaCl(aq)$	H_2	증가	Cl_2	변화 없음
$KNO_3(aq)$	H_2	증가	O_2	감소
$H_2O(l)$	H_2	증가	O_2	감소

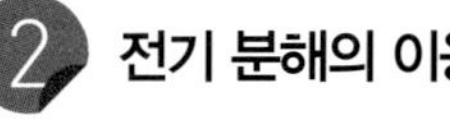

전기 분해의 이용

전기 분해는 화합물에 전기 에너지를 가해 산화 환원 반응이 일어나게 하여 화합물을 분해하는 과정이다. 전기 분해 반응을 응용하면 Na, Mg, Al 등과 같은 금속이나 NaOH, Cl_2와 같은 산업에 필요한 물질을 얻을 수 있고, 금속의 부식을 방지할 수도 있다.

1. 전기 도금

금속의 부식을 방지하거나 금속 표면을 아름답게 장식하기 위해 얇은 금속막을 입히는 것을 전기 도금이라고 한다. 전기 도금을 할 때는 도금할 금속을 (−)극에, 도금의 재료가 되는 금속을 (+)극에 연결하고, 도금의 재료가 되는 금속의 양이온이 녹아 있는 전해질 수용액을 사용한다.

예를 들어 철 숟가락에 은 도금을 하려면 숟가락을 (−)극에, 순수한 은판을 (+)극에, 도금액은 은 이온이 포함된 다이사이아노은산 칼륨($KAg(CN)_2$) 수용액을 사용한다. (+)극에서는 Ag이 산화되어 Ag^+으로 수용액 속에 녹아 들어가고, (−)극에서는 도금액 속의 Ag^+이 환원되어 Ag으로 숟가락 표면에 달라붙어 석출된다.

(−)극: $Ag^+(aq) + e^- \longrightarrow Ag(s)$

(+)극: $Ag(s) \longrightarrow Ag^+(aq) + e^-$

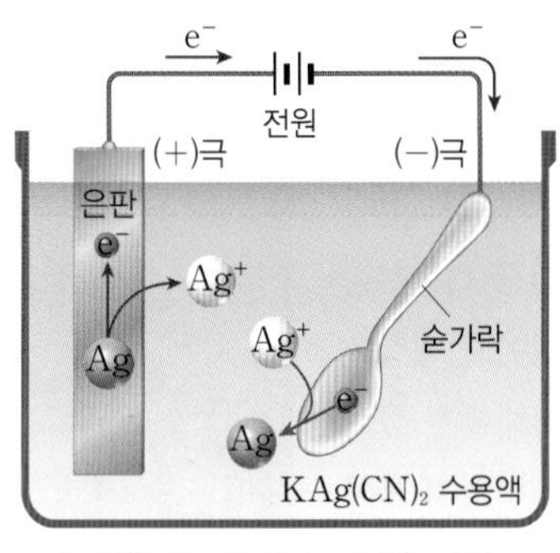

▲ 숟가락을 은으로 전기 도금하는 장치

은 도금

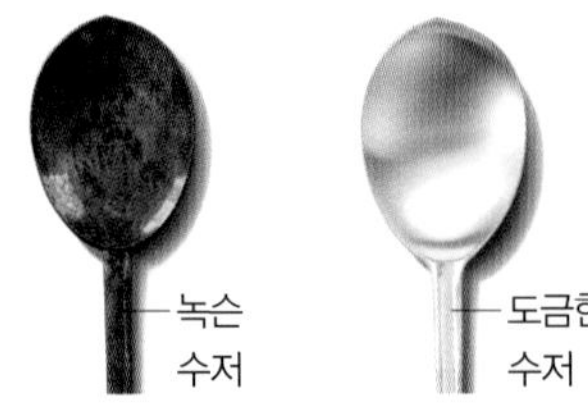

도금을 할 때 도금시킬 금속 이온이 녹아 있는 도금액을 사용하나 은 도금을 할 때는 질산 은($AgNO_3$) 수용액은 사용하지 않는다. 이는 질산 은 수용액으로부터 석출된 은은 다른 금속 표면에 잘 달라붙지 않기 때문이다. 실제 산업 현장에서는 도금막이 잘 형성되고 밝게 하기 위해서 $Ag(CN)_2^-$을 포함하는 사이안화 은 용액을 사용하여 도금한다.

2. 구리의 정련

구리는 전기 전도성이 매우 커서 전선의 재료로 많이 이용된다. 그런데 구리 광석을 제련하여 얻은 구리에는 Ag, Au, Pt, Fe, Ni, Zn 등의 불순물이 섞여 있기 때문에 전기 전도성이 떨어져 전선으로 사용하기 부적합하다. 불순물이 포함된 구리로부터 전기 분해를 이용하여 순수한 구리를 얻는 과정을 구리의 정련이라고 한다.

불순물을 포함한 구리를 (+)극에, 순수한 구리를 (−)극에 연결하고, 두 전극을 황산 구리(Ⅱ) 수용액에 담그면, (+)극에서는 구리와 구리보다 산화되기 쉬운 금속(Fe, Ni, Zn 등)이 산화되어 금속 양이온으로 수용액 속에 녹아 들어가고, 구리보다 산화되기 어려운 금속(Ag, Pt, Au)은 바닥에 금속 상태로 떨어진다. 한편 전해질 용액 속에는 Cu^{2+}과 (+)극에서 산화되어 생성된 Fe^{2+}, Ni^{2+}, Zn^{2+} 등이 존재하는데, 이들 이온 중 Cu^{2+}이 가장 환원되기 쉬우므로 (−)극에 연결된 구리에서 Cu^{2+}만이 Cu로 환원되어 석출된다.

불순물을 포함한 구리
(+)극
(−)극
순수한 구리
Cu^{2+} Cu^{2+} Zn^{2+} Fe^{2+} Cu^{2+} Cu^{2+}
SO_4^{2-}
(+)극 찌꺼기(Ag, Au, Pt)
$CuSO_4$ 수용액

▲ 구리의 정련

(−)극: $Cu^{2+}(aq) + 2e^- \longrightarrow Cu(s)$

(+)극: $M(s) \longrightarrow M^{2+}(aq) + 2e^-$ (M: Zn, Fe, Ni, Cu 등)

구리의 정련

구리의 정련 과정에서 (+)극 바닥에 앙금으로 떨어지는 금속 찌꺼기는 은, 백금, 금과 같은 귀금속을 포함하고 있는데, 이 귀금속의 회수로 전기 분해 과정의 비용을 상당 부분 보전 받을 수 있기 때문에 구리의 정련은 경제적인 편이다.

시야 확장 ⊕ 알루미늄의 제련

알루미늄(Al)은 지각을 구성하는 금속 중에서 가장 많이 존재하지만 은보다 비싼 시기도 있었다. 알루미늄은 반응성이 커 철이나 구리를 얻는 일반적인 제련 방법으로는 순수한 알루미늄을 얻기가 어렵기 때문이었다. 1886년 미국의 과학자 홀(Hall, C. M., 1863~1914)과 프랑스의 과학자 에루(Héroult, Paul Louis Toussaint, 1863~1914)는 거의 동시에 산화 알루미늄(Al_2O_3)의 용융액을 전기 분해하여 알루미늄을 경제적으로 얻을 수 있는 알루미늄 제련법을 개발하였다.

산화 알루미늄은 녹는점이 2054 ℃로 매우 높아 용융액으로 만들기 어렵기 때문에, 빙정석(Na_3AlF_6)을 혼합하여 녹는점을 960 ℃로 낮춘 후 용융시킨다. 이후 탄소 막대를 전극으로 사용하여 용융액을 전기 분해하면 (−)극에서는 Al^{3+}이 환원되어 Al으로 석출되고, (+)극에서는 산소(O_2)가 생성된다. 이때 생성된 산소는 전극 물질인 탄소와 반응하여 CO_2를 생성하기 때문에 주기적으로 전극 물질을 교체해야 한다.

(−)극: $Al^{3+} + 3e^- \longrightarrow Al$

(+)극: $2O^{2-} \longrightarrow O_2 + 4e^-$

▲ 알루미늄의 전기 분해 장치

3 전기 화학 기술과 미래 사회

전기 화학 기술은 교통, 통신, 전자기기의 발달에 많은 영향을 주었고 우리 생활에도 편리함을 가져다주었다. 앞으로도 환경오염이나 에너지 자원 고갈과 같은 문제를 해결하는 데 전기 화학 기술이 큰 영향을 줄 것이다.

1. 물의 광분해

수소는 미래의 청정 에너지원으로 평가받는 연료 중 하나이다. 수소는 화석 연료로부터 얻는 방법(예 메테인과 수증기의 반응: $CH_4(g) + 2H_2O(g) \longrightarrow 4H_2(g) + CO_2(g)$) 외에도 원자력 발전의 전력으로 물을 전기 분해하거나 물을 고온에서 분해하는 등의 방법을 통해 얻을 수 있다. 하지만 이러한 방법은 지나치게 에너지를 많이 소비하는 단점이 있어 경제적이지 못하다.

최근에는 식물의 광합성 과정 중 하나인 명반응을 이용하여 수소를 얻는 방법이 연구되고 있다. 명반응은 빛이 관여하는 화학 반응으로, 엽록소가 흡수한 빛에너지에 의해 물이 산소와 수소 이온으로 분해되는 반응을 말한다. 이점에 착안하여 식물의 엽록소 대신 광촉매나 반도체성 광전극을 사용함으로써 인공적으로 명반응을 일으키면 수소를 얻을 수 있다. 이와 같이 태양 에너지를 이용하여 수소를 얻는 광화학적 방법을 물의 광분해라고 한다.

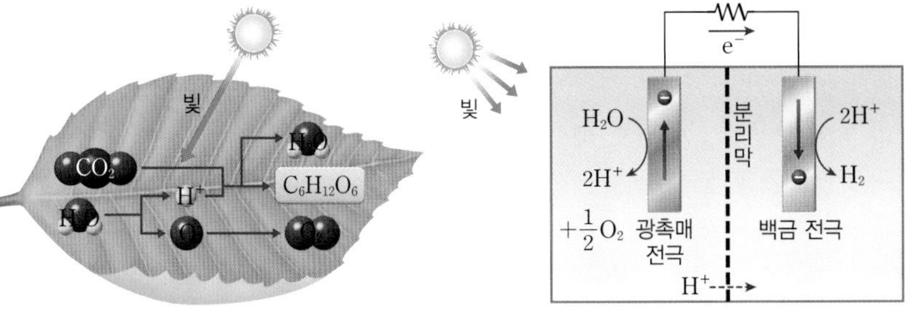

제련(smelting)과 정련(refining)
제련은 광석으로부터 원하는 금속을 추출해 내는 과정을 의미하고, 정련은 제련된 금속에서 불순물을 추가로 제거하여 원하는 순도의 금속을 얻는 과정을 의미한다.

명반응
광합성의 시작 단계로 엽록체의 틸라코이드막에서 일어난다. 명반응의 첫 과정은 물이 빛에너지에 의해 분해되는 과정이고, 두 번째 과정은 빛에너지를 이용하여 ADP를 ATP로 변환하여 화학 에너지로 바꾸는 광인산화 과정이다. 물의 광분해는 명반응의 첫 번째 과정을 모방한 것이다.

$$H_2O(l) \longrightarrow 2H^+(aq) + \frac{1}{2}O_2(g) + 2e^-$$

물의 광분해에서 빛이 광촉매 전극에 흡수되면 물이 산화되어 O_2와 H^+을 생성하고, 이 과정에서 나온 전자는 도선을 따라 백금 전극으로 이동한다. 한편, 광촉매 전극에서 생성된 H^+은 전해질 용액에서 백금 전극으로 이동하여 도선을 따라 이동해 온 전자를 받아 H_2로 환원된다.

광촉매 전극: $H_2O(l) \longrightarrow 2H^+(aq) + \frac{1}{2}O_2(g) + 2e^-$

백금 전극: $2H^+(aq) + 2e^- \longrightarrow H_2(g)$

전체 반응: $H_2O(l) \longrightarrow H_2(g) + \frac{1}{2}O_2(g)$

시야 확장 ⊕ 수소의 저장

수소는 물을 분해하여 얻을 수 있기 때문에 무한한 자원이 될 수 있다. 하지만 현재 수소는 연료로서 폭넓게 사용되지 못하고 있는데, 그 이유는 수소를 대량으로 생산하는 데 많은 비용이 들고 폭발 위험성이 있는 수소를 대량으로 저장하는 안전한 방법을 찾지 못했기 때문이다. 현재는 수소 저장 합금을 이용하여 수소를 저장하는 방법이 가장 많이 사용되고 있다.

수소 저장 합금에는 Ti-Fe 합금, Mg-Ni 합금 등이 있다. 이 합금들은 수소를 저장할 때 안정한 금속 수소화물을 형성하고, 온도를 높임으로써 저장했던 수소를 외부로 방출한다. 수소 저장 합금은 수소를 금속과 화학적으로 결합시켜 저장하기 때문에 수소를 방출시키기 위해서 고온의 열을 가해야만 하는 단점이 있다. 이러한 점을 보완하기 위해 많은 연구가 진행 중인데, 그중에는 탄소 나노 튜브 안에 수소를 물리적으로 흡착시켜 저장하는 방법과 얼음 결정에 수소를 저장하는 방법 등이 있다.

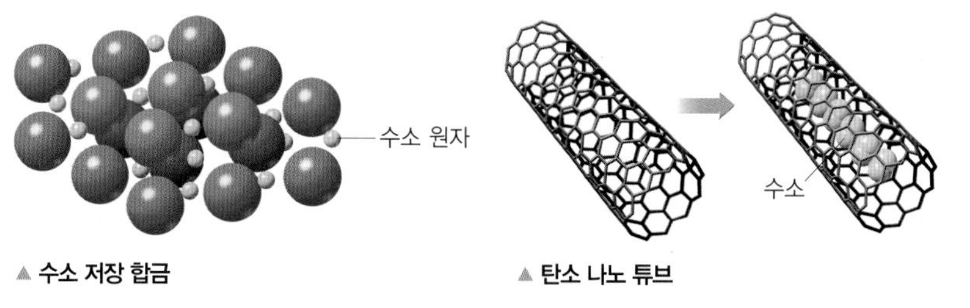

▲ 수소 저장 합금　　▲ 탄소 나노 튜브

2. 전기 화학 기술과 사회

(1) **에너지 분야:** 연료 전지, 태양 전지의 개발로 환경오염이 적고 자원 고갈의 염려가 없는 신재생 에너지 자원을 이용할 수 있게 되었다.

(2) **교통 분야:** 연료 전지, 리튬 이온 전지 등의 개발로 환경오염이 거의 없는 자동차 개발이 가능해졌다.

(3) **전기 전자 분야:** 고에너지 밀도 전지, 전력 저장 장치, 반도체 전자 소자 등의 개발로 휴대용 전자기기와 IT 관련 기기의 급속한 발전을 이끌고 있다.

(4) **의료 분야:** 혈당 측정, 생리 활성 물질의 탐지 등 질병을 진단할 수 있는 의료 장비의 개발을 통해 인류의 건강한 삶과 수명 연장에 크게 기여하고 있다.

(5) **환경 분야:** 광촉매를 이용한 유기 오염 물질의 분해, 난분해성 산업 오·폐수의 전기 분해, 환경오염 물질의 탐지 및 측정 등을 쉽게 하여 환경 개선에 크게 기여하고 있다.

(6) **기타 산업 분야:** 전기 분해를 이용한 산업에 필요한 다양한 물질의 생산, 다양한 산업에 필요한 전기 화학 센서 및 측정 장치의 개발로 과학 기술의 발전에 도움을 주고 있다.

전기 화학
화학 전지, 전기 분해 등 물질의 산화 환원 반응에 의한 물질 사이의 전자 이동과 이에 따라 나타나는 현상을 다룬 학문을 전기 화학이라고 한다. 전기 화학 기술은 인간 생활에 편리함을 가져다 주었고, 에너지와 환경오염 문제를 해결하는 실마리를 제공하고 있다.

과정이 살아 있는 **탐구**

물의 전기 분해

물의 전기 분해 실험을 통해 각 전극에서 일어나는 반응을 설명할 수 있다.

과정

1 BTB 용액을 2~3방울 떨어뜨린 1 M 황산 나트륨(Na_2SO_4) 수용액을 유리병에 넣는다.

2 2개의 일회용 스포이트 밑 부분을 동일하게 잘라낸 다음, 과정 **1**의 황산 나트륨 수용액을 스포이트에 완전히 채운 후 과정 **1**의 유리병에 거꾸로 세워 놓는다.

3 각 스포이트의 중간 부분에 침핀을 꽂은 후, 9 V 건전지에 도선으로 연결한다.

4 전류를 흘려 주면서 나타나는 변화를 관찰한다.

(−)극 (+)극 $Na_2SO_4(aq)$ + BTB 용액 9V 건전지

유의점

- 실험복, 보안경, 실험용 장갑을 착용한다.
- 황산 나트륨 수용액은 농도를 정확히 1 M로 맞추지 않아도 된다.
- 전해질 수용액을 가득 채운 스포이트를 유리병에 거꾸로 세울 때, 용액이 밖으로 흘러나오지 않도록 주의한다.
- 실험 후 사용한 시약은 폐수통에 모아 버린다.

결과 및 정리

1 각 전극에 일어나는 변화

(−)극: 기체가 생성되며 용액의 색깔은 점점 파란색으로 변한다.

(+)극: 기체가 생성되며 용액의 색깔은 점점 노란색으로 변한다.

2 황산 나트륨 수용액을 이용하는 이유: 순수한 물은 전기가 통하지 않으므로 전류를 흘려 주기 위해 전해질인 황산 나트륨을 녹여 사용한다.

3 (−)극에서는 다음과 같은 환원 반응이 일어난다.

$2H_2O(l) + 2e^- \longrightarrow H_2(g) + 2OH^-(aq)$

➡ 수소 기체가 발생하며, OH^-의 생성으로 인해 BTB 용액이 파란색으로 변한다.

4 (+)극에서는 다음과 같은 산화 반응이 일어난다.

$H_2O(l) \longrightarrow \frac{1}{2}O_2(g) + 2H^+(aq) + 2e^-$

➡ 산소 기체가 발생하며, H^+의 생성으로 인해 BTB 용액이 노란색으로 변한다.

BTB 용액의 색깔

BTB 용액은 산성에서 노란색, 중성에서 초록색, 염기성에서 파란색을 나타낸다.

탐구 확인 문제

> 정답과 해설 152쪽

01 위 탐구에 대한 설명으로 옳지 않은 것은?

① 전기 분해가 진행되면 (−)극 주변 Na^+의 농도가 커진다.
② 전극에서 발생하는 기체의 부피비는 (−)극 : (+)극 = 2 : 1이다.
③ 황산 나트륨 대신 황산 구리(Ⅱ)를 사용해도 같은 결과가 나타난다.
④ (+)극에서 발생하는 기체에 꺼져가는 불씨를 가까이 가져다 대면 불씨가 살아난다.
⑤ BTB 용액 대신 페놀프탈레인 용액을 사용하면 (−)극 쪽 용액이 붉은색으로 변한다.

02 물을 전기 분해할 때 황산 나트륨 대신 사용할 수 있는 전해질을 두 가지만 쓰시오.

03 위 실험에서 황산 나트륨 대신 염화 나트륨을 사용하여 실험을 할 때, (−)극과 (+)극 용액의 색깔은 어떻게 변하는지 쓰시오.

차이를 만드는

전기 분해에서의 양적 관계

전기 화학의 초기 연구는 대부분 영국의 과학자 패러데이(Faraday, M., 1791~1867)에 의해 이루어졌다. 1833년 패러데이는 전기 분해하는 동안 생성된 물질의 양은 흘려 준 전하의 양에 비례한다는 것을 발견하였다. 전기 분해에서의 양적 관계에 대해 자세히 알아보자.

염화 나트륨 용융액을 전기 분해하면 각 전극에서 다음과 같은 반응이 일어난다.

(−)극: $Na^+(l) + e^- \longrightarrow Na(l)$

(+)극: $2Cl^-(l) \longrightarrow Cl_2(g) + 2e^-$

위 반쪽 반응식으로부터 Na 1몰이 생성되기 위해서는 전자 1몰이 이동해야 하고, Cl_2 1몰이 생성되기 위해서는 전자 2몰이 이동해야 한다는 것을 알 수 있다. 즉, 전기 분해 장치를 통해 전자 1몰이 이동할 경우 Na 1몰과 Cl_2 0.5몰이 생성된다.

하지만 실험실이나 공장에서 전기 분해를 할 때는 이동한 전자의 양(mol)을 측정하지 않고, 흘려 준 전하량을 측정한다. 따라서 전기 분해할 때 생성되는 물질의 양을 계산하기 위해서는 전자의 양(mol)과 실제로 측정한 전하량과의 양적 관계를 알아야 할 필요가 있다.

전하량은 쿨롬(Coulomb)으로 나타내는데, 1 A의 전류를 1초 동안 흘렸을 때 도선의 주어진 한 점을 지나는 전하의 양을 1 C이라고 한다. 예를 들어 10 A의 전류를 100초 동안 흘렸을 때 흘려 준 전하량은 10 A×100초=1000 C이다.

> 전하량(Q)=전류의 세기(I)×시간(t)

전자 1개의 전하량은 1.6×10^{-19} C으로, 전자 1몰이 갖는 전하량은 전자 1개의 전하량×아보가드로수=(1.6×10^{-19} C)×6.02×10^{23}≒96500 C이다. 따라서 전자 1몰의 전하량은 96500 C이며, 이 전하량의 크기를 1 F(패러데이)라고 한다.

> 1 F=전자 1몰의 전하량=96500 C

위 식을 이용하여 전기 분해에서 이동한 전자의 양(mol)과 실험에서 실제로 측정한 양인 전하량을 연결지을 수 있다.

예를 들어 황산 구리(Ⅱ)($CuSO_4$) 수용액에 16분 5초 동안 10 A의 전류를 흘려 전기 분해를 했을 때, (−)극과 (+)극에서 생성되는 물질의 양(mol)은 다음과 같이 구할 수 있다.

➡ 전기 분해의 두 전극에서는 다음과 같은 반응이 일어난다.

(−)극: $Cu^{2+}(aq) + 2e^- \longrightarrow Cu(s)$

(+)극: $2H_2O(l) \longrightarrow O_2(g) + 4H^+(aq) + 4e^-$

이 반응에서 흘려 준 전하량 Q는 10 A×965초=9650 C=0.1 F이다. 1 F는 전자 1몰의 전하량이므로, 전자 0.1몰이 이동한 것으로 볼 수 있다. 따라서 Cu 1몰이 생성되기 위해서 전자 2몰이 필요하므로 전자 0.1몰에 의해 생성되는 구리는 0.05몰이고, O_2 1몰이 생성되기 위해서는 전자 4몰이 필요하므로 전자 0.1몰에 의해 생성되는 산소 기체는 0.025몰이다.

패러데이 법칙

1833년 패러데이가 실험을 통해 발견한 전기 분해 법칙

① 전기 분해를 통해 생성되는 물질의 양(mol)은 흘려 준 전하량에 비례한다.

② 전기 분해에서 일정한 전하량에 의해 생성되는 물질의 질량은 각 물질의 $\frac{\text{원자량}}{\text{이온의 전하수}}$에 비례한다.

예 어떤 금속 A의 원자량이 w이고, 이온 상태일 때 A^{a+}이라면, A 1몰이 생성되기 위해서는 전자 a몰이 필요하다. 따라서 1 F의 전하량에 의해 석출될 수 있는 A의 질량은 $\frac{w}{a}$이다.

정답과 해설 153쪽

02 전기 분해

1 전기 분해

1. 전해질 용융액의 전기 분해

- (−)극: (❶)이 전자를 얻고 환원되어 주로 금속이 석출된다.
- (+)극: (❷)이 전자를 잃고 산화되어 주로 기체가 발생한다.

예 염화 나트륨 용융액의 전기 분해

- (−)극: $Na^+(l) + e^- \longrightarrow Na(l)$
- (+)극: $2Cl^-(l) \longrightarrow Cl_2(g) + 2e^-$

2. 전해질 수용액의 전기 분해 (−)극에서는 양이온과 (❸) 중 환원되기 더 쉬운 물질이 환원되고, (+)극에서는 음이온과 (❹) 중 산화되기 더 쉬운 물질이 산화된다.

- (−)극: Li^+, K^+, Ca^{2+}, Na^+, Mg^{2+}, Al^{3+}인 경우 양이온 대신 (❺)이 환원되어 수소 기체가 발생한다.

  $2H_2O(l) + 2e^- \longrightarrow H_2(g) + 2OH^-(aq)$

- (+)극: F^-, NO_3^-, CO_3^{2-}, SO_4^{2-}, PO_4^{3-}인 경우 음이온 대신 (❻)이 산화되어 산소 기체가 발생한다.

  $H_2O(l) \longrightarrow \frac{1}{2}O_2(g) + 2H^+(aq) + 2e^-$

3. 물의 전기 분해 물은 전기가 통하지 않으므로 Na_2SO_4과 같은 전해질을 소량 녹여 전기 분해한다.

2 전기 분해의 이용

1. 전기 도금 전기 분해를 이용하여 금속 표면에 다른 금속을 얇게 입히는 것

- 도금할 물체를 (❼)극에 연결하고 도금 재료가 되는 금속을 (❽)극에 연결한 후, 도금할 금속의 이온을 포함하는 용액에 담가 전류를 흘려 준다.

  예 숟가락을 은으로 도금하는 경우, 숟가락을 (−)극에, 순수한 은판을 (+)극에 연결한 후 은 이온이 들어 있는 수용액에 담가 전류를 흘려 준다.

  (−)극: $Ag^+(aq) + e^- \longrightarrow Ag(s)$

  (+)극: $Ag(s) \longrightarrow Ag^+(aq) + e^-$

2. 구리의 정련 전기 분해를 이용하여 불순물이 포함된 구리로부터 순수한 구리를 얻는 과정으로, 불순물이 포함된 구리는 (❾)극에, 순수한 구리는 (❿)극에 연결한 후, 황산 구리(Ⅱ) 수용액에 담가 전류를 흘려 주면 순수한 구리를 얻을 수 있다.

(−)극: $Cu^{2+}(aq) + 2e^- \longrightarrow Cu(s)$

(+)극: $M(s) \longrightarrow M^{2+}(aq) + 2e^-$ (M: Zn, Fe, Ni, Cu 등)

3 전기 화학 기술과 미래 사회

물의 광분해 광합성에서 일어나는 반응을 모방하여 수소를 얻는 반응으로, 광촉매나 반도체성 광전극을 이용하여 물을 전기 분해함으로써 수소 기체를 얻는다.

광촉매 전극: $H_2O(l) \longrightarrow 2H^+(aq) + \frac{1}{2}O_2(g) + 2e^-$

백금 전극: $2H^+(aq) + 2e^- \longrightarrow H_2(g)$

01 그림과 같이 염화 나트륨(NaCl) 수용액에 백금(Pt) 전극을 담그고 전류를 흘려 주었다.

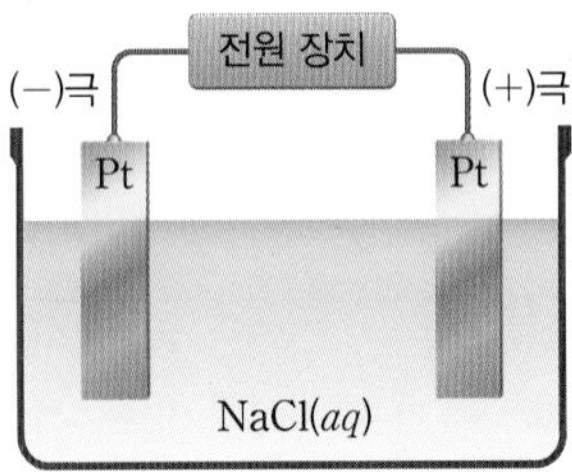

이에 대한 설명으로 옳은 것만을 보기에서 있는 대로 고르시오.

보기
ㄱ. (−)전극의 질량이 증가한다.
ㄴ. (−)극 주변 용액의 pH가 증가한다.
ㄷ. (+)극에서는 $H_2O(l)$이 산화되어 $O_2(g)$가 발생한다.

02 표는 25 °C에서 질산 나트륨($NaNO_3$)과 질산 구리($Cu(NO_3)_2$)를 각각 물에 녹여 1 M 수용액을 만든 다음 두 수용액을 각각 전기 분해하였을 때 각 전극에서 생성되는 물질을 나타낸 것이다.

수용액	(−)극	(+)극
$NaNO_3$ 수용액	H_2	O_2
$Cu(NO_3)_2$ 수용액	Cu	O_2

Na^+, Cu^{2+}, H_2O의 표준 환원 전위($E°$)의 크기를 비교하시오.

03 보기의 물질을 녹인 수용액을 전기 분해할 때 (−)극에서 기체가 발생하는 물질만을 보기에서 있는 대로 고르시오.

보기
ㄱ. NaCl　　ㄴ. $CuCl_2$
ㄷ. $AgNO_3$　　ㄹ. $Ca(OH)_2$

04 염화 나트륨 용융액과 염화 나트륨 수용액의 전기 분해에 대한 설명으로 옳은 것만을 보기에서 있는 대로 고르시오.

보기
ㄱ. (+)극에서 같은 물질이 생성된다.
ㄴ. (−)극에서는 모두 기체가 발생한다.
ㄷ. 전기 분해가 진행되는 동안 염화 나트륨 용융액과 염화 나트륨 수용액 속 전체 이온 수는 모두 감소한다.

05 보기의 물질 중 수용액을 전기 분해할 때와 용융액을 전기 분해할 때의 생성물이 같은 것만을 있는 대로 고르시오.

보기
ㄱ. $CuCl_2$　　ㄴ. NaCl
ㄷ. $CuSO_4$　　ㄹ. KNO_3

06 그림은 물을 전기 분해하는 장치를 나타낸 것이다.

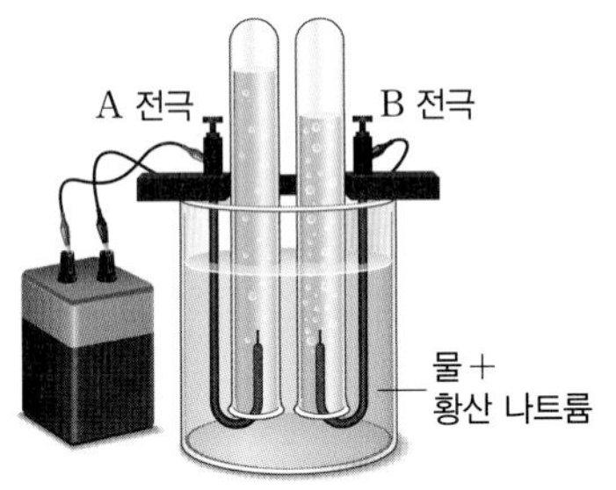

이에 대한 설명으로 옳은 것만을 보기에서 있는 대로 고르시오.

보기
ㄱ. A 전극은 (+)극이다.
ㄴ. 전해질로 $CuCl_2$를 사용할 수 있다.
ㄷ. 전기 분해 후 수용액은 염기성을 나타낸다.

07 그림은 금속 M에 은을 도금하는 장치를 나타낸 것이다.

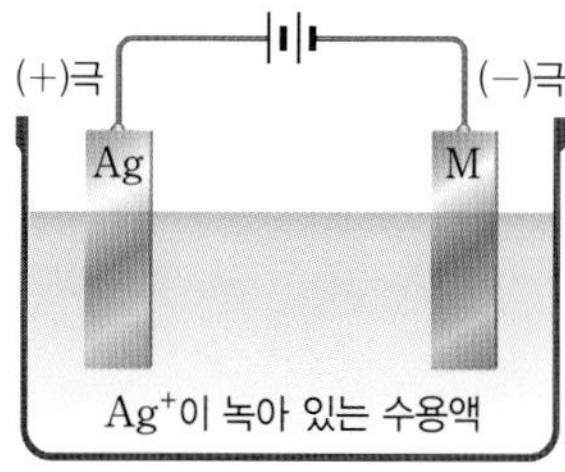

이에 대한 설명으로 옳은 것만을 보기에서 있는 대로 고르시오. (단, M은 임의의 원소 기호이다.)

보기

ㄱ. 용액 속의 Ag^+의 수는 변하지 않는다.
ㄴ. 금속 M은 Ag보다 반응성이 작아야 한다.
ㄷ. (−)극에서는 $Ag^+ + e^- \longrightarrow Ag$ 반응이 일어난다.

08 그림 (가)는 구리판을 질산 은 수용액에 넣어 둔 모습을 나타낸 것이고, 그림 (나)는 구리판에 은 도금을 하기 위한 장치를 나타낸 것이다.

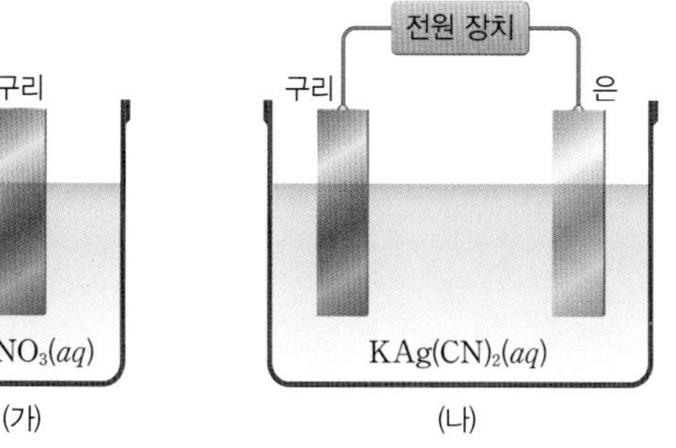

이에 대한 설명으로 옳은 것만을 보기에서 있는 대로 고르시오.

보기

ㄱ. (나)에서 구리판은 (+)극에 연결해야 한다.
ㄴ. (나)의 은판에서는 산화 반응이 일어난다.
ㄷ. (가)와 (나) 모두 용액이 푸른색으로 변한다.
ㄹ. (가)와 (나) 모두 구리판 표면에 은이 석출된다.

09 그림은 구리의 정련 과정을 간략히 나타낸 것이고, 표는 구리와 구리에 불순물로 포함된 금속 A~D의 표준 환원 전위를 나타낸 것이다. (단, A~D는 임의의 원소 기호이다.)

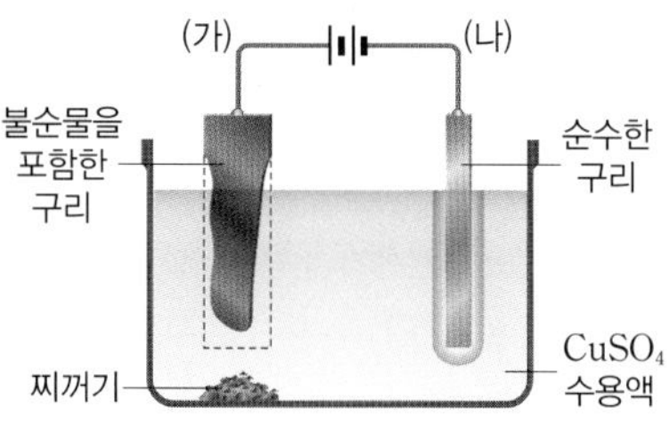

반쪽 반응	표준 환원 전위(V)
$Cu^{2+} + 2e^- \longrightarrow Cu$	+0.34
$A^{2+} + 2e^- \longrightarrow A$	−0.44
$B^{2+} + 2e^- \longrightarrow B$	−0.13
$C^+ + e^- \longrightarrow C$	+0.80
$D^{2+} + 2e^- \longrightarrow D$	+1.12

(1) 위 정련 과정에서 그림의 찌꺼기에 해당하는 금속을 모두 쓰시오.
(2) 순수한 구리 표면에서 일어나는 반쪽 반응식을 쓰시오.
(3) 전원 장치의 전극을 바꾸어 연결했을 때 전극 (가)와 (나)에서 일어나는 반응을 설명하시오.

10 그림은 물의 광분해 장치를 나타낸 것이다.

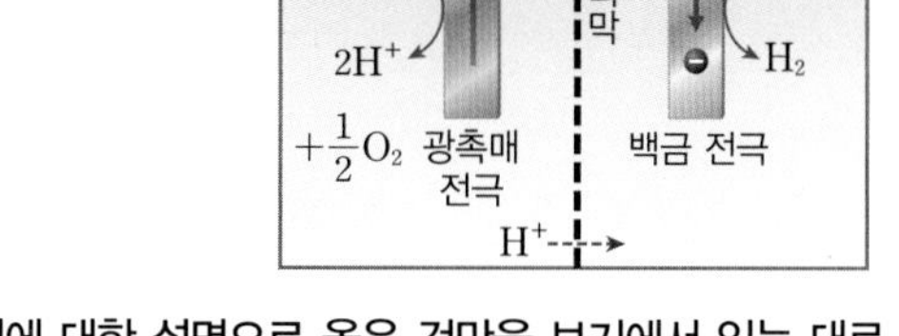
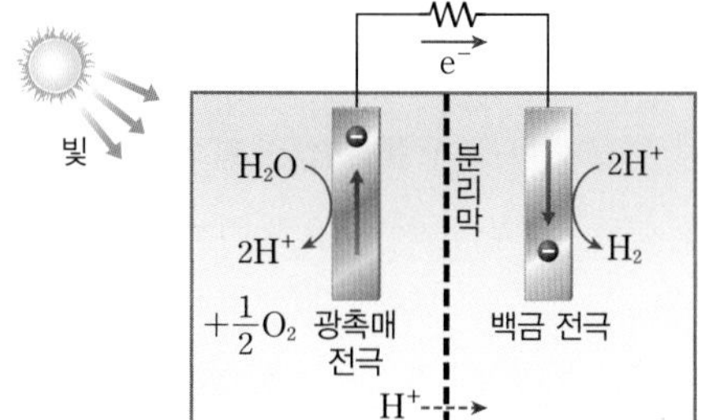
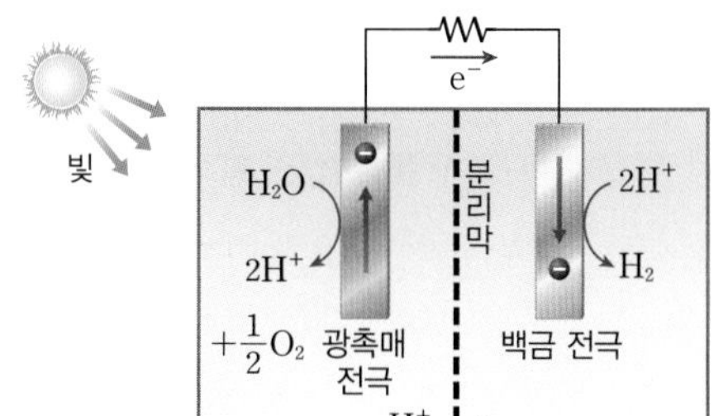

이에 대한 설명으로 옳은 것만을 보기에서 있는 대로 고르시오.

보기

ㄱ. 광촉매 전극은 산화 전극이다.
ㄴ. 수소 기체를 얻기 위한 방법이다.
ㄷ. 식물의 호흡 과정에서 착안한 방법이다.

01

> 수용액의 전기 분해

다음은 $ACl_2(aq)$과 $BSO_4(aq)$을 각각 전기 분해할 때 각 전극에서 일어나는 반응을 나타낸 것이다. (단, A, B는 임의의 원소 기호이다.)

• $ACl_2(aq)$의 전기 분해
(−)극: $2H_2O(l) + 2e^- \longrightarrow H_2(g) + 2OH^-(aq)$
(+)극: $2Cl^-(aq) \longrightarrow Cl_2(g) + 2e^-$
• $BSO_4(aq)$의 전기 분해
(−)극: $B^{2+}(aq) + 2e^- \longrightarrow B(s)$
(+)극: $2H_2O(l) \longrightarrow O_2(g) + 4H^+(aq) + 4e^-$

이에 대한 설명으로 옳은 것만을 보기에서 있는 대로 고른 것은?

보기
ㄱ. Cl^-은 SO_4^{2-}보다 산화되기 쉽다.
ㄴ. 금속 A는 금속 B보다 반응성이 크다.
ㄷ. 물을 전기 분해할 때 ASO_4를 전해질로 사용할 수 있다.

① ㄱ ② ㄷ ③ ㄱ, ㄴ ④ ㄴ, ㄷ ⑤ ㄱ, ㄴ, ㄷ

• 각 전극에서 물과 이온 중 어떤 물질이 산화 또는 환원되는지를 파악한다.

02

> 수용액의 전기 분해

표는 25 °C에서 $AB(aq)$의 전기 분해와 관련된 반쪽 반응의 표준 환원 전위($E°$)를 나타낸 것이다.

반쪽 반응	$E°$(V)
$2H_2O(l) + 2e^- \longrightarrow H_2(g) + 2OH^-(aq)$	a
$O_2(g) + 4H^+(aq) + 4e^- \longrightarrow 2H_2O(l)$	b
$A^+(aq) + e^- \longrightarrow A(s)$	c
$B_2(g) + 2e^- \longrightarrow 2B^-(aq)$	d

$AB(aq)$을 전기 분해하면 (−)극에서 $H_2(g)$, (+)극에서 $O_2(g)$가 생성된다고 할 때, 이에 대한 설명으로 옳은 것만을 보기에서 있는 대로 고른 것은? (단, A, B는 임의의 원소 기호이다.)

보기
ㄱ. a~d 중 a가 가장 작다.
ㄴ. A^+은 (−)극 쪽으로 이동한다.
ㄷ. 수용액 속 전체 이온 수는 증가한다.

① ㄱ ② ㄴ ③ ㄱ, ㄷ ④ ㄴ, ㄷ ⑤ ㄱ, ㄴ, ㄷ

• 전기 분해가 일어날 때 산화 전극에서 나오는 전자의 양(mol)은 환원 전극으로 이동하는 전자의 양(mol)과 같다.

03

> 화학 전지와 전기 분해

그림 (가)는 금속 **A**, **B**를 $H_2SO_4(aq)$에 넣었을 때 **A**에서 기체가 발생하는 것을, 그림 (나)는 **A**와 **B**를 도선으로 연결한 것을 나타낸 것이다. 그림 (다)는 **A**와 **B**를 전원 장치에 연결한 것을 나타낸 것이다.

• (가)에서 A와 B의 이온화 경향의 크기를 판단하고, 이를 토대로 (나)와 (다)의 두 전극에서 일어나는 반응을 생각해 본다.

이에 대한 설명으로 옳은 것만을 보기에서 있는 대로 고른 것은? (단, **A**, **B**는 임의의 원소 기호이다.)

보기

ㄱ. (가)~(다)에서 모두 금속 A의 질량이 감소한다.

ㄴ. (가)~(다)의 수용액은 모두 pH가 증가한다.

ㄷ. (나)와 (다)의 B 전극에서는 같은 기체가 발생한다.

① ㄱ ② ㄷ ③ ㄱ, ㄴ ④ ㄴ, ㄷ ⑤ ㄱ, ㄴ, ㄷ

04

> 수용액의 전기 분해

그림과 같이 장치하고 전류를 흘려 주었더니 전극 (가)~(다)에서는 서로 다른 기체가 생성되었고, (라)에서는 금속 **Y**가 석출되었다.

• (라)에서 금속 Y가 석출된다는 것으로부터 전극 (가)~(라)가 각각 (−)극과 (+)극 중 어떤 전극인지 판단하고, (가)~(다)에서 서로 다른 기체가 생성된다는 것으로부터 X^{2+}과 물 중 어떤 물질이 환원되기 쉬운지 판단한다.

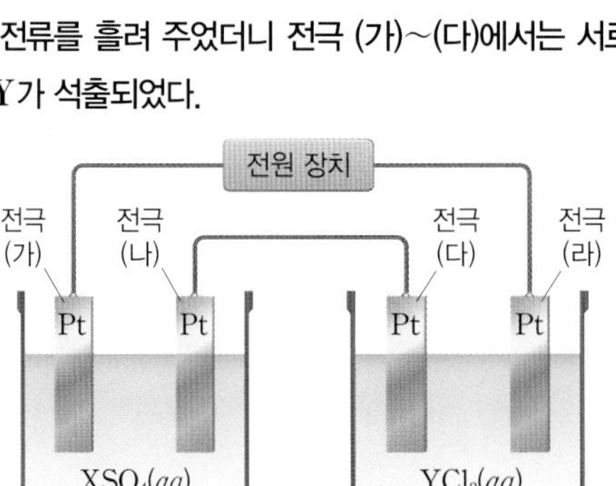

이에 대한 설명으로 옳은 것만을 보기에서 있는 대로 고른 것은? (단, **X**, **Y**는 임의의 원소 기호이고, 두 수용액의 초기 농도는 **1 M**이다.)

보기

ㄱ. 전극 (다)에서는 염소(Cl_2) 기체가 생성된다.

ㄴ. 표준 환원 전위($E°$)는 Y^{2+}이 X^{2+} 보다 크다.

ㄷ. 전원 장치의 전극을 바꾸어 연결하면 전극 (가)에서 X가 석출된다.

① ㄱ ② ㄷ ③ ㄱ, ㄴ ④ ㄴ, ㄷ ⑤ ㄱ, ㄴ, ㄷ

고난도

05

> 수용액의 전기 분해

그림은 25 °C에서 A^{2+}과 A^{3+}이 함께 녹아 있는 수용액을 전기 분해하는 장치를 나타낸 것이고, 표는 이와 관련된 반쪽 반응의 표준 환원 전위($E°$)를 나타낸 것이다. 음이온과 물은 반응에 참여하지 않는다.

반쪽 반응	$E°$(V)
$A^{2+}(aq) + 2e^- \longrightarrow A(s)$	−0.44
$A^{3+}(aq) + 3e^- \longrightarrow A(s)$	−0.04
$A^{3+}(aq) + e^- \longrightarrow A^{2+}(aq)$	+0.77
$B^{2+}(aq) + 2e^- \longrightarrow B(s)$	+0.34

이에 대한 설명으로 옳은 것만을 보기에서 있는 대로 고른 것은? (단, A, B는 임의의 원소 기호이고, 두 수용액의 초기 농도는 1 M이다.)

보기

ㄱ. $\frac{[A^{2+}]}{[A^{3+}]}$는 증가한다.

ㄴ. B 전극의 질량은 감소한다.

ㄷ. 전원 장치의 전극을 바꾸어 연결하면 A 전극의 질량은 감소한다.

① ㄱ ② ㄷ ③ ㄱ, ㄴ ④ ㄴ, ㄷ ⑤ ㄱ, ㄴ, ㄷ

• 전극에 사용되는 물질이 반응성이 매우 작은 백금이나 탄소 전극이 아닐 경우 전극에 사용된 금속도 반응할 수 있다. 또 수용액 속 이온은 두 종류이므로 이와 관련한 다양한 산화 환원 반응의 표준 환원 전위를 고려해야 한다.

고난도

06

> 수용액의 전기 분해

그림은 25 °C에서 A^{2+}과 B^+의 농도가 각각 1 M인 수용액을 전기 분해하는 장치를, 표는 25 °C에서 이와 관련된 반쪽 반응과 표준 환원 전위($E°$)를 나타낸 것이다.

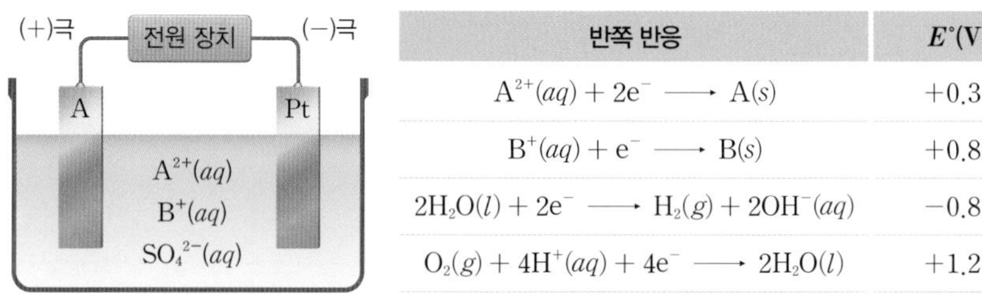

반쪽 반응	$E°$(V)
$A^{2+}(aq) + 2e^- \longrightarrow A(s)$	+0.34
$B^+(aq) + e^- \longrightarrow B(s)$	+0.80
$2H_2O(l) + 2e^- \longrightarrow H_2(g) + 2OH^-(aq)$	−0.83
$O_2(g) + 4H^+(aq) + 4e^- \longrightarrow 2H_2O(l)$	+1.23

이에 대한 설명으로 옳은 것만을 보기에서 있는 대로 고른 것은? (단, A, B는 임의의 원소 기호이다.)

보기

ㄱ. 용액 속 이온 수는 감소한다.

ㄴ. (+)극에 금속 A 대신 금속 B를 연결하면 기체가 발생한다.

ㄷ. (+)극에 금속 A 대신 Pt을 연결하면 용액 속 전체 이온 수는 증가한다.

① ㄱ ② ㄷ ③ ㄱ, ㄴ ④ ㄴ, ㄷ ⑤ ㄱ, ㄴ, ㄷ

• 전기 분해에서 (−)극에서는 환원되기 쉬운 물질이 환원되고, (+)극에서는 산화되기 쉬운 물질이 산화된다.

07

› 구리의 정련

그림은 구리의 정련 장치를 나타낸 것이고, 표는 구리와 구리에 불순물로 포함된 금속 A~D의 표준 환원 전위를 나타낸 것이다.

반쪽 반응	표준 환원 전위(V)
$Cu^{2+} + 2e^- \longrightarrow Cu$	+0.34
$A^{2+} + 2e^- \longrightarrow A$	−0.44
$B^{2+} + 2e^- \longrightarrow B$	−0.13
$C^+ + e^- \longrightarrow C$	+0.80
$D^{2+} + 2e^- \longrightarrow D$	+1.12

이에 대한 설명으로 옳은 것만을 보기에서 있는 대로 고른 것은? (단, A~D는 임의의 원소 기호이다.)

보기

ㄱ. (가)는 전원 장치의 (+)극에 연결되어 있다.
ㄴ. 반응이 진행되는 동안 용액 속에는 2가지 양이온이 존재한다.
ㄷ. 전기 분해가 일어나는 동안 용액 속 Cu^{2+}의 수는 일정하다.

① ㄱ ② ㄷ ③ ㄱ, ㄴ ④ ㄴ, ㄷ ⑤ ㄱ, ㄴ, ㄷ

• 불순물이 포함된 구리에서는 구리를 포함하여 구리보다 산화되기 쉬운 금속이 수용액 속으로 녹아 들어가고, 구리보다 산화되기 어려운 금속은 바닥에 금속 상태로 떨어진다.

08

› 물의 전기 분해와 광분해

그림은 물을 분해하여 수소를 발생시키는 2가지 방법을 나타낸 것이다.

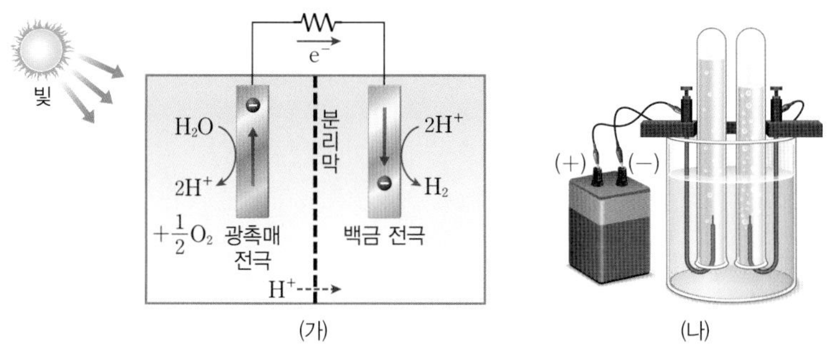

(가) (나)

이에 대한 설명으로 옳은 것만을 보기에서 있는 대로 고른 것은?

보기

ㄱ. (가)의 광촉매 전극에서 H_2O의 H는 환원된다.
ㄴ. (가)와 (나) 모두 물에 소량의 전해질을 넣어주어야 한다.
ㄷ. BTB 용액을 넣으면 (가)의 광촉매 전극과 (나)의 (+)극 주변 용액이 같은 색깔을 띤다.

① ㄱ ② ㄷ ③ ㄱ, ㄴ ④ ㄴ, ㄷ ⑤ ㄱ, ㄴ, ㄷ

• 물의 광분해는 광촉매 전극에서 물이 산화되어 산소 기체와 수소 이온이 생성되고, 수소 이온은 백금 전극 쪽으로 이동하여 전자를 받아 수소 기체로 환원된다.

통합 실전 문제 IV. 전기 화학과 이용

> 정답과 해설 157쪽

01

> 금속의 반응성과 이온 수 변화

다음은 금속 이온 A^+과 B^{2+}이 들어 있는 수용액에 금속 C의 질량을 달리하여 넣은 실험 Ⅰ~Ⅲ에 대한 자료이다.

- 반응 전 수용액 속 전체 이온 수는 $10.5N$이다.
- Ⅲ에서 반응 후 남아 있는 금속 C의 질량은 $(3-x)w$ g이다.

실험	C의 질량(g)	반응 후 전체 양이온 수
Ⅰ	w	$6.5N$
Ⅱ	$2w$	$5.5N$
Ⅲ	$3w$	$5N$

이에 대한 설명으로 옳은 것만을 보기에서 있는 대로 고른 것은? (단, $x>2$이다.)

보기
ㄱ. A는 B보다 반응성이 크다.
ㄴ. $x=2.5$이다.
ㄷ. 용액 속 B^{2+} 수는 Ⅰ : Ⅱ=3 : 1이다.

① ㄱ ② ㄷ ③ ㄱ, ㄴ ④ ㄴ, ㄷ ⑤ ㄱ, ㄴ, ㄷ

• 이온의 전하가 큰 금속과 전하가 작은 이온이 반응하면 용액 속 전체 이온 수는 감소하고 반대의 경우는 증가한다.
이온이 반응하는 경우 반응 전후에 이온의 총 전하량은 변하지 않는 것을 이용한다.

02

> 표준 환원 전위와 금속의 반응성

다음은 금속 A~C와 관련된 반쪽 반응과 25 ℃에서의 표준 환원 전위($E°$)를 나타낸 것이다.

- $A^{2+}(aq) + 2e^- \longrightarrow A(s)$ $E° = -0.76$ V
- $B^{2+}(aq) + 2e^- \longrightarrow B(s)$ $E° = +0.14$ V
- $C^{+}(aq) + e^- \longrightarrow C(s)$ $E° = +0.34$ V

25 ℃에서 이에 대한 설명으로 옳은 것만을 보기에서 있는 대로 고른 것은? (단, A~C는 임의의 원소 기호이다.)

보기
ㄱ. 1 M 염산에 넣었을 때 수소 기체가 발생하는 금속은 2가지이다.
ㄴ. A와 C를 이용하여 만든 전지에서 A의 산화가 일어난다.
ㄷ. A^{2+}과 C^+의 혼합 용액에 금속 B를 넣어 주면 용액 속 양이온 수가 감소한다.

① ㄱ ② ㄷ ③ ㄱ, ㄴ ④ ㄴ, ㄷ ⑤ ㄱ, ㄴ, ㄷ

• 표준 환원 전위가 작을수록 산화되기 쉬우며, 표준 환원 전위를 정하는 기준은 표준 수소 전극으로 표준 전극 전위는 0 V이다.

03

> 표준 환원 전위와 전지 전위

표는 25 °C에서 금속 A~D의 반쪽 전지로 구성된 전지 (가)~(라)의 두 전극과 표준 전지 전위($E°_{전지}$)를 나타낸 것이다. (나)와 (라)에서 C는 (+)극이다.

전지	(가)	(나)	(다)	(라)
전극	A, B	A, C	B, D	C, D
$E°_{전지}$(V)	+1.10	+1.56	+0.79	+1.25

이에 대한 설명으로 옳은 것만을 보기에서 있는 대로 고른 것은? (단, A~D는 임의의 원소 기호이다.)

보기

ㄱ. 전지 (가)와 (다)에서 모두 B의 산화가 일어난다.
ㄴ. B와 C의 반쪽 전지로 구성된 전지의 $E°_{전지}$는 +0.46 V이다.
ㄷ. $C^{2+}(aq)+2e^- \longrightarrow C(s)$ 반응의 표준 환원 전위($E°$)는 0보다 크다.

① ㄱ ② ㄴ ③ ㄱ, ㄷ ④ ㄴ, ㄷ ⑤ ㄱ, ㄴ, ㄷ

• (나)와 (라)에서 C가 환원 반응이 일어나는 (+)극이므로 C를 기준으로 하여 다른 금속의 상대적인 표준 환원 전위를 구한다.

04

> 표준 환원 전위와 전지 반응

그림 (가)와 (나)는 25 °C에서 표준 전지 전위($E°_{전지}$)가 각각 0.46 V인 2가지 화학 전지를 나타낸 것이고, 자료는 3가지 반쪽 반응에 대한 25 °C에서의 표준 환원 전위($E°$)이다.

0.46 V
염다리
A(s)
B(s)
1 M $A^{2+}(aq)$
1 M $B^{2+}(aq)$
(가)

0.46 V
염다리
B(s)
C(s)
1 M $B^{2+}(aq)$
1 M $C^{+}(aq)$
(나)

• $A^{2+}(aq) + 2e^- \longrightarrow A(s)$ $E°=a$ V $(a>0)$
• $B^{2+}(aq) + 2e^- \longrightarrow B(s)$ $E°=b$ V $(b<0)$
• $C^{+}(aq) + e^- \longrightarrow C(s)$ $E°=c$ V $(c<0)$

이에 대한 설명으로 옳은 것만을 보기에서 있는 대로 고른 것은? (단, A~C는 임의의 원소 기호이다.)

보기

ㄱ. (가)에서 전류가 흐르면 B 전극의 질량은 증가한다.
ㄴ. 같은 양의 전류가 흘렀을 때 (가)에서 $\frac{[B^{2+}]}{[A^{2+}]}$는 (나)에서 $\frac{[C^+]}{[B^{2+}]}$보다 작다.
ㄷ. $A(s)+2C^+(aq) \longrightarrow A^{2+}(aq)+2C(s)$ 반응의 표준 전지 전위($E°_{전지}$)는 +0.92 V이다.

① ㄱ ② ㄴ ③ ㄱ, ㄷ ④ ㄴ, ㄷ ⑤ ㄱ, ㄴ, ㄷ

• (가)에서 전지 전위가 0.46 V이기 위해서는 $-0.46>b>0$이어야 하므로 이를 토대로 b와 c의 대소 관계를 파악한다.

05

> 화학 전지와 전기 분해

그림 (가)는 금속 X와 Y의 반쪽 전지를 이용한 화학 전지를, (나)는 금속 X와 Y를 이용한 전기 분해 장치를 나타낸 것이다. 원자량은 X가 Y의 1.5배이며, X의 표준 산화 전위는 물보다 크고, Y^+의 표준 환원 전위는 물보다 크다.

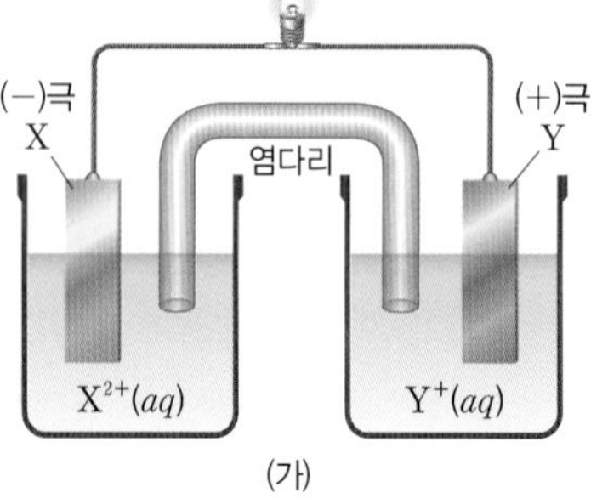

(가)

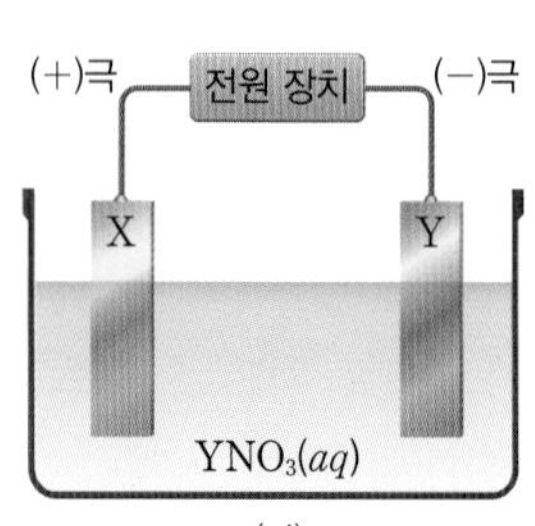

(나)

이에 대한 설명으로 옳은 것만을 보기에서 있는 대로 고른 것은? (단, X와 Y는 임의의 원소 기호이다.)

보기

ㄱ. (가)와 (나)에서 모두 Y 전극의 질량은 증가한다.
ㄴ. (가)와 (나)에서 모두 $[X^{2+}]$는 증가한다.
ㄷ. (나)에서 전원 장치를 제거하면 X 전극의 질량이 증가한다.

① ㄱ ② ㄷ ③ ㄱ, ㄴ ④ ㄴ, ㄷ ⑤ ㄱ, ㄴ, ㄷ

화학 전지에서는 (−)극에서 산화 반응, (+)극에서 환원 반응이 일어나고, 반대로 전기 분해에서는 (−)극에서 환원 반응, (+)극에서 산화 반응이 일어난다.

06

> 은 도금과 표준 환원 전위

그림은 금속 M에 은 도금을 하기 위한 장치를 나타낸 것이고, 표는 몇 가지 반쪽 반응의 표준 환원 전위($E°$)를 나타낸 것이다.

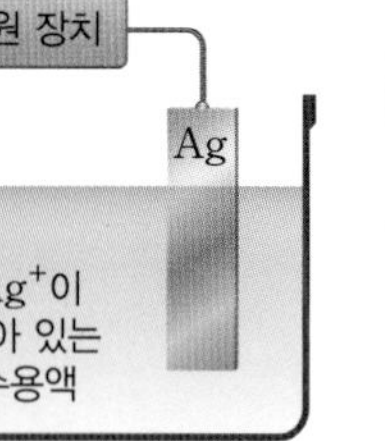

반쪽 반응	$E°$(V)
$Ag^+(aq) + e^- \longrightarrow Ag(s)$	a
$M^{2+}(aq) + 2e^- \longrightarrow M(s)$	b
$O_2(g) + 4H^+(aq) + 4e^- \longrightarrow 2H_2O(l)$	c

이에 대한 설명으로 옳은 것만을 보기에서 있는 대로 고른 것은? (단, M은 임의의 원소 기호이다.)

보기

ㄱ. $a > c$이다.
ㄴ. b는 a보다 커야 한다.
ㄷ. 금속 M은 전원 장치의 (−)극에 연결해야 한다.

① ㄱ ② ㄷ ③ ㄱ, ㄴ ④ ㄴ, ㄷ ⑤ ㄱ, ㄴ, ㄷ

은 도금을 할 때는 (−)극에서는 용액 중의 Ag^+의 환원 반응이, (+)극에서는 전극으로 사용한 금속 Ag의 산화 반응이 일어난다.

07

> 표준 환원 전위와 수용액의 전기 분해

표 Ⅰ은 25 °C에서 $AB_2(aq)$과 $CSO_4(aq)$을 각각 전기 분해했을 때 생성된 물질을 나타낸 것이고, 표 Ⅱ는 이와 관련된 반쪽 반응과 표준 환원 전위($E°$)를 나타낸 것이다.

[표 Ⅰ]

수용액	(−)극	(+)극
$AB_2(aq)$	H_2 기체	O_2 기체
$CSO_4(aq)$	금속 C	O_2 기체

[표 Ⅱ]

반쪽 반응	$E°$(V)
$A^{2+}(aq) + 2e^- \longrightarrow A(s)$	a
$B_2(g) + 2e^- \longrightarrow 2B^-(aq)$	b
$C^{2+}(aq) + 2e^- \longrightarrow C(s)$	c
$2H_2O(l) + 2e^- \longrightarrow H_2(g) + 2OH^-(aq)$	−0.83
$O_2(g) + 4H^+(aq) + 4e^- \longrightarrow 2H_2O(l)$	+1.23

이에 대한 설명으로 옳은 것만을 보기에서 있는 대로 고른 것은? (단, A~C는 임의의 원소 기호이다.)

보기
ㄱ. $b-2>a$이다.
ㄴ. 금속 A를 $CSO_4(aq)$에 넣으면 C가 석출된다.
ㄷ. 전기 분해 후 수용액의 pH는 $CSO_4(aq) > AB_2(aq)$이다.

① ㄱ ② ㄷ ③ ㄱ, ㄴ ④ ㄴ, ㄷ ⑤ ㄱ, ㄴ, ㄷ

두 수용액의 전기 분해에서 생성된 물질로부터 수용액 중의 어떤 물질이 환원되기 쉬운지 또는 산화되기 쉬운지 파악하고, 이로부터 표준 환원 전위의 크기를 비교한다. 표준 산화 전위는 표준 환원 전위와 절댓값의 크기는 같고 부호만 반대이다.

08

> 황산 구리(Ⅱ)의 전기 분해와 구리의 정련

그림 (가)와 (나)는 같은 농도의 $CuSO_4(aq)$에 전극 물질을 달리하여 만든 전기 분해 장치를 나타낸 것이다.

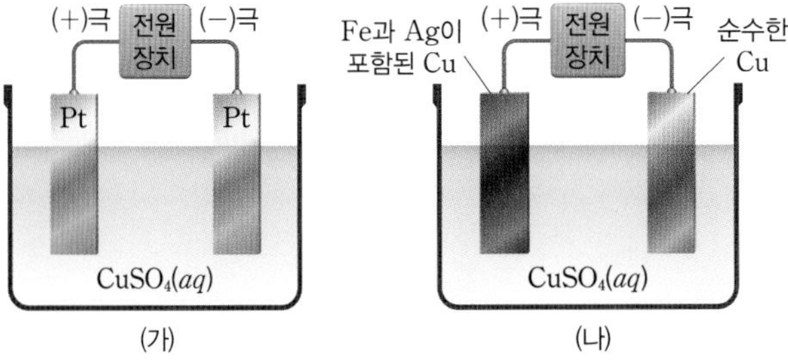

(가)와 (나)에 일정한 전하량을 흘려 주었을 때, 이에 대한 설명으로 옳은 것만을 보기에서 있는 대로 고른 것은? (단, 초기 전극의 질량은 모두 같다.)

보기
ㄱ. 수용액의 pH는 (가)<(나)이다.
ㄴ. 전극의 질량은 (나)의 (+)극이 가장 작다.
ㄷ. 수용액 중 Cu^{2+}의 수는 (가)와 (나)가 같다.

① ㄱ ② ㄷ ③ ㄱ, ㄴ ④ ㄴ, ㄷ ⑤ ㄱ, ㄴ, ㄷ

(가)는 $CuSO_4(aq)$의 전기 분해 장치이고, (나)는 불순물이 포함된 구리의 정련 장치이다. 각 전극에서 일어나는 반쪽 반응식을 써 본다.

사고력 확장 문제

IV. 전기 화학과 이용

> 정답과 해설 159쪽

01 그림은 다니엘 전지의 구성을 나타낸 것이다.

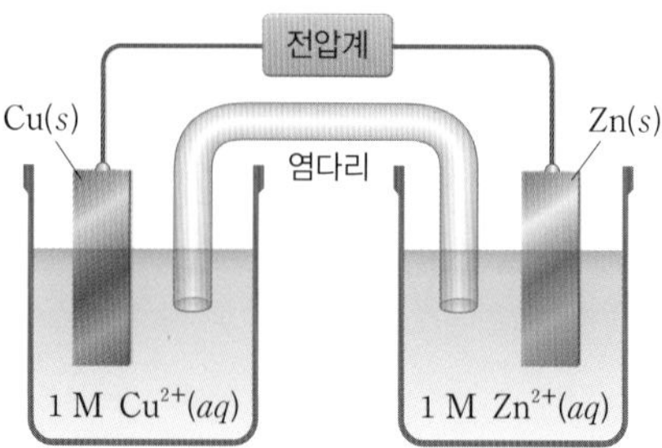

(1) 다니엘 전지에서 염다리를 제거하면 전류가 흐르지 않는 이유를 서술하시오.

(2) 염다리는 **KCl, KNO_3, Na_2SO_4** 등을 한천 용액에 포화 상태로 녹여 만든다. 만약 **$AgNO_3$**을 사용하여 염다리를 만든다면 다니엘 전지에는 어떤 변화가 나타날지 서술하시오. (단, 표준 환원 전위($E°$)는 $Ag^+ > Cu^{2+} > Zn^{2+}$이다.)

KEY WORDS
(1) • 이온의 이동
• 전하의 균형
(2) • Ag^+의 환원

02 그림은 철로 만들어진 배의 바닥에 아연(Zn)을 부착하여 철의 부식을 방지하는 방법을 나타낸 것이고, 표는 몇 가지 반쪽 반응과 표준 환원 전위($E°$)를 나타낸 것이다.

반쪽 반응	$E°$(V)
$Zn^{2+}(aq) + 2e^- \longrightarrow Zn(s)$	−0.76
$Fe^{2+}(aq) + 2e^- \longrightarrow Fe(s)$	−0.45
$Sn^{2+}(aq) + 2e^- \longrightarrow Sn(s)$	−0.14

(1) 위 자료를 참고하여 배의 바닥에 **Zn**을 부착했을 때 배의 부식이 방지되는 이유를 서술하시오.

(2) 철로 만들어진 통조림 캔이 부식되는 것을 막기 위해 주석(Sn)을 이용하여 도금을 한다. 만약 배가 부식되는 것을 막기 위해 배의 바닥에 주석을 부착한다면 어떤 변화가 일어날지 예상하고, 그 이유를 서술하시오.

KEY WORDS
(1) • 화학 전지
• (−)극과 (+)극 물질
(2) • 화학 전지
• (−)극과 (+)극 물질

03 그림과 같이 장치하고 1 M $KNO_3(aq)$과 1 M $HNO_3(aq)$을 각각 전기 분해하였다.

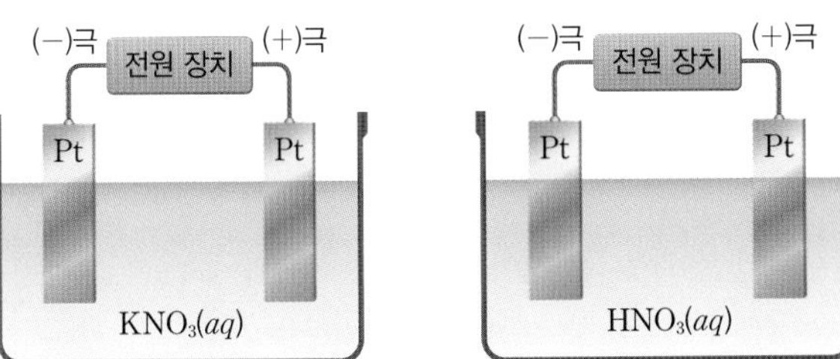

다음은 위 전기 분해와 관련된 반쪽 반응과 표준 환원 전위($E°$)이다.

- $NO_3^-(aq) + 4H^+(aq) + 3e^- \longrightarrow NO(g) + 2H_2O(l)$ $E° = a$ V
- $2H_2O(l) + 2e^- \longrightarrow H_2(g) + 2OH^-(aq)$ $E° = -0.83$ V
- $\frac{1}{2}O_2(g) + 2H^+(aq) + 2e^- \longrightarrow H_2O(l)$ $E° = +1.23$ V

두 전기 분해 장치에 같은 전하량을 흘려주었을 때 $\frac{[HNO_3]}{[KNO_3]}$의 값은 어떻게 변하는지 쓰고, 그 이유를 서술하시오. (단, $a > 0$이다.)

KEY WORDS
- KNO_3, HNO_3의 양 변화
- 물의 양 변화

04 그림은 몇 가지 전해질 수용액에 서로 다른 금속을 담그고 전선으로 연결한 장치를 나타낸 것이고, 자료는 몇 가지 반쪽 반응과 그 반응의 표준 환원 전위($E°$)이다.

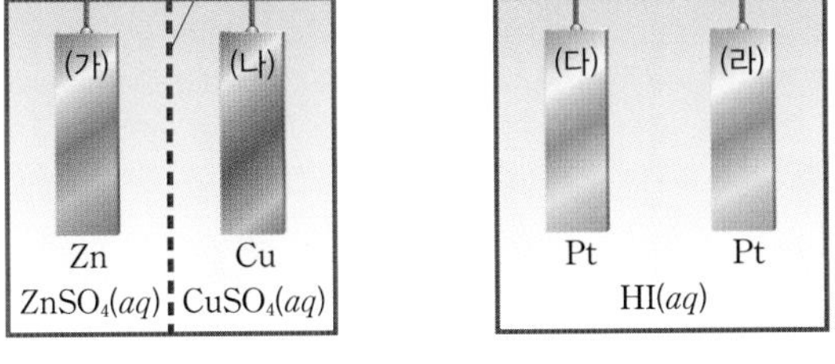

- $Zn^{2+}(aq) + 2e^- \longrightarrow Zn(s)$ $E° = -0.76$
- $Cu^{2+}(aq) + 2e^- \longrightarrow Cu(s)$ $E° = +0.34$
- $I_2(s) + 2e^- \longrightarrow 2I^-(aq)$ $E° = +0.54$
- $2H_2O(l) + 2e^- \longrightarrow H_2(g) + 2OH^-(aq)$ $E° = -0.83$
- $O_2(g) + 4H^+(aq) + 4e^- \longrightarrow 2H_2O(l)$ $E° = +1.23$

(1) 각 전극 (가)~(라)에서 일어나는 반쪽 반응식을 쓰시오.

(2) 다공성 막의 역할을 서술하시오.

(3) 전극 (다)를 Pt 대신 Cu로 바꾸었을 때 일어나는 변화를 서술하시오.

KEY WORDS
(2) • 이온의 이동
• 전하의 균형

논구술 대비 문제 IV. 전기 화학과 이용

예시 문제

다음은 금속의 반응성과 화학 전지에 관한 자료이다.

(제시문 1) 금속의 가장 큰 특징은 양이온이 되기 쉬운 성질이 있다는 것이다. 금속은 금속의 종류에 따라 양이온이 되기 쉬운 정도가 다른데, 금속이 전자를 잃고 양이온이 되려는 경향을 이온화 경향이라고 한다.

(제시문 2) 이온화 경향이 큰 금속은 전자를 잃기 쉬우므로 반응성이 큰 금속이라고도 한다. 반응성이 큰 금속을 반응성이 작은 금속의 이온과 반응시키면 반응성이 큰 금속은 산화되고 반응성이 작은 금속의 이온은 환원된다.

(제시문 3) 표준 상태(1기압, 25 ℃, 전해질 농도 1 M)에서 표준 수소 전극과 연결하여 측정한 반쪽 전지의 전극 전위를 환원 반응의 형태로 나타냈을 때의 전위를 표준 환원 전위(E°)라고 하며, 표준 환원 전위가 큰 금속일수록 환원되기 쉽고 반응성은 작다.

(제시문 4) 그림 Ⅰ은 $B^+(aq)$ 100 g에 금속 A를 넣어 반응시켰을 때, 넣어 준 금속 A의 질량에 따른 용액의 질량을, 그림 Ⅱ는 $C^{2+}(aq)$ 100 g에 금속 B를 넣어 반응시켰을 때, 넣어 준 금속 B의 질량에 따른 용액의 질량을 나타낸 것이다. A의 이온은 A^{3+}이다.

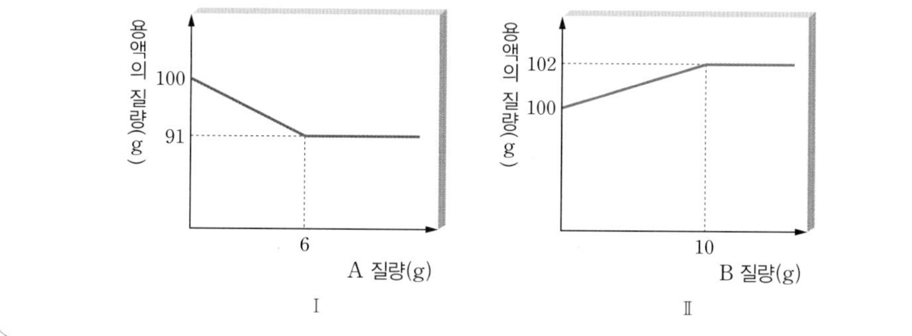

1 금속 A~C의 원자량의 비를 쓰고, 그 근거를 서술하시오. (단, A~C는 임의의 원소 기호이고, A~C는 물, 용액 속의 음이온과 반응하지 않는다.)

2 A~C 중 두 금속을 이용하여 다니엘 전지를 만들 때, 가장 큰 표준 전지 전위(E°)를 얻을 수 있는 금속을 짝 짓고, 그 이유를 서술하시오.

3 금속 A와 B를 이용하여 만든 볼타 전지에서 (−)극으로 작용하는 금속 0.5몰이 산화될 때 발생하는 수소(H_2) 기체의 양(mol)을 예측하고, 그 이유를 서술하시오. (단, 분극 작용은 일어나지 않는다고 가정한다.)

출제 의도

금속과 금속 이온 사이의 반응에서 양적 관계와 금속의 반응성과 표준 환원 전위의 관계를 파악하고, 전지에서 일어나는 산화 환원 반응에서 산화 환원 반응의 양적 관계를 파악할 수 있는지 평가한다.

문제 해결 과정

1 A와 B^+, B와 C^{2+}이 반응할 때 용액의 질량 변화로부터 A와 B, B와 C의 반응 질량비를 구하고, A와 B^+, B와 C^{2+}이 반응하는 화학 반응식의 계수비로부터 원자량비를 구한다.

2 금속 A~C의 반응성 크기와 표준 환원 전위의 관계로부터 표준 전지의 전위 크기를 비교한다.

3 금속 A와 B로 만든 볼타 전지에서 (−)극과 (+)극에서 일어나는 반쪽 반응식을 쓰고, 산화 환원 반응이 일어날 때 이동하는 전자의 양(mol)이 같아야 한다는 것으로부터 전체 반응식을 알아낸 후 양적 관계를 이용하여 구한다.

문제 해결을 위한 배경 지식

- **금속의 반응성:** 반응성이 큰 금속을 반응성이 작은 금속의 이온과 반응시키면, 반응성이 큰 금속은 이온이 되고 반응성이 작은 금속의 이온은 금속으로 석출된다. 이때 반응 전후의 이온의 총 전하량은 보존된다.
- **전지의 표준 전지 전위:** 환원 전극의 표준 환원 전위−산화 전극의 표준 환원 전위
- **산화 환원 반응의 양적 관계:** 산화 반응에서 잃는 전자의 양(mol)과 환원 반응에서 얻는 전자의 양(mol)은 같다.

예시 답안

1 금속 A를 $B^+(aq)$에 넣었을 때 일어나는 반응은 다음과 같다.
$A(s) + 3B^+(aq) \longrightarrow A^{3+}(aq) + 3B(s)$
A 6 g을 넣었을 때 용액 속 B^+이 모두 반응하였고, 이때 용액의 질량이 9 g 감소하였으므로 반응한 A와 B의 질량비는 6 : 15이다. 또, 반응한 몰비는 1 : 3이므로 원자량비는 A : B=6 : 5이다.
금속 B를 $C^{2+}(aq)$에 넣었을 때 일어나는 반응은 다음과 같다.
$2B(s) + C^{2+}(aq) \longrightarrow 2B^+(aq) + C(s)$
B 10 g을 넣었을 때 용액 속 C^{2+}이 모두 반응하였고, 이때 용액의 질량이 2 g 증가하였으므로 반응한 B와 C의 질량비는 10 : 8이고, 반응한 몰비는 2 : 1이므로 원자량비는 B : C=5 : 8이다.
따라서 A, B, C의 원자량비는 A : B : C=6 : 5 : 8이다.

2 금속 A를 $B^+(aq)$에 넣었을 때 반응이 일어나므로 금속의 반응성은 A>B이고, 금속 B를 $C^{2+}(aq)$에 넣었을 때 반응이 일어나므로 금속의 반응성은 B>C이다. 따라서 A, B, C의 반응성 크기는 A>B>C이다.
금속의 반응성이 클수록 표준 환원 전위는 작아지며, $E°_{전지}=E°_{(+)극}-E°_{(-)극}$이다. 따라서 두 전극으로 사용하는 금속의 표준 환원 전위의 차가 클수록 전지 전위는 커지므로 A와 C를 이용하여 전지를 만들 때 표준 전지 전위가 가장 크다.

3 A는 B보다 반응성이 크므로 볼타 전지를 만들었을 때 (−)극인 금속 A에서는 A의 산화 반응($A \longrightarrow A^{3+} + 3e^-$)이 일어나고, (+)극인 금속 B에서는 H^+의 환원 반응($2H^+ + 2e^- \longrightarrow H_2$)이 일어난다. 전지에서 일어나는 전체 반응식은 $2A + 6H^+ \longrightarrow 2A^{3+} + 3H_2$이므로 A 0.5몰이 산화될 때 H_2 기체 0.75몰이 발생한다.

실전 문제

정답과 해설 161쪽

1 **다음은 화학 전지에 대한 자료이다.**

(가) 화학 전지에서 (−)극에서 산화가 일어나려고 하는 힘과 (+)극에서 환원이 일어나려고 하는 힘으로 인해 두 전극 사이에 전위차가 생기게 되는데, 이 전위차를 기전력 또는 전압이라고 한다. 전위차가 생기는 것은 두 반쪽 전지의 전위가 서로 다르기 때문인데 각 반쪽 전지의 전위를 전극 전위라고 하며, 표준 수소 전극과 연결하여 측정한 반쪽 전지의 전극 전위를 환원 반응의 형태로 나타냈을 때의 전위를 표준 환원 전위라고 한다. 표는 몇 가지 반쪽 반응의 표준 환원 전위($E°$)를 나타낸 것이다.

반쪽 반응	$E°$(V)
$Na^+(aq) + e^- \longrightarrow Na(s)$	−2.71
$2H_2O(l) + 2e^- \longrightarrow H_2(g) + 2OH^-(aq)$	−0.83
$SO_4^{2-}(aq) + 4H^+(aq) + 2e^- \longrightarrow 2H_2O(l) + SO_2(g)$	+0.17
$Cu^{2+}(aq) + 2e^- \longrightarrow Cu(s)$	+0.34
$O_2(g) + 4H^+(aq) + 4e^- \longrightarrow 2H_2O(l)$	+1.23
$Cl_2(g) + 2e^- \longrightarrow 2Cl^-(aq)$	+1.36

(나) 1기압, 27 °C에서 그림과 같이 부피가 같은 2개의 용기에 1 M $NaCl(aq)$ 1 L와 1 M $CuSO_4(aq)$ 1 L를 각각 넣고 전원 장치에 0.1몰의 전자를 흘려보내 전기 분해를 진행하였다. 용기에서 기체가 차지하는 부피는 1 L이다.

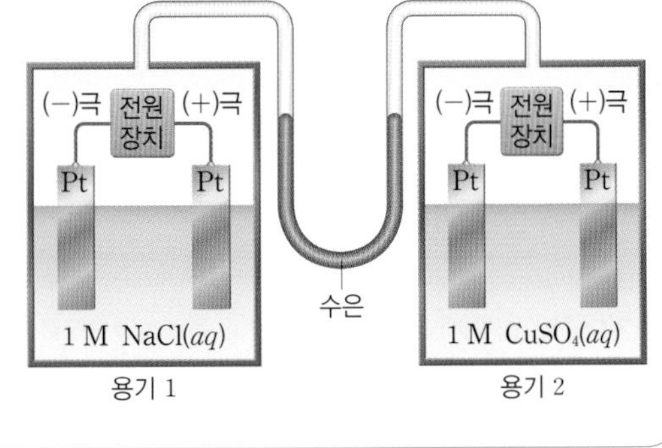

(1) 용기 1과 용기 2의 수용액의 pH를 쓰고, 근거를 서술하시오. (단, 수용액의 부피는 1 L로 일정하다.)

(2) 양쪽 수은 기둥의 높이 차를 쓰고, 근거를 서술하시오. (단, 기체 상수 R는 0.08기압·L/(mol·K)이고, 물의 증발과 기체의 용해, 연결된 U자관의 부피는 무시하며, 기체들은 서로 반응하지 않는다.)

답안

출제 의도

주어진 제시문의 내용을 이해하고, 주어진 자료로부터 두 수용액을 전기 분해할 때 각 전극에서 일어나는 반응을 알아내고, 반쪽 반응식으로부터 물질의 양적 관계를 이용하여 생성된 물질의 양을 구하고, 이로부터 용액의 pH와 기체의 압력을 구할 수 있는지 묻는다.

문제 해결을 위한 배경 지식

- **NaCl의 전기 분해:** Cl^-의 표준 산화 전위는 물의 표준 산화 전위보다 작지만 H_2O과 Cl^-이 산화 경쟁을 할 때 여러 요인으로 인해 Cl^-의 산화가 일어나기 쉽다.
- **pH와 pOH:** $pH = -\log[H^+]$, $pOH = -\log[OH^-]$, $pH + pOH = 14$
- 이상 기체 방정식은 $PV = nRT$이고, 1기압=760 mmHg이다.

2 다음은 수돗물과 정수기 물의 전기 분해와 관련된 자료이다.

(가) 외부에서 전기 에너지를 가해 (−)극과 (+)극에서 비자발적인 산화 환원 반응이 일어나게 만들어 화합물을 성분 원소로 분해하는 과정을 전기 분해라고 한다. 전해질 수용액에 전원 장치를 연결하면 (−)극에서는 환원 반응이 일어나고, (+)극에서는 산화 반응이 일어난다. 전기 분해가 일어날 때 (−)극에서는 표준 환원 전위가 가장 큰 물질의 환원이 일어나고, (+)극에서는 표준 환원 전위가 가장 작은 물질의 산화가 일어난다.

(나) 1990년대 정수기 판매 영업 사원들은 전기 침전기라는 일종의 전기 분해 장치를 들고 다니면서 정수기 판촉 활동을 한 적이 있다. 이들은 역삼투 방식을 이용한 정수기에서 나온 물과 수돗물을 전기 분해한 결과를 소비자에게 보여 주면서 정수기 판촉 활동을 하였다.

영업 사원이 들고 다닌 전기 분해 장치는 알루미늄과 철이 주성분인 금속을 전극 물질로 사용하였다. 이 장치를 정수기에서 나온 물에 넣고 전류를 흘려주면 아무 변화도 일어나지 않았지만, 수돗물에 넣고 전류를 흘려주면 전극에서 기체가 발생하고 시간이 지나면서 수돗물이 노란색으로 변하다 갈색 침전물까지 생성되었다. 영업 사원들은 이런 현상을 소비자에게 보여 주면서 수돗물에는 몸에 해로운 성분이 많이 들어 있기 때문에 나타나는 현상이라고 설명하였다.

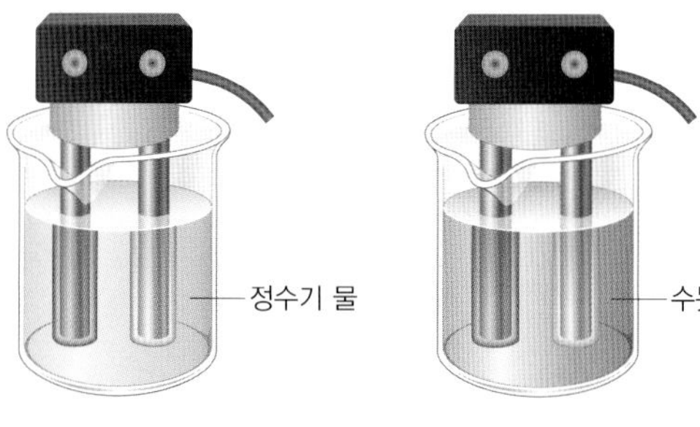

(다) 수돗물에는 미네랄 성분으로 칼륨 2.4 mg/L, 나트륨 8.8 mg/L, 칼슘 19.9 mg/L, 마그네슘 3.9 mg/L 등이 함유되어 있다. 또, 살균을 위해 잔류 염소량을 0.1~0.3 mg/L로 유지하고 있어 물속에는 미량의 염화 이온(Cl^-)이 존재한다.

(1) 물을 전기 분해했을 때 정수기에서 나온 물에서는 변화가 거의 관찰되지 않는 이유와 수돗물에서 기체가 발생하고 갈색 침전이 생성되는 이유를 추론하여 서술하시오.

(2) 수돗물을 전기 분해할 때 침전이 생기는 것은 전기 분해 장치와 관련이 있다. 수돗물을 전기 분해할 때 침전물이 생기지 않게 하기 위해서는 전기 분해 장치를 어떻게 바꾸어야 할지 쓰고, 그 이유를 서술하시오. 또, 전기 분해 장치를 바꾸었을 때 수돗물에서 일어나는 현상을 서술하시오.

답안

출제 의도

물의 전기 분해가 일어날 수 있는 조건을 알고, 전극 물질의 종류에 따라 전기 분해 시 일어날 수 있는 반응을 예측할 수 있는지 묻는다.

문제 해결을 위한 배경 지식

- 순수한 물은 전기가 통하지 않기 때문에 물을 전기 분해하기 위해서는 소량의 전해질을 첨가한다.
- 전기 분해가 일어날 때 각 전극에서는 수용액 속에 존재하는 이온과 물이 산화 또는 환원 반응 경쟁을 하는데, 전극으로 사용된 물질에 따라서는 전극 물질도 반응에 경쟁을 하게 된다.

answers & solutions

정답과 해설

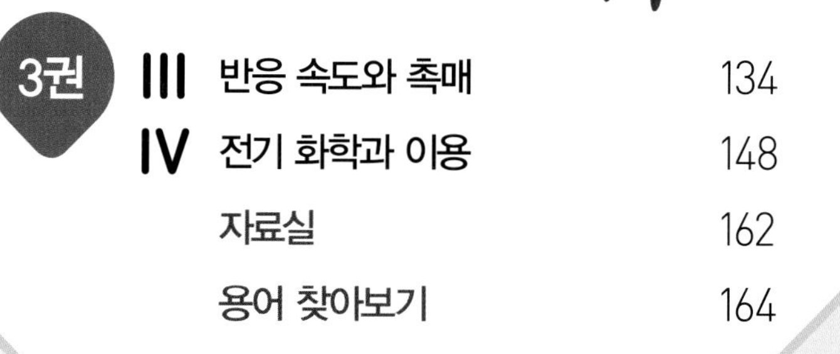

Ⅲ 반응 속도와 촉매

1. 반응 속도

01 화학 반응 속도

탐구 확인 문제 017쪽

01 ④ **02** 반응의 빠르기$=\frac{\text{발생한 기체의 질량}}{\text{반응 시간}}$

01 ④ 순간 반응 속도는 각 시간에서 그래프의 접선의 기울기와 같은데, 그래프의 기울기가 점차 감소하고 있으므로 시간이 지날수록 반응 속도가 점차 느려진다.

바로 알기 ① 수소 기체의 부피가 50초 이전부터 변하지 않으므로 반응이 끝난 시간은 50초 이전이다.

② 반응 속도$=\frac{\text{발생한 수소의 부피(mL)}}{\text{반응 시간(s)}}$이므로 단위는 mL/s이다.

③ 속도가 가장 빠른 구간은 그래프의 기울기가 가장 큰 0~10초 구간이다.

⑤ 반응 속도가 점차 느려지고 있으므로 전체 반응 속도보다 초기 반응 속도가 빠르다.

02 일정 시간 동안 발생한 기체의 질량을 측정하여 반응의 빠르기를 구하므로 반응의 빠르기$=\frac{\text{발생한 기체의 질량}}{\text{반응 시간}}$으로 나타낼 수 있다.

집중 분석 018쪽

유제 ④

유제 ㄱ. 반감기가 1분으로 일정하므로 1차 반응이다.

ㄷ. 1차 반응이므로 반응 속도식은 $v=k[A]$이며, 반응 속도는 A의 농도에 정비례한다. 반감기가 1분이므로 4분 후에는 A의 농도가 처음 농도의 $\frac{1}{16}$로 감소하게 되어 반응 속도도 초기 반응 속도의 $\frac{1}{16}$이 된다.

바로 알기 ㄴ. 온도가 일정할 때 반응 속도 상수(k)는 농도에 관계없이 일정하므로 반응이 끝날 때까지 일정하게 유지된다.

개념 모아 정리하기 021쪽

❶ 빠른 ❷ 느린 ❸ 반응물 ❹ 생성물 ❺ 접선 ❻ m ❼ n ❽ $m+n$ ❾ 온도 ❿ 반$\left(\frac{1}{2}\right)$ ⓫ 1

개념 기본 문제 022~023쪽

01 ⑤ **02** $-\frac{\Delta[O_2]}{\Delta t}=\frac{1}{2}\frac{\Delta[NO_2]}{\Delta t}$ **03** 반응 시간, 발생한 기체(수소 기체)의 부피 **04** ㄷ **05** ㄱ, ㄴ, ㄷ **06** 0.0125 M **07** (1) $v=k[NO]^2[O_2]$ (2) 7500 /(M^2·s) **08** (1) $v=k[A]$ (2) 2 : 7 **09** ㄴ, ㄷ **10** ㄱ, ㄴ

01 연소 반응, 중화 반응, 앙금 생성 반응은 빠른 반응이고, 철이 부식되는 반응은 느린 반응이다.

02 O_2는 농도가 감소하는 반응물이므로 (−) 부호를 붙여야 하고, NO_2는 반응식의 계수가 2이므로 농도 변화에 $\frac{1}{2}$을 곱해 주어야 한다.

03 기체가 발생하는 반응이므로 반응의 빠르기는 $\frac{\text{발생한 기체의 부피}}{\text{반응 시간}}$로 구할 수 있다. 따라서 반응 시간과 발생한 기체의 부피를 반드시 측정해야 한다.

04 ㄷ. 10초 동안 생성된 기체의 부피는 0~10초 사이가 가장 크므로, 이 구간에서 평균 반응 속도가 가장 크다.

바로 알기 ㄱ. 0차 반응은 반응물의 농도에 관계없이 반응 속도가 일정한 반응이다. 주어진 반응이 0차 반응이기 위해서는 10초 동안 발생한 기체의 부피가 모든 구간에서 동일해야 한다. 그러나 주어진 반응은 10초 동안 발생한 기체의 부피가 점점 감소한다.

ㄴ. 30~40초 사이의 10초 동안 발생한 기체의 부피가 3 mL이므로 반응 속도는 $\frac{3\text{ mL}}{10\text{ s}}=0.3$ mL/s이다.

05 ㄱ, ㄴ. 순간 반응 속도는 그래프의 각 점에 접하는 접선의 기울기인데, A의 농도가 큰 지점일수록 접선의 기울기가 크므로 반응 속도가 빠르다. t_1에서의 접선의 기울기가 t_2에서보다 크므로 t_1에서의 반응 속도가 t_2에서보다 빠르다.

ㄷ. 평균 반응 속도는 반응 시간 동안 감소한 반응물의 농도 변화량으로 나타낼 수 있으므로 t_1~t_2 구간의 평균 반응 속도는 $-\frac{(C_2-C_1)\text{ M}}{(t_2-t_1)\text{ s}}$이다.

06 반감기가 40초이므로 160초일 때의 농도는 120초일 때의 $\frac{1}{2}$이다. 120초일 때 농도가 0.025 M이므로 160초일 때는 $\frac{1}{2}$인 0.0125 M이 된다.

07 (1) 실험 Ⅱ와 Ⅲ을 비교하면 반응 속도는 [NO]의 제곱에 비례하는 것을 알 수 있으며, 실험 Ⅰ과 Ⅱ를 비교하면 반응 속도는 $[O_2]$에 정비례하는 것을 알 수 있다. 따라서 반응 속도식은 $v=k[NO]^2[O_2]$이다.

(2) 반응 속도식에 실험 Ⅱ의 자료를 대입하면 $k=\frac{v}{[NO]^2[O_2]}$
$=\frac{0.06\text{ M/s}}{(0.02\text{ M})^2\times0.02\text{ M}}=\frac{3}{4}\times10^4\text{ /(M}^2\cdot\text{s)}=7500\text{ /(M}^2\cdot\text{s)}$이다.

08 (1) 2분마다 A의 농도가 반으로 줄어들므로 반감기가 일정한 1차 반응이다. 따라서 반응 속도식은 $v=k[A]$이다.

(2) $t=6$분에서는 A의 농도가 $t=4$분에서의 반이 되므로 A의 입자 수는 2개가 되고, 감소한 A 2개가 반응하여 B 1개를 생성하므로 B의 입자 수는 7개가 되어 입자 수비 A : B =2 : 7이다.

09 ㄴ. 처음 2분 동안의 X의 농도 변화량은 A가 B의 2배이므로 반응 속도도 2배이다.

ㄷ. A, B 모두 반감기가 2분이고 X의 처음 농도가 A가 B의 2배이므로 어느 시간에서든 X의 농도는 A가 B의 2배이다.

바로 알기 ㄱ. A와 B는 반감기가 같으므로 반응 속도 상수가 같다. 온도가 변하면 반응 속도 상수도 변하므로 A와 B의 반응 온도는 같다.

10 ㄱ. 반응 속도가 A의 농도에 정비례하여 증가하므로 1차 반응이다.

ㄴ. 반응 속도식이 $v=k[A]$이므로 $k=\frac{v}{[A]}$에서 A의 농도가 1 M일 때 값을 대입하면 $k=\frac{3\text{ M/s}}{1\text{ M}}=3\text{ /s}$이다.

바로 알기 ㄷ. 반감기는 농도에 따라 변하지 않으므로 P에서와 Q에서가 같다.

개념 적용 문제 024~027쪽

01 ② 02 ⑤ 03 ① 04 ⑤ 05 ② 06 ②
07 ③ 08 ⑤

01 ㄴ. (나)는 반응에서 생성된 앙금이 일정량 이상이 되면 ×표가 보이지 않게 되는 것을 이용하는 방법이다.

바로 알기 ㄱ. (가)에서는 반응에서 발생한 기체가 물을 통과하여 눈금실린더에 포집되므로, 물에 잘 녹지 않는 기체가 발생하는 반응에 이용할 수 있다. 그런데 암모니아는 물에 매우 잘 녹는 기체이므로 이용할 수 없다.

ㄷ. (가)에서 반응의 빠르기의 단위는 mL/s이고, (나)에서 반응의 빠르기의 단위는 1/s이다.

02 ㄱ. B의 농도를 일정하게 하고 A의 농도를 변화시킨 실험 Ⅰ과 Ⅱ의 결과를 비교해 보면 A의 농도가 2배로 될 때 반응 속도도 2배가 된다. 따라서 A에 대해 1차 반응이다.

ㄴ. B 농도의 영향을 알아보기 위해서는 A의 농도를 일정하게 하고 B의 농도를 변화시킨 실험 Ⅰ과 Ⅲ을 비교해 보아야 하며, 비교 결과 B의 농도가 2배가 되면 반응 속도는 4배가 되므로 B에 대해 2차 반응이라는 것을 알 수 있다.

ㄷ. A와 B의 농도가 모두 0.04 M인 경우는 실험 Ⅲ과 비교하면 B의 농도는 같고 A의 농도를 2배로 한 것이고, 반응 속도는 A의 농도에 정비례하므로 실험 Ⅲ의 2배인 1.6 M/s이다.

03 ㄴ. $[O_3]_0$가 2 M로 일정하고, $[NO]_0$가 1 M에서 3 M로 3배가 될 때 반응 속도도 3배가 되므로 반응 차수는 NO에 대해 1차이다. 또, $[NO]_0$가 3 M로 일정하고 $[O_3]_0$가 1 M에서 2 M로 2배가 될 때 반응 속도도 2배가 되므로 반응 차수는 O_3에 대해 1차이다. 따라서 반응 속도식은 $v=k[O_3][NO]$이고 2차 반응이다.

바로 알기 ㄱ. x는 1.5이고, y는 6이므로 $y=4x$이다.

ㄷ. 반응 속도 상수 $k=\frac{v}{[O_3][NO]}$이므로 단위는 $\frac{\text{M/s}}{\text{M}\times\text{M}}=$ 1/(M·s)이다.

04 ㄱ. (가)에서 반응 속도가 $[B]_0$에 정비례하므로 B에 대해 1차 반응이고, (나)에서 반응 속도가 $[A]_0$의 제곱에 비례하므로 A에 대해 2차 반응이다. 따라서 반응 속도식은 $v=k[A]^2[B]$이다.

ㄴ. 반응 속도 상수 $k=\frac{v}{[A]^2[B]}$이므로 (가)에서 $[B]_0$가 0.1 M일 때 값을 대입하면 $k=\frac{0.04\ M/s}{(0.2\ M)^2\times 0.1\ M}=10\ /(M^2\cdot s)$이다.

ㄷ. $[A]_0$가 0.2 M, $[B]_0$가 0.4 M일 때 반응 속도가 0.16 M/s이고, $[A]_0$와 $[B]_0$가 모두 0.4 M인 경우는 그에 비해 $[B]_0$는 같고 $[A]_0$가 2배이므로 반응 속도는 4배가 되어 0.64 M/s이다.

05 ㄴ. (가)는 반응 속도가 반응물 농도에 정비례하므로 1차 반응이고, (나)는 반응 속도가 반응물 농도에 무관하게 일정하므로 0차 반응이다. 따라서 반응 속도식은 (가)는 $v=k_1[A]$, (나)는 $v=k_2$이다. 반응물의 농도가 1 M일 때, 반응 속도는 (가)는 k_1, (나)는 k_2인데, 반응 속도는 (가)가 (나)의 2배이므로 $k_1=2k_2$이다.

바로 알기 ㄱ. $m=1$이고 $n=0$이므로 $m+n=1$이다.
ㄷ. 1차 반응인 (가)는 반감기가 일정하지만 0차 반응인 (나)는 반감기가 일정하지 않으므로 반감기를 비교할 수 없다.

06 ㄴ. $0\sim t$, $t\sim 2t$, $2t\sim 3t$ 동안 B의 농도 감소량이 각각 4 M, 2 M, 1 M이고, A와 B의 반응 계수비가 1 : 2이므로 같은 시간 동안 A의 농도 감소량은 2 M, 1 M, 0.5 M임을 알 수 있다. 따라서 A의 반감기는 t분이고, $0\sim t$ 동안 A의 농도가 2 M 감소하므로 A의 초기 농도는 4 M이다.

바로 알기 ㄱ. 반감기는 t분이다.
ㄷ. 1차 반응이므로 반응 속도는 A의 농도에 정비례하는데, P에서 A의 농도가 2 M이고, Q에서는 1 M이므로 반응 속도는 P에서가 Q에서의 2배이다.

07 t가 반감기라고 가정하고, t분 동안 A가 n몰 반응했다고 하면 t분일 때 화학 반응식의 양적 관계는 다음과 같다.

	aA(g) ⟶	3B(g) +	C(g)
반응 전(몰)	x	0	0
반응(몰)	$-n$	$+\frac{3}{a}n$	$+\frac{1}{a}n$
반응 후(몰)	$x-n$	$\frac{3}{a}n$	$\frac{1}{a}n$

A의 몰 분율이 $\frac{1}{3}$이므로 $\frac{x-n}{x-n+\frac{4}{a}n}=\frac{1}{3}$에서

$x-n=\frac{2}{a}n$(①식)이다.

$t\sim 2t$ 동안 A가 $\frac{n}{2}$몰 반응하므로 $2t$분일 때 양적 관계는 다음과 같다.

	aA(g) ⟶	3B(g) +	C(g)
반응 전(몰)	$x-n$	$\frac{3}{a}n$	$\frac{1}{a}n$
반응(몰)	$-\frac{n}{2}$	$+\frac{3}{2a}n$	$+\frac{1}{2a}n$
반응 후(몰)	$x-\frac{3}{2}n$	$\frac{9}{2a}n$	$\frac{3}{2a}n$

A의 몰 분율이 $\frac{1}{7}$이므로 $\frac{x-\frac{3}{2}n}{x-\frac{3}{2}n+\frac{12}{2a}n}=\frac{1}{7}$에서

$2x-3n=\frac{2}{a}n$(②식)이다.

①과 ②식에서 $x-n=2x-3n$이고 $x=2n$이므로 t가 반감기라는 가정이 맞는 것을 알 수 있으며, $x=2n$을 ①식에 대입하면 $a=2$임을 알 수 있다.
위 값들을 정리하여 대입하면 $3t$분일 때 양적 관계는 다음과 같다.

	2A(g) ⟶	3B(g) +	C(g)
반응 전(몰)	$\frac{1}{2}n$	$\frac{9}{4}n$	$\frac{3}{4}n$
반응(몰)	$-\frac{1}{4}n$	$+\frac{3}{8}n$	$+\frac{1}{8}n$
반응 후(몰)	$\frac{1}{4}n$	$\frac{21}{8}n$	$\frac{7}{8}n$

A의 몰 분율$=\frac{\frac{1}{4}n}{\frac{1}{4}n+\frac{28}{8}n}=\frac{1}{15}$이다.

따라서 $m\times a=\frac{2}{15}$이다.

08 ㄱ. Ⅰ에서 B의 몰 분율이 변화가 없으므로 $t=10$분에서 A가 모두 반응한 것이다. B와 C의 계수비가 1 : 2이므로 B의 몰 분율이 $\frac{1}{3}$이 되려면 B 8몰, C 16몰이어야 한다. 즉, A 16몰과 B 8몰이 반응하여 C 16몰이 생성된 것이므로 a는 2이다.
실험 Ⅱ에서 $t=10$분일 때 B가 w몰 반응하였다면 화학 반응식의 양적 관계는 다음과 같다.

	$2A(g)$	$+$ $B(g)$	$\longrightarrow$ $2C(g)$
반응 전(몰)	24	8	0
반응(몰)	$-2w$	$-w$	$+2w$
반응 후(몰)	$24-2w$	$8-w$	$2w$

B의 몰 분율이 $\frac{1}{7}$이므로 $\frac{8-w}{24-2w+8-w+2w}=\frac{1}{7}$에서 $w=4$이다.

따라서 실험 Ⅱ에서 $t=20$분일 때 B가 y몰 반응하였다면 양적 관계는 다음과 같다.

	$2A(g)$	$+$ $B(g)$	$\longrightarrow$ $2C(g)$
반응 전(몰)	16	4	8
반응(몰)	$-2y$	$-y$	$+2y$
반응 후(몰)	$16-2y$	$4-y$	$8+2y$

B의 몰 분율이 $\frac{1}{13}$이므로 $\frac{4-y}{16-2y+4-y+8+2y}=\frac{1}{13}$에서 $y=2$이다.

한편 실험 Ⅲ에서 $t=10$분일 때 B가 z몰 반응하였다면 양적 관계는 다음과 같다.

	$2A(g)$	$+$ $B(g)$	$\longrightarrow$ $2C(g)$
반응 전(몰)	16	8	0
반응(몰)	$-2z$	$-z$	$+2z$
반응 후(몰)	$16-2z$	$8-z$	$2z$

B의 몰 분율이 $\frac{1}{5}$이므로 $\frac{8-z}{16-2z+8-z+2z}=\frac{1}{5}$에서 $z=4$이다.

따라서 반응 후 A는 8몰, B는 4몰, C는 8몰이다.

실험 Ⅱ에서 $t=20$분일 때 B가 4몰에서 2몰이 반응하였으므로 실험 Ⅲ에서도 $t=20$분일 때 B가 2몰 반응한다.

	$2A(g)$	$+$ $B(g)$	$\longrightarrow$ $2C(g)$
반응 전(몰)	8	4	8
반응(몰)	-4	-2	$+4$
반응 후(몰)	4	2	12

따라서 B의 몰 분율 x는 $\frac{1}{9}$이다.

ㄴ. 실험 Ⅱ와 Ⅲ에서 A의 농도와 관계없이 10분 간격으로 B의 농도가 8몰 → 4몰 → 2몰로 감소하므로 반감기가 10분으로 일정하다. 따라서 B에 대해 1차 반응이다.

ㄷ. B에 대해 1차 반응이므로 반응 속도는 B의 농도에 정비례한다. 따라서 초기 반응 속도는 B의 농도가 2배인 실험 Ⅰ이 Ⅱ의 2배이다.

02 활성화 에너지

개념 모아 정리하기 033쪽

❶ 활성화 에너지 ❷ 활성화물 ❸ 작을
❹ 클 ❺ 정 ❻ 역

개념 기본 문제 034쪽

01 125 kJ/mol **02** (가) 충돌 방향이 적합하지 않기 때문이다. (나) 활성화 에너지보다 작은 운동 에너지를 갖고 충돌했기 때문이다. **03** ㄱ, ㄷ **04** ㄱ, ㄴ **05** ㄱ

01 반응 엔탈피=정반응의 활성화 에너지−역반응의 활성화 에너지이므로 $-47=78-$역반응의 활성화 에너지에 의해 역반응의 활성화 에너지는 125 kJ/mol이다.

02 반응이 일어나기 위해서는 NO_2에서 N와 O 사이의 결합이 끊어지면서 CO의 C와 NO_2의 O 사이에 새로운 결합이 형성되어야 하는데 (가)에서는 C와 N가 충돌하므로 반응이 일어나지 않는다. 또, 유효 충돌을 하기 위해서는 충돌 방향과 함께 활성화 에너지 이상의 운동 에너지를 갖고 충돌해야 하는데, (나)는 적절한 방향으로 충돌하였음에도 반응이 일어나지 않았으므로 활성화 에너지보다 작은 운동 에너지로 충돌한 것이다.

03 ㄱ. 반응물의 농도가 클수록 충돌수가 증가한다. 모든 충돌이 유효 충돌이 되는 것은 아니지만 충돌수가 증가하면 유효 충돌이 일어나는 횟수도 증가한다.

ㄷ. 활성화 에너지가 작은 반응일수록 활성화 에너지 이상의 운동 에너지를 갖는 분자의 수가 증가하므로 유효 충돌이 일어나가 쉽다.

바로 알기 ㄴ. 활성화 에너지 이상의 에너지를 갖더라도 반응이 일어날 수 있는 방향으로 충돌해야 유효 충돌이 일어날 수 있다.

04 ㄱ. 정반응의 활성화 에너지가 역반응보다 작으므로 정반응이 역반응보다 일어나기 쉽다.

ㄴ. 정반응의 활성화 에너지는 a이고 역반응의 활성화 에너지는 $a+b$이다.

바로 알기 ㄷ. 역반응의 활성화 에너지가 정반응보다 크다.

05 ㄱ. 반응이 진행되는 동안 에너지가 가장 큰 불안정한 상태의 X를 활성화물이라고 한다.

바로 알기 ㄴ. 역반응의 활성화 에너지는 $184-9.4=174.6$(kJ/mol)이다.

ㄷ. 반응물이 충분한 에너지를 갖고 반응이 일어날 수 있는 방향으로 충돌해야 유효 충돌이 일어나 활성화물이 될 수 있다.

개념 적용 문제 035~037쪽

01 ⑤ 02 ① 03 ④ 04 ① 05 ① 06 ③

01 ㄱ. (가)에서 생성물의 에너지가 반응물보다 작으므로 활성화 에너지는 역반응이 정반응보다 크다.

ㄴ. 정반응의 활성화 에너지는 (나)가 (가)보다 작으므로 초기 반응 속도는 (나)가 더 크다.

ㄷ. 두 반응 모두 정반응의 활성화 에너지가 역반응보다 작으므로 정반응이 더 일어나기 쉽다.

02 주어진 반응에서 반응의 진행에 따른 엔탈피 변화를 그림으로 나타내면 다음과 같다.

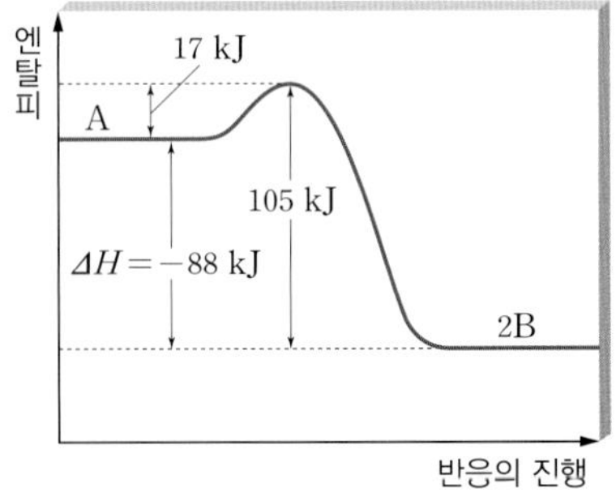

ㄴ. 활성화물은 반응 과정 중 엔탈피가 가장 높은 상태이므로 활성화물과 반응물의 엔탈피 차는 정반응의 활성화 에너지인 17 kJ/mol이다.

바로 알기 ㄱ. 반응 엔탈피(ΔH)는 반응물의 결합 에너지−생성물의 결합 에너지인데 $\Delta H<0$이므로 결합 에너지는 반응물이 생성물보다 작다.

ㄷ. 역반응이 정반응보다 활성화 에너지가 크기 때문에 반응 속도가 느려 반응 속도 상수가 작다.

03 ㄴ. 활성화물은 유효 충돌에 의해서 생성된다. 충돌 방향이 맞지 않거나 활성화 에너지보다 작은 에너지를 갖고 충돌하면 활성화물이 생성될 수 없다.

ㄷ. 정반응의 활성화 에너지(E_a)는 184 kJ이고, 역반응의 활성화 에너지(E_a')는 174.6 kJ이다.

바로 알기 ㄱ. 물질의 고유 엔탈피 값은 측정할 수 없으며, 두 물질의 엔탈피 차의 값만 알 수 있다. 따라서 184 kJ은 활성화물의 엔탈피가 아니라 활성화물과 반응물의 엔탈피 차의 값이다.

04 반응이 일어나기 위해서는 활성화 에너지 이상의 운동 에너지를 갖고 반응이 일어날 수 있는 방향(H와 H, I과 I 원자가 만나는 방향)으로 충돌해야 한다.

(가)는 2가지 조건을 모두 만족하며, (나)는 충돌 방향은 맞지만 운동 에너지가 활성화 에너지보다 작다. (다)는 충돌 방향도 맞지 않고 운동 에너지도 작으며, (라)와 (마)는 충분한 운동 에너지를 갖고 있지만 충돌 방향이 맞지 않는다. 따라서 활성화물을 형성할 가능성이 가장 큰 충돌은 (가)이다.

05 ㄱ. 촉매를 사용하면 활성화 에너지가 작아져 반응 속도가 빨라지지만 평형 상수는 변하지 않는다. 따라서 활성화 에너지가 0에 가까워져도 평형 상수는 변하지 않는다.

바로 알기 ㄴ. 유효 충돌이 일어나기 위해서는 활성화 에너지 이상의 에너지뿐만 아니라 반응이 일어날 수 있는 방향으로의 충돌이 필요하기 때문에 활성화 에너지가 0에 가깝게 되더라도 모든 충돌이 반응으로 이어지는 것은 아니다.

ㄷ. 정반응과 역반응의 활성화 에너지는 반응 엔탈피만큼 차이가 나므로 같아질 수 없다.

06 ㄱ. 활성화 에너지 이상의 에너지를 갖는 (나) 영역의 분자들만이 활성화 상태가 될 수 있다.

ㄷ. (나) 영역의 모든 분자들이 유효 충돌을 하는 것은 아니지만, (나) 영역의 분자 수가 많을수록 유효 충돌을 할 수 있는 분자 수도 늘어나 반응 속도가 빨라진다.

바로 알기 ㄴ. (나) 영역의 분자들 중 반응이 일어날 수 있는 방향으로 충돌하는 분자들이 유효 충돌을 한다.

2. 반응 속도에 영향을 미치는 요인

01 반응 속도와 농도, 온도

탐구 확인 문제 044쪽

01 ③ **02** $NaHSO_3(aq)$의 농도를 일정하게 하고, $KIO_3(aq)$의 농도를 변화시키면서 색이 변하는 데 걸린 시간을 측정한다.

01 ① 반응 속도$=\frac{1}{\text{색이 변하는 데 걸린 시간(s)}}$로 나타낼 수 있으므로 단위는 1/s이다.
② 반응 속도가 $NaHSO_3(aq)$의 농도에 대략적으로 정비례하여 증가하므로 $NaHSO_3(aq)$에 대해 1차 반응이다.
④ 색이 변하는 데 걸리는 시간이 짧을수록 반응 속도가 빠른 것이다.
⑤ $NaHSO_3(aq)$ 수용액 10 mL에 증류수 10 mL를 가한 수용액은 실험 Ⅱ보다 농도가 크므로 반응 시간이 39.7초보다 짧아진다.
바로 알기 ③ $KIO_3(aq)$의 농도를 변화시키는 실험을 하지 않았기 때문에 알 수 없다.

02 $NaHSO_3(aq)$의 농도를 일정하게 하고, 실험과 같이 혼합 용액의 부피는 같게 하면서 증류수와 $KIO_3(aq)$의 혼합 부피비를 다르게 하여 실험하면 $KIO_3(aq)$의 농도가 반응 속도에 미치는 영향을 알 수 있다.

탐구 확인 문제 045쪽

01 ㄱ, ㄴ **02** 온도를 높인다, Mg을 가루 상태로 반응시킨다, 염산의 농도를 증가시킨다 등

01 ㄱ. 반응 속도$=\frac{1}{\times\text{표가 보이지 않을 때까지 걸린 시간(s)}}$로 나타내므로 단위는 1/s이다.
ㄴ. 온도가 높을수록 ×표가 보이지 않을 때까지 걸린 시간이 짧으므로 반응 속도가 빨라지는 것을 알 수 있다.
바로 알기 ㄷ. 온도가 높아지면 황의 앙금이 생성되는 속도가 빨라지는 것이지 앙금 생성량이 많아지는 것은 아니다.
ㄹ. 온도가 10 ℃ 높아지면 반응 속도가 2배 정도 증가하지만, 충돌수가 2배 증가하는 것은 아니다. 온도에 따른 반응 속도 증가의 주된 요인은 평균 운동 에너지 증가로 인한 활성화 에너지 이상의 에너지를 갖는 입자 수 증가이다.

02 반응 속도를 Ⅱ와 같이 변화시키는 것은 생성되는 기체의 총 부피가 변하지 않으면서 초기 반응 속도를 증가시키는 것이다. 반응 속도를 빠르게 하는 방법에는 온도를 높이거나, 표면적을 증가시키거나, 반응물의 농도를 증가시키거나, 정촉매를 사용하는 방법 등이 있다. Mg의 양을 증가시켜도 초기 반응 속도가 빨라질 수 있는데, 이 경우에는 생성되는 기체의 총 부피도 증가하게 된다.

개념 모아 정리하기 047쪽

❶ 증가	❷ 감소	❸ 증가	❹ 증가
❺ 클	❻ 활성화	❼ <	❽ <

개념 기본 문제 048쪽

01 점점 느려진다. 염산의 농도가 감소하기 때문 **02** ㄱ **03** 온도를 높인다.(또는 정촉매를 넣는다.) **04** ㄱ, ㄷ, ㄹ **05** ㄷ

01 시간이 지날수록 그래프의 기울기가 점차 작아지므로 반응 속도가 느려진다. 반응 속도는 반응물의 농도에 비례하는데, 반응이 진행될수록 반응에 사용된 염산의 양이 증가하여 남아 있는 염산의 농도가 점차 감소하기 때문에 반응 속도가 점점 느려진다.

02 음식을 작게 써는 것은 열을 받는 표면의 면적을 증가시키기 위한 것으로 표면적과 관련이 있다.
ㄱ. 소장의 상피 세포 표면은 매끄러운 평면으로 되어 있지 않고 융털로 되어 있어 표면적이 크므로 음식물을 빠르게 흡수할 수 있다.
바로 알기 ㄴ. 온실은 온도가 높기 때문에 식물체 내에서 일어나는 다양한 반응이 여름철과 비슷한 속도로 일어날 수 있어 겨울철에도 여름 과일을 재배할 수 있다.

ㄷ. 반응물인 산소의 농도가 커지면 연소 반응의 속도가 빨라지기 때문에 불씨가 살아난다.

03 온도를 높이거나 정촉매를 첨가하면 Ⅱ와 같이 초기 반응 속도는 빨라지지만 생성되는 기체의 총 부피는 변하지 않는다. 과산화 수소수의 농도를 높이면 초기 반응 속도는 빨라지지만, 생성되는 기체의 총 부피도 증가하기 때문에 Ⅱ와는 다른 결과가 얻어진다.

04 ㄱ. 온도는 $T_1<T_2$로, 활성화 에너지 이상의 에너지를 갖는 분자가 T_1에서보다 T_2에서 더 많으므로 유효 충돌을 할 수 있는 분자의 수도 T_1에서보다 T_2에서 더 많다.
ㄷ. 온도가 높아지면 분자의 운동 속도가 빨라지므로 충돌수가 증가한다.
ㄹ. 평균 운동 에너지는 절대 온도에 비례하므로 온도가 높은 T_2에서 더 크다.
바로 알기 ㄴ. 활성화물의 에너지는 활성화 상태에 있는 물질의 에너지로, 활성화 에너지가 클수록 활성화물의 에너지도 크다. T_1과 T_2에서 활성화 에너지가 같으므로 활성화물의 에너지도 같다.

05 온도가 높을수록, 농도가 클수록, 표면적이 클수록(고체 입자의 크기가 작을수록) 반응 속도가 빨라진다.
ㄷ. 염산의 농도가 반응 속도에 미치는 영향을 알아보기 위해서는 온도와 석회석의 상태는 같고 염산의 농도만 다른 실험 Ⅰ과 Ⅴ의 결과를 비교해 보아야 한다.
바로 알기 ㄱ. 실험 Ⅰ과 Ⅲ은 온도가 같으므로 반응 속도 상수(k)도 같다. 석회석의 상태, 즉 표면적의 크기는 반응 속도 상수에 영향을 주지 않는다.
ㄴ. 활성화 에너지는 촉매에 의해서만 변하므로 실험 Ⅱ와 Ⅳ의 활성화 에너지는 같다.

개념 적용 문제 049~051쪽

01 ④ **02** ④ **03** ⑤ **04** ③ **05** ④ **06** ①

01 ㄴ. 실험 Ⅰ에서는 반감기가 2분이고, 실험 Ⅱ에서는 반감기가 1분이므로, 반감기가 짧은 실험 Ⅱ의 온도가 높다.
ㄷ. 6분일 때 X의 농도는 실험 Ⅰ에서 1 M이고, 실험 Ⅱ에서는 0.125 M이므로 실험 Ⅰ이 Ⅱ의 8배이다.
바로 알기 ㄱ. 실험 Ⅰ에서 반감기가 2분으로 일정하므로 1차 반응이다.

02 (가)는 암석이 잘게 쪼개지면 다른 물질과 접촉할 수 있는 표면적이 증가해 풍화 작용의 속도가 빨라지는 것이며, (나)는 온도가 높아 풍화 작용의 속도가 빨라지는 것이다.
ㄱ. 압력솥에서는 일반 솥에서보다 높은 온도에서 물이 끓기 때문에 쌀이 익는 속도가 빨라진다. 즉, 온도의 영향으로 (나)와 관련이 있다.
ㄴ. 고압의 산소를 사용하면 체내 산소의 농도가 높아져 헤모글로빈과 결합된 일산화 탄소를 빠르게 산소로 치환할 수 있다.
ㄷ. 표면적의 영향으로 (가)와 관련이 있다.

03 ㄱ. 반응 속도가 A의 농도에 정비례하므로 반응 속도식은 $v=k[A]$이며, T_1에서 A의 농도가 1 M일 때 반응 속도가 0.4 M/s이므로 $k=\frac{v}{[A]}=\frac{0.4\ M/s}{1\ M}=0.4\ /s$이다.
ㄴ. 같은 농도일 때 반응 속도가 T_1에서가 T_2에서의 3배이다. 즉, 반응 속도 상수가 T_1에서가 T_2에서의 3배이므로 반감기는 T_2에서가 T_1에서의 3배이다.
ㄷ. T_1에서 반응 속도식을 $v_1=k_1[A]$이라 하고, T_2에서 반응 속도식을 $v_2=k_2[A]$이라고 하면 $v_1=v_2$이므로 $k_1[A]=k_2[A]$이다. 이때 k_1이 k_2의 3배이므로 A의 초기 농도는 T_2에서가 T_1에서의 3배여야 한다.

04 (가)에서 a초마다 A의 농도가 반으로 감소하므로 1차 반응이고, 반감기는 a초이다.
ㄱ. (가)~(다)에서 반응 속도식은 $v=k[A]$이고, (다)에서 a초가 지났을 때 농도는 처음의 $\frac{1}{4}$로 감소하므로 반감기는 $\frac{a}{2}$초이다. 따라서 (다)는 (가), (나)보다 반감기가 짧으므로 높은 온도에서 반응시킨 것이다. 반응 속도 상수(k)는 (다)가 (가)의 2배이고, 초기 농도는 (가)의 $\frac{1}{2}$이므로 (가)와 (다)의 초기 반응 속도는 같다.
(나)는 반감기가 a초로 (가)와 같으므로 같은 온도에서 반응시킨 것이다. 따라서 (나)는 (가)와 반응 속도 상수(k)는 같은데 초기 농도는 (나)가 (가)의 $\frac{1}{2}$이므로 초기 반응 속도도 (나)가 (가)의 $\frac{1}{2}$이다.

ㄷ. (나)와 (다)는 초기 농도가 같은데 (나)는 반감기가 a초이므로 $t=2a$초일 때는 처음 농도의 $\frac{1}{4}$로 감소하고, (다)는 반감기가 $\frac{a}{2}$초이므로 $t=2a$초일 때는 처음 농도의 $\frac{1}{16}$로 감소한다. 따라서 A의 농도는 (나)가 (다)의 4배가 된다.

바로 알기 ㄴ. 활성화 에너지는 촉매에 의해서 변하므로 (가)~(다)의 활성화 에너지는 모두 같다.

05 $T_1<T_2$이므로 초기 반응 속도는 T_2에서가 T_1에서보다 크기 때문에 그래프의 초기 기울기는 T_2에서가 커야 한다. 또, $\Delta H<0$인 발열 반응이므로 온도가 높아질수록 역반응이 잘 일어나 평형 상태에서 B의 농도가 감소한다. 따라서 평형 상태일 때 T_2에서가 T_1에서보다 B의 농도가 작아야 한다.

바로 알기 ①과 ②의 경우 B의 농도가 반응 시간에 정비례하여 증가하는데, 이러한 경우는 0차 반응이면서 비가역 반응일 때 얻어지는 결과이다.

06 ㄱ. T_1에서 매 20분마다 B의 농도 증가량이 6.4 M → 3.2 M → 1.6 M로 증가량이 매 20분마다 반으로 감소하는 것을 알 수 있다. 이때 A와 B의 계수비가 1 : 2이므로 A의 농도 감소량은 매 20분마다 3.2 M → 1.6 M → 0.8 M로, 반감기가 20분인 1차 반응이다. 따라서 A의 초기 농도는 6.4 M이다.

T_2에서는 매 20분마다 B의 농도 증가량이 4.8 M → 1.2 M → 0.3 M로 증가량이 매 20분마다 $\frac{1}{4}$로 감소하며, A의 농도 감소량은 2.4 M → 0.6 M → 0.15 M로 감소량이 매 20분마다 $\frac{1}{4}$로 감소하므로 반감기가 10분임을 알 수 있다. 따라서 A의 초기 농도는 3.2 M이고, 매 10분마다 3.2 M → 1.6 M → 0.8 M → 0.4 M → 0.2 M → 0.1 M로 감소하는 것이므로 처음 20분 동안은 2.4 M 감소(3.2 M → 0.8 M), 그 다음 20분 동안은 0.6 M 감소(0.8 M → 0.2 M)한다.

즉, 반감기가 T_1에서가 T_2에서의 2배이므로 반응 속도는 T_2에서가 T_1에서의 2배이고, $k_2=2k_1$이다.

바로 알기 ㄴ. 1차 반응이므로 반응 속도식은 $v=k[A]$이다. 이때 A의 초기 농도는 실험 Ⅰ이 Ⅱ의 2배이고, 반응 속도 상수(k)는 실험 Ⅱ가 Ⅰ의 2배이므로 초기 반응 속도는 실험 Ⅰ과 Ⅱ가 같다.

ㄷ. 실험 Ⅱ에서 20분일 때의 A의 농도는 40분일 때의 4배이므로 순간 반응 속도도 4배가 된다.

02 반응 속도와 촉매

탐구 확인 문제 057쪽

01 ② **02** 기체를 포집하는 장치를 이용하여 일정한 시간 동안 발생하는 기체의 부피를 측정한다. **03** 과산화 수소수에 소량 첨가하여 과산화 수소수를 오래 보관하는 데 이용할 수 있다.

01 ④ 정촉매로 작용한 물질은 일정한 시간 동안 거품이 많이 발생한 눈금실린더에 넣은 KI과 감자 조각 2가지이다.

⑤ 부촉매를 사용하여 거품이 발생하지 않는 D에서 활성화 에너지가 가장 크다.

바로 알기 ② 주방용 세제를 첨가하는 것은 반응과 직접적인 관련이 없으며, 거품을 발생시킴으로써 기체가 발생하는 정도를 쉽게 확인하기 위한 것이다.

02 주방용 세제를 넣지 않고 반응에서 발생하는 산소 기체를 수상 치환으로 포집할 수 있는 장치를 사용하여 일정한 시간 동안 발생하는 기체의 부피를 측정하면 반응 속도$=\frac{\text{발생한 기체의 부피}}{\text{반응 시간}}$로 구할 수 있다.

03 과산화 수소수는 분해가 비교적 잘 일어나는 물질이므로 오랫동안 보관하면 분해가 지속적으로 일어나 순도가 떨어지게 된다. 인산을 소량 첨가하면 과산화 수소수의 분해를 방지하므로 오랫동안 순수하게 보관할 수 있다.

개념 모아 정리하기 061쪽

❶ 촉매	❷ 정촉매	❸ 부촉매	❹ 감소
❺ 증가	❻ 효소	❼ 활성 자리	❽ 기질 특이성
❾ 표면	❿ TiO_2(이산화 타이타늄)	⓫ 유기	

개념 기본 문제 062쪽

01 ㄱ **02** ㄴ **03** $Cl(g)$ **04** ㄱ, ㄴ, ㄷ **05** ㄱ

01 ㄱ. (가) → (나)의 변화는 활성화 에너지가 감소하는 것이므로 반응 속도가 빨라진다.

바로 알기 ㄴ. ΔH는 생성물과 반응물의 엔탈피 차이므로 활성화 에너지의 크기와는 관련이 없다. ΔH는 반응물과 생성물의 종류와 상태에 따라 달라진다.
ㄷ. 활성화 에너지가 작아지면 생성물이 생성되는 속도가 빨라지지만 생성물의 양은 변하지 않는다.

02 ㄴ. 유효 충돌은 활성화 에너지 이상의 에너지를 갖는 입자들 중 반응이 일어날 수 있는 방향으로 충돌하는 입자들 사이에서 일어난다. 따라서 활성화 에너지가 낮아지면 활성화 에너지 이상의 에너지를 갖는 입자 수가 증가하므로 유효 충돌수도 늘어난다.
바로 알기 ㄱ. ΔH(반응 엔탈피)는 활성화 에너지의 크기와 무관하다.
ㄷ. 활성화 에너지는 반응물이 활성화물의 상태가 되기 위해 필요한 에너지이므로 활성화 에너지가 작아지면 활성화물의 에너지도 작아진다.

03 촉매는 반응에서 자기 자신은 소모되지 않으면서 반응 속도를 변화시키는 물질이다. 염소 원자(Cl)는 1단계에서 반응에 참여하여 없어지지만 2단계에서 다시 생성되어 전체 반응에서 보면 그 양은 변하지 않으므로 촉매로 작용하는 물질이다.

04 ㄱ. 금속 촉매가 없을 경우 에텐과 수소가 직접 충돌하여 반응을 일으키지만, 금속 촉매가 존재하면 수소가 먼저 촉매 표면에 결합하여 수소 원자 간의 결합이 약화된 후 에텐과 반응하여 에테인(C_2H_6)을 생성한다. 따라서 촉매는 반응 경로를 변화시킨다.
ㄴ. 금속 촉매는 활성화 에너지를 감소시키므로 활성화물의 에너지도 감소한다.
ㄷ. 금속 촉매는 표면에서 촉매 작용을 하므로 가루로 만들면 표면적이 증가하여 촉매 작용을 할 수 있는 면적이 증가하게 되어 반응 속도가 빨라진다.

05 ㄱ. 촉매는 반응에서 소모되지 않는 물질이므로 (가)의 촉매와 (나)의 효소 모두 질량의 변화가 없다.
바로 알기 ㄴ. (나)의 효소는 한 가지 물질에만 촉매 작용을 하는 기질 특이성이 있지만, (가)의 표면 촉매는 여러 가지 물질에 촉매 작용을 할 수 있다.
ㄷ. 효소는 단백질로 구성되어 있기 때문에 적정 온도를 벗어나면 구조가 변화되면서 활성이 저하되지만, 표면 촉매는 온도의 영향을 크게 받지 않는다.

개념 적용 문제 063~065쪽

01 ① **02** ① **03** ② **04** ③ **05** ⑤ **06** ④

01 (가): A → B에서 에너지가 큰 입자들의 수가 증가한다. 즉, 입자들의 평균 운동 에너지가 증가하므로 온도가 높아진 것이다. 따라서 ㄱ과 관련이 있다.
(나): A → B에서 평균 운동 에너지는 변하지 않고 그래프의 밑면적이 변하므로 입자 수가 증가하는 것이다. 즉, 반응물의 농도가 증가하는 것이므로 ㄴ과 관련이 있다.
(다): A → B에서 활성화 에너지가 감소하므로 ㄷ과 관련이 있다. 혈액 속에는 카탈레이스라는 효소가 들어 있어 과산화수소 분해 반응의 촉매 작용을 한다.

02 ㄴ. 실험 Ⅰ과 Ⅱ는 온도가 다르며 반응 속도는 실험 Ⅱ가 Ⅰ의 4배이다. A의 초기 농도가 같으므로 반응 속도 상수(k)는 실험 Ⅱ가 Ⅰ보다 크다.
바로 알기 ㄱ. ΔH는 온도나 촉매의 영향을 받지 않으므로 모든 실험에서 같다.
ㄷ. 반응 속도가 실험 Ⅱ>실험 Ⅰ이므로 실험 온도는 $T_2>T_1$이다. 실험 Ⅱ와 Ⅲ에서 온도가 실험 Ⅱ>실험 Ⅲ인데 반응 속도는 Ⅱ와 Ⅲ이 같다. 따라서 실험 Ⅲ에서 첨가한 X(s)는 정촉매이므로 활성화 에너지는 실험 Ⅲ이 Ⅱ보다 작다.

03 ㄷ. 실험 Ⅲ의 경우 A의 초기 농도가 $4a$로 a일 때보다 유효 충돌수가 증가하지만, $\frac{\text{유효 충돌수}}{\text{전체 분자 수}}$는 $4a$일 때와 a일 때가 같다. 실험 Ⅰ은 Ⅲ보다 온도가 높으므로 같은 농도일 때 반응 속도가 빨라서 $\frac{\text{유효 충돌수}}{\text{전체 분자 수}}$가 더 크고, 실험 Ⅱ는 Ⅰ과 A의 초기 농도, 온도가 같은데 정촉매를 사용하여 반응 속도가 가장 빠르므로 $\frac{\text{유효 충돌수}}{\text{전체 분자 수}}$가 가장 크다.
바로 알기 ㄱ. 반응 속도 상수는 농도에는 무관하며, 온도에 의해 변하므로 온도가 높은 실험 Ⅰ이 Ⅲ보다 크다. 한편 반응 속도 상수는 온도에 정비례하는 것이 아니고 반응에 따라 온도 의존성이 달라지기 때문에 Ⅰ과 Ⅲ의 반응 속도 상수의 크기를 정확히 비교할 수 없다.
ㄴ. 활성화 에너지는 촉매에 의해서만 변하기 때문에 실험 Ⅰ과 Ⅲ의 활성화 에너지는 같다.

04 ㄱ. (가)는 t분마다 A의 농도가 반으로 감소하므로 반감기가

t분인 1차 반응이고, (나)는 t분마다 A의 농도가 $\frac{1}{4}$로 감소하므로 반감기가 $\frac{t}{2}$인 1차 반응이다. 1차 반응에서 반응 속도 상수와 반감기는 반비례한다. 반감기가 (나)가 (가)의 $\frac{1}{2}$이므로 반응 속도 상수는 (나)가 (가)의 2배이다.
ㄴ. (다)는 시간에 따라 A의 농도가 일정한 속도로 감소하므로 0차 반응이다. 촉매를 첨가하면 반응 경로가 바뀌어 반응 차수가 변할 수 있으므로 (다)는 촉매를 사용한 경우이다.
바로 알기 ㄷ. 활성화 에너지는 촉매에 의해서만 변하고, (다)에서 초기 반응 속도가 (가)에서보다 빠르므로 정촉매를 넣었다. 따라서 활성화 에너지는 (가)=(나)>(다)이다.

05 ㄱ. 온도와 부피가 일정하므로 A의 양(몰)은 A의 부분 압력에 비례한다. 따라서 실험 Ⅰ에서는 반감기가 t분이고, Ⅱ에서는 반감기가 $\frac{t}{2}$분이므로 실험 Ⅰ, Ⅱ 모두 1차 반응이고 반응 속도식은 $v=k[A]$로 나타낼 수 있다. 1차 반응의 반응 속도 상수는 반감기에 반비례하므로 실험 Ⅱ가 Ⅰ의 2배이다. 따라서 실험 Ⅱ에서 정촉매를 사용하였으므로 활성화 에너지는 실험 Ⅰ이 Ⅱ보다 크다.
ㄴ. 실험 Ⅰ의 반응 속도 상수를 k라고 하면 Ⅱ의 반응 속도 상수는 $2k$이므로 실험 Ⅰ과 Ⅱ의 초기 반응 속도의 비는 Ⅰ : Ⅱ$=k\times20:2k\times8=5:4$가 된다. 즉, 실험 Ⅰ의 초기 반응 속도가 Ⅱ보다 빠르다.
ㄷ. 온도와 부피가 일정할 때 A의 양(몰)은 A의 부분 압력에 비례한다. $3t$분일 때 A의 부분 압력은 실험 Ⅰ에서 $\frac{5}{2}$기압, Ⅱ에서 $\frac{1}{8}$기압이므로, 순간 반응 속도의 비는 Ⅰ : Ⅱ$=k\times\frac{5}{2}:2k\times\frac{1}{8}=10:1$이다.

06 ㄴ. 고체 X는 표면 촉매로 반응의 활성화 에너지를 감소시키기 때문에 활성화물의 에너지도 X를 사용하지 않을 때보다 작아진다.
ㄷ. X는 표면에서 촉매 작용을 하는 표면 촉매이므로 작은 조각으로 만들어 사용하면 표면적이 커져 촉매 작용을 할 수 있는 면적이 증가하게 되어 반응 속도가 빨라진다.
바로 알기 ㄱ. X는 표면 촉매이므로 금속 또는 금속의 화합물로 구성되어 있다. C, H, O, N는 비금속 원소로, 유기 촉매를 구성하는 원소이다.

통합 실전 문제

066~069쪽

01 ② **02** ① **03** ⑤ **04** ③ **05** ② **06** ⑤ **07** ④ **08** ③

01 (가)~(다)에서 A와 B가 2 : 1의 몰비로 반응하므로 화학 반응식에서 $a=2$, $b=1$이다. 처음 (가)와 (나)에서 B의 농도가 같을 때 A의 농도는 (나)가 (가)의 2배인데, t초 후 A의 농도 감소량도 (나)가 (가)의 2배이므로 반응 속도는 (나)가 (가)의 2배이다. 즉, A에 대해 1차 반응이다. 또, 처음 (가)와 (다)에서 A의 농도가 같을 때 B의 농도는 (다)가 (가)의 2배인데, t초 후 B의 농도 감소량은 (가)와 (다)가 같으므로 반응 속도는 B의 농도에는 무관하다. 즉, B에 대해 0차 반응이다. 따라서 반응 속도식은 $v=k[A]$이다.
ㄴ. A의 반감기가 t초이고 A와 B는 2 : 1의 몰비로 반응하므로, 분자 모형 1개를 1몰이라고 가정하면 $2t$초 후에 (가)에는 A 1몰, B 2.5몰로 총 3.5몰이 남고, (나)에는 A 2몰, B 1몰로 총 3몰이 남는다.
바로 알기 ㄱ. $a+b=2+1=3$이다.
ㄷ. 반응 속도는 B의 농도에는 무관하고 A의 농도에 정비례하므로, A와 B의 농도를 각각 2배로 하면 초기 반응 속도는 2배가 된다.

02 실험 Ⅰ에서 t초 동안 반응한 A의 양(몰)을 $2x$라고 하면 양적 관계는 다음과 같다.

	$2A(g)$	+ $B(g)$	$\longrightarrow$ $C(g)$
반응 전(몰)	6	6	0
반응(몰)	$-2x$	$-x$	$+x$
반응 후(몰)	$6-2x$	$6-x$	x

반응 후 기체의 전체 양(몰)이 9몰이므로 $12-2x=9$, $x=1.5$이다. 즉, A 3몰과 B 1.5몰이 반응하여 C 1.5몰이 생성된다.
실험 Ⅱ와 Ⅲ에서도 마찬가지로 t초 동안 반응한 A의 양(몰)을 각각 $2y$, $2z$라고 하면 양적 관계는 다음과 같다.

	$2A(g)$	+ $B(g)$	$\longrightarrow$ $C(g)$
반응 전(몰)	6	12	0
반응(몰)	$-2y$	$-y$	$+y$
반응 후(몰)	$6-2y$	$12-y$	y

실험 Ⅱ에서 반응 후 기체의 전체 양(몰)이 15몰이므로 $18-2y=15$, $y=1.5$이다. 즉, A 3몰과 B 1.5몰이 반응하여 C 1.5몰이 생성된다.

	$2A(g)$	+ $B(g)$	$\longrightarrow$ $C(g)$
반응 전(몰)	12	6	0
반응(몰)	$-2z$	$-z$	$+z$
반응 후(몰)	$12-2z$	$6-z$	z

실험 Ⅲ에서 반응 후 기체의 전체 양(몰)이 12몰이므로 $18-2z=12$, $z=3$이다. 즉, A 6몰과 B 3몰이 반응하여 C 3몰이 생성된다.

실험 Ⅰ과 Ⅲ을 비교하면 B의 농도를 일정하게 하고 A의 농도를 2배로 했을 때 반응 속도가 2배가 되므로 A에 대해 1차 반응이고, 실험 Ⅰ과 Ⅱ를 비교하면 A의 농도를 일정하게 하고 B의 농도를 2배로 했을 때 반응 속도는 변하지 않으므로 B에 대해 0차 반응이다. 따라서 반응 속도식은 $v=k[A]$이다.

ㄱ. A에 대해 1차 반응이고, 실험 Ⅰ~Ⅲ 모두 t초 후에 A의 양(몰)이 반으로 감소하므로 반감기는 t초이다.

바로 알기 ㄴ. 반응 속도는 A의 농도에 정비례하므로 초기 반응 속도는 실험 Ⅲ이 Ⅱ의 2배이다.

ㄷ. $2t$초 후는 반감기가 2번 지난 것으로 실험 Ⅰ에서는 A의 양(몰)이 1.5몰로 감소하므로 A 4.5몰과 B 2.25몰이 반응하게 되어 B의 양(몰)은 3.75몰이 된다. 실험 Ⅲ에서는 A의 양(몰)이 3몰로 감소하므로 A 9몰과 B 4.5몰이 반응하게 되어 B의 양(몰)은 1.5몰이 된다. 따라서 $2t$초일 때 B의 양(몰)은 실험 Ⅰ이 Ⅲ의 2.5배이다.

03 ㄱ. (가)에서 반응 속도는 [X]에 정비례하므로 1차 반응이고, 반응 속도식은 $v=2k[X]$이다. (나)에서 Y의 농도가 시간에 따라 일정한 속도로 감소하므로 0차 반응이고, 반응 속도식은 $v=k$이다. 따라서 $m+n=1+0=1$이다.

ㄴ. (가)에서 $[X]=1$일 때 반응 속도가 v_2이므로 반응 속도식은 $v_2=2k$이다. (나)에서 Y로부터 Z가 생성되는 반응은 반응 속도가 일정한 0차 반응이므로 t분에서 반응 속도$=k$이다. 따라서 (나)에서 t분에서의 반응 속도$=k=\frac{1}{2}v_2$이다.

ㄷ. (나)에서 반응 속도는 k로 일정한데, t분 동안 Y의 농도가 1 M 감소하므로 반응 속도$=\frac{\text{반응물의 농도 감소량}}{\text{반응 시간}}$에서 $\frac{1}{t}$ M/min이다. 따라서 $k=\frac{1}{2}v_2=\frac{1}{t}$에서 $v_2=\frac{2}{t}$이다.

04 ㄱ. Ⅰ은 반감기가 t인 1차 반응이다. Ⅱ에서 반감기는 $2t$이므로 온도는 Ⅰ > Ⅱ이고, 1차 반응에서 반응 속도 상수는 반감기에 반비례하므로 Ⅰ에서가 Ⅱ에서의 2배이다.

ㄷ. Ⅰ에서 반감기가 t분이므로 $4t$분에서 반응 속도의 상댓값은 0.5이고, Ⅱ에서 반감기가 $2t$분이므로 $4t$분에서 반응 속도의 상댓값은 1이다. 따라서 $4t$분에서 반응 속도는 Ⅱ에서가 Ⅰ에서의 2배이다.

바로 알기 ㄴ. 반응 속도 상수가 Ⅰ이 Ⅱ의 2배이므로 반응 속도식은 Ⅰ에서 $v=k[A]$라고 하면, Ⅱ에서는 $v=\frac{1}{2}k[A]$이다. $2t$분에서 Ⅰ과 Ⅱ의 반응 속도가 같으므로 $2t$분에서 A의 농도를 Ⅰ에서 $[A]_{Ⅰ}$, Ⅱ에서 $[A]_{Ⅱ}$라고 하면 $k[A]_{Ⅰ}=\frac{1}{2}k[A]_{Ⅱ}$의 관계가 성립한다. 따라서 $2[A]_{Ⅰ}=[A]_{Ⅱ}$이므로 $2t$분에서 A의 농도는 Ⅱ에서가 Ⅰ에서의 2배이다.

05 ㄴ. 반응 속도는 A의 초기 농도에 정비례하므로 이 반응은 1차 반응이다. A의 농도가 같을 때 반응 속도는 T_1에서가 T_2에서의 2배이므로 온도는 $T_1>T_2$이고, 반응 속도 상수도 T_1에서가 T_2에서의 2배이다.

바로 알기 ㄱ. 1차 반응이므로 반응 속도식은 $v=k[A]$이다.

ㄷ. T_1에서는 반감기가 $\frac{1}{2}t$이므로 $2t$에서 A의 부분 압력은 $\frac{1}{16}$기압이고, T_2에서는 반감기가 t이므로 $2t$일 때는 반감기가 2번 지난 것으로 A의 부분 압력은 $\frac{1}{2}$기압 → $\frac{1}{4}$기압 → $\frac{1}{8}$기압이 된다. 반응 속도식은 $v=k[A]$이고, 반응 속도 상수는 T_1에서가 T_2에서의 2배이므로 T_2에서 반응 속도식이 $v=k[A]$이라면 T_1에서 반응 속도식은 $v=2k[A]$이다. 따라서 T_2에서 A의 농도가 T_1에서의 2배일 때 순간 반응 속도는 같아지게 된다. $PV=nRT$에서 농도 $\frac{n}{V}=\frac{P}{RT}$이므로 시간 $2t$에서 T_1일 때 농도$\left(\frac{n}{V}\right)$는 $\frac{\frac{1}{16}}{RT_1}=\frac{1}{16RT_1}$이고, T_2일 때 농도$\left(\frac{n}{V}\right)$는 $\frac{\frac{1}{8}}{RT_2}=\frac{1}{8RT_2}$인데 $T_1>T_2$이므로 T_1일 때 A의 농도는 T_2일 때 농도의 2배보다 작아서 $2t$일 때 두 용기에서의 순간 반응 속도는 같지 않다.

06 ㄱ. 초기 반응 속도는 T_2에서가 T_1에서보다 크므로 온도는 $T_2>T_1$이다. 평형에 도달했을 때 온도가 낮은 T_1에서 생성물인 B의 농도가 크므로 정반응은 발열 반응이다.

ㄴ. T_2에서 평형 상수 $K=\frac{[B]}{[A]}=1$이므로 T_1에서 평형 상

수는 1보다 크다. 즉, T_1의 평형 상태에서 [B]>[A]이다. 정반응과 역반응이 모두 1차 반응이므로 정반응의 속도는 $v=k_1$[A], 역반응의 속도는 $v=k_2$[B]이다. 평형 상태에서는 정반응과 역반응의 속도가 같으므로 k_1[A]$=k_2$[B]의 관계가 성립하는데 T_1의 평형 상태에서 [B]>[A]이므로 $k_1>k_2$이다.
ㄷ. T_2의 평형에서는 A와 B의 농도가 같으므로 정반응과 역반응의 속도가 같기 위해서는 $k_1=k_2$이어야 한다.

07 ㄴ. (나)에서 (가)보다 활성화 에너지가 감소하므로 X(s)는 정촉매이다. 정촉매를 사용하면 활성화 에너지가 감소하며, 유효 충돌수가 증가한다.
ㄷ. (정반응의 활성화 에너지－역반응의 활성화 에너지)는 반응 엔탈피(ΔH)와 같으며, 반응 엔탈피(ΔH)는 생성물의 엔탈피(E_1)－반응물의 엔탈피(E_2)이다.
바로 알기 ㄱ. (나)의 정반응의 활성화 에너지는 (가)보다 작기 때문에 반응 속도 상수는 (가)보다 크다.

08 ㄱ. X를 첨가했을 때 적정 온도를 벗어나면 반응 속도가 감소하므로 X는 효소이며, 효소는 기질 특이성이 있어 A의 분해 반응에서만 촉매 작용을 할 수 있다.
ㄴ. 반응 속도 상수는 일반적으로 온도가 높을수록 증가하지만, 효소인 X의 경우 적정 온도 이상에서는 온도가 높을수록 반응 속도가 감소한다. R에서 반응 속도가 S보다 크므로 반응 속도 상수도 R에서가 S에서보다 크다.
바로 알기 ㄷ. 무기 촉매를 사용한 경우 활성화 에너지는 온도에 관계없이 일정하므로 P와 Q에서 같다. Q에서가 P에서보다 반응 속도가 큰 것은 온도가 높기 때문이다.

사고력 확장 문제 070~071쪽

01 (1) A의 농도를 $8n$으로 같게 하고 B의 농도를 각각 $8n$과 $16n$으로 변화시킨 실험 Ⅰ과 Ⅱ의 반응 속도를 비교해 보면, Ⅰ과 Ⅱ 모두 t분 동안 B의 농도 감소량이 $2n$으로 같으므로 반응 속도가 같다. 따라서 반응 속도는 B의 농도에 무관하다. B의 농도를 $8n$으로 같게 하고 A의 농도를 각각 $8n$과 $16n$으로 변화시킨 실험 Ⅰ과 Ⅲ의 반응 속도를 비교해 보면, Ⅰ에서는 t분 동안 B의 농도 변화량이 $2n$이지만, Ⅲ에서는 t분 동안 B의 농도 변화량이 2배인 $4n$이므로 반응 속도는 실험 Ⅲ이 Ⅰ의 2배이다. 따라서 반응 속도는 A의 농도에 정비례한다. 위 결과를 종합하면 반응 속도식은 $v=k$[A]이다.

(2) A와 B는 2 : 1의 몰비로 반응하므로 실험 Ⅳ와 Ⅱ에서 시간에 따른 A의 농도를 구하면 표와 같다.

실험	A의 농도(M)	
	t분	$2t$분
Ⅳ	$8n$	$4n$
Ⅱ	$4n$	$2n$

이 반응은 1차 반응이므로 반응 속도식은 $v=k$[A]이다. a에서 A의 농도는 $2n$이고 b에서 A의 농도는 $4n$이므로 순간 반응 속도는 b에서가 a에서의 2배이다.

모범 답안 (1) 실험 Ⅰ과 Ⅱ의 결과를 비교해 보면 B의 농도에 관계없이 반응 속도가 같으므로 B에 대해 0차 반응이고, 실험 Ⅰ과 Ⅲ의 결과를 비교해 보면 반응 속도가 A의 농도에 정비례하므로 A에 대해 1차 반응이다. 따라서 반응 속도식은 $v=k$[A]이다.
(2) 반감기가 일정한 1차 반응이므로 a에서 A의 농도는 $2n$이고, b에서 A의 농도는 $4n$이다. 반응 속도식이 $v=k$[A]이므로 반응 속도는 b에서가 a에서의 2배이다.

	채점 기준	배점(%)
(1)	반응 속도식을 옳게 쓰고, 근거를 옳게 서술한 경우	50
	반응 속도식만을 옳게 쓴 경우	20
(2)	순간 반응 속도를 옳게 비교하고, a와 b에서 A의 농도를 구해 옳게 서술한 경우	50
	순간 반응 속도만 옳게 비교한 경우	20

02 (1) (가)와 (나)에서 매 1분 동안 B와 D의 농도 증가량은 표와 같다.

구분	0~1분	1~2분	2~3분
B의 증가량(M)	4.8	1.2	0.3
D의 증가량(M)	3.2	1.6	0.8

위 결과로부터 매 1분 동안 A와 C의 농도 감소량은 표와 같다.

구분	0~1분	1~2분	2~3분
A의 감소량(M)	9.6	2.4	0.6
C의 감소량(M)	3.2	1.6	0.8

A의 감소량은 1분마다 $\frac{1}{4}$로 줄어들고, C의 감소량은 1분마다 $\frac{1}{2}$로 줄어든다. 따라서 A의 반감기는 0.5분이고, C의 반감기는 1분이므로 A의 초기 농도는 12.8 M이고, C의 초기 농도는 6.4 M이다.

(가)와 (나)는 모두 1차 반응이고 반감기는 (나)가 (가)의 2배이므로 반응 속도 상수는 (가)가 (나)의 2배이다. 따라서 (가)의 반응 속도식을 $v=k[A]$라고 하면 (나)의 반응 속도식은 $v=\frac{1}{2}k[C]$이고, A의 초기 농도는 C의 2배이므로 초기 반응 속도는 (가)가 (나)의 4배이다.

(2) 두 반응 모두 1차 반응이므로 반응물의 초기 농도에 정비례하는 직선의 그래프가 얻어지고, 반응 속도 상수가 (가)가 (나)의 2배이므로 직선의 기울기는 (가)가 (나)의 2배가 되게 그리면 된다.

모범 답안 (1) A의 농도는 1분마다 $\frac{1}{4}$로 줄어들고, C의 농도는 1분마다 $\frac{1}{2}$로 줄어들므로 반감기는 (나)가 (가)의 2배이며, 반응 속도 상수는 (가)가 (나)의 2배이다. A의 초기 농도는 12.8 M, C의 초기 농도는 6.4 M로 A가 C의 2배이다. 따라서 (가)의 반응 속도 상수와 반응물의 초기 농도가 모두 (나)의 2배이므로 초기 반응 속도는 (가)가 (나)의 4배이다.

(2)

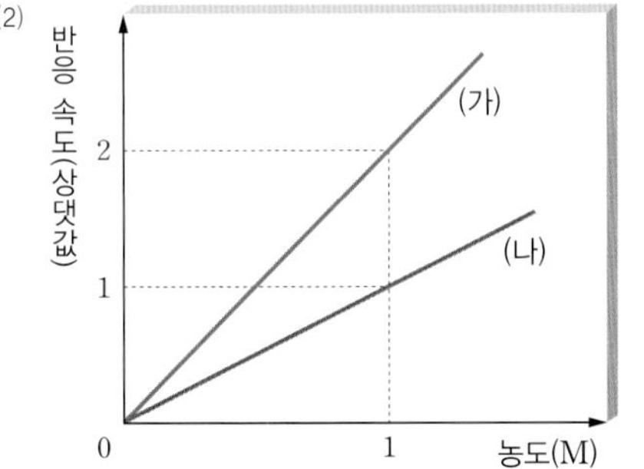

	채점 기준	배점(%)
(1)	초기 반응 속도의 크기를 옳게 비교하고, A와 C의 초기 농도와 반응 속도 상수의 상대적인 크기를 구해 이유를 옳게 서술한 경우	50
	반응물의 초기 농도, 반응 속도 상수 중 1가지만 구한 경우	20
(2)	그래프에서 직선의 기울기가 2배가 되게 옳게 나타낸 경우	50
	기울기가 2배가 되지 않거나 축의 항목이나 값에 오류가 있는 경우	20

03 (1) (정반응의 활성화 에너지−역반응의 활성화 에너지)는 반응 엔탈피($\varDelta H$)와 같으며, 반응 엔탈피($\varDelta H$)는 (반응물의 결합 에너지 총합−생성물의 결합 에너지 총합)과 같다.
따라서 HCl 분해 반응의 반응 엔탈피$=2\times431-(436+243)=183$(kJ)이고, HI 분해 반응의 반응 엔탈피$=2\times298-(436+152)=8$(kJ)이다.

(2) 정반응의 활성화 에너지는 활성화물과 반응물의 엔탈피 차이다. 활성화물이 되기 위해서는 반응물을 이루는 결합이 일정 부분 끊어져야 하므로 반응물에서 반응이 일어나기 위해 끊어져야 하는 결합이 강할수록 활성화 에너지가 크다. 따라서 결합 에너지가 더 큰 HCl 분해 반응의 활성화 에너지가 HI보다 크다.

모범 답안 (1) HCl 분해 반응: 183 kJ, HI 분해 반응: 8 kJ
(2) 활성화물이 되기 위해서는 반응물의 결합이 부분적으로 끊어져야 하므로 결합 에너지가 큰 HCl 분해 반응이 HI 분해 반응보다 활성화 에너지가 더 크다.

	채점 기준	배점(%)
(1)	2가지 값을 모두 옳게 쓴 경우	50
	1가지 값만 옳게 쓴 경우	30
(2)	활성화물과 결합 에너지의 용어를 사용하여 옳게 서술한 경우	50
	활성화물과 결합 에너지 중 1가지 용어만 사용하여 서술한 경우	30

04 (1) (나)는 (가)에 비해 초기 반응 속도가 빠르고 평형에 도달했을 때 A의 농도가 (가)에 비해 작으므로 평형 상수는 (가)에 비해 크다. 평형 상수가 변하므로 온도를 변화시킨 것이고, 초기 반응 속도가 증가하므로 온도를 높인 것임을 알 수 있다. 온도를 높일 때 평형 상수가 증가하므로, 즉 정반응 쪽으로 평형이 이동하므로 정반응은 흡열 반응이다.

(2) (다)의 초기 반응 속도는 (가)에 비해 빠르지만 평형 상태에 도달했을 때 A의 농도가 (가)와 같다. 즉, 반응 속도는 빠르게 변화시키지만 평형 상태에는 영향을 미치지 않으므로 정촉매를 첨가한 경우이다. 반응의 활성화 에너지는 촉매에 의해 변하므로 활성화 에너지의 크기는 (가)=(나)>(다)이다.

모범 답안 (1) (나)는 (가)에 비해 초기 반응 속도가 빠르고, 평형 상태에서 A의 농도가 감소했으므로 온도를 높인 것이다. 온도를 높였을 때 평형이 정반응 쪽으로 이동하므로 정반응은 흡열 반응이다.
(2) (다)는 (가)에 비해 초기 반응 속도는 빠르지만 평형에서 A의 농도는 변하지 않으므로 정촉매를 가한 것이다. 활성화 에너지는 촉매에 의해 변하므로 (가)=(나)>(다)이다.

	채점 기준	배점(%)
(1)	(나)에서 온도와 반응 속도, 온도와 평형 이동을 이용하여 옳게 서술한 경우	50
	(나)에서 온도와 반응 속도, 온도와 평형 이동을 이용하여 서술하였으나 발열 반응이라고 잘못 쓴 경우	30
(2)	활성화 에너지의 크기와 그 이유를 모두 옳게 서술한 경우	50
	활성화 에너지의 크기만 옳게 비교한 경우	30

논구술 대비 문제

Ⅲ 반응 속도와 촉매

실전 문제 1 074쪽

예시 답안 (1) 반응 속도식이 $v=k[AB_2][C_2]$이므로 1단계 반응이 속도 결정 단계인 것을 알 수 있다. 전체 반응의 활성화 에너지가 63 kJ이므로 1단계 반응의 활성화 에너지가 63 kJ이고, 2단계 반응의 활성화 에너지는 63 kJ보다 작다. 또, 1단계와 2단계의 반응이 모두 발열 반응이므로 각 단계 반응에서 생성물의 엔탈피는 반응물보다 작다. 이를 근거로 반응의 진행에 따른 엔탈피를 그림으로 나타내면 다음과 같다.

(2) 역반응은 정반응의 반대 방향으로 진행되므로 반응 메커니즘은 다음과 같다.

1단계: $AB_2C(g) \longrightarrow C(g) + AB_2(g)$, $\Delta H=295$ kJ

2단계: $AB_2C(g) + C(g) \longrightarrow AB_2(g) + C_2(g)$, $\Delta H=139$ kJ

역반응에서 1단계 반응의 활성화 에너지는 295 kJ보다 크고, 2단계 반응의 활성화 에너지는 (139+63) kJ=202 kJ이므로 1단계 반응의 활성화 에너지가 2단계보다 더 크다. 따라서 1단계가 속도 결정 단계이므로 반응 속도식은 $v=k[AB_2C]$이다.

실전 문제 2 075쪽

예시 답안 (1) (라)의 그림에서 에텐의 수소 첨가 반응의 반응 속도는 처음에는 수소의 초기 농도에 정비례하여 증가하므로 1차 반응으로 진행되지만, 약 4 M을 초과한 농도에서는 수소의 초기 농도에 관계없이 반응 속도가 일정하므로 0차 반응으로 변한다.

(2) 수소의 초기 농도가 높아지면 고체 촉매의 표면이 포화되기 때문에 더 이상 촉매 작용을 하지 못하게 되므로 반응 속도가 수소의 농도에 관계없이 일정하게 된다. 따라서 (라)의 그림에서 B점의 초기 반응 속도가 A점과 같게 나타난다. B에서의 초기 반응 속도를 증가시키기 위해서는 촉매의 양을 증가시키거나, 고체 촉매이므로 가루로 만들어 사용함으로써 촉매의 표면적을 증가시키는 방법 등이 사용될 수 있다.

Ⅳ 전기 화학과 이용

1. 전기 화학과 이용

01 화학 전지

탐구 확인 문제 093쪽

01 ①, ④ **02** A>B>C

01 ② Fe(s)과 HCl(aq)은 다음과 같이 반응한다.

$Fe(s) + 2H^+(aq) \longrightarrow Fe^{2+}(aq) + H_2(g)$

H^+ 2개가 반응하여 Fe^{2+} 1개가 생성되므로 전체 이온 수는 감소한다.

③ Zn(s)과 $CuSO_4(aq)$은 다음과 같이 반응한다.

$Zn(s) + Cu^{2+}(aq) \longrightarrow Zn^{2+}(aq) + Cu(s)$

반응이 진행될수록 수용액 속 Cu^{2+}이 Cu로 환원되어 석출되므로 용액의 푸른색은 점점 옅어진다.

⑤ Cu와 Ag은 H보다 반응성이 작으므로 H^+과 반응하지 않는다.

바로 알기 ① Zn(s)과 HCl(aq)은 다음과 같이 반응한다.

$Zn(s) + 2H^+(aq) \longrightarrow Zn^{2+}(aq) + H_2(g)$

이 반응에서는 수소(H_2) 기체가 발생한다.

④ Fe(s)과 $CuSO_4(aq)$은 다음과 같이 반응한다.

$Fe(s) + Cu^{2+}(aq) \longrightarrow Fe^{2+}(aq) + Cu(s)$

Cu^{2+} 1개가 반응하여 Fe^{2+} 1개가 생성되므로 용액 속 전체 이온 수는 변화가 없다.

02 A는 묽은 염산과 반응하고 B는 반응하지 않으므로 반응성의 크기는 A>H>B이다. 또, B를 C 이온과 반응시키면 C가 석출되므로 반응성의 크기는 B>C이다. 따라서 금속 A~C의 반응성의 크기를 비교하면 A>B>C이다.

집중 분석 094쪽

유제 ㄱ

유제 ㄱ. (가)의 수용액에서 용액 속 양이온 수가 변하는 것으로 보아 (가)에서는 반응이 일어났다는 것을 알 수 있다. 즉, 금속 B가 산화되어 양이온으로 되므로 B의 산화수는 증가한다.

바로 알기 ㄴ. (가)의 수용액에서 용액 속 양이온 수가 감소하므로 B 이온의 산화수는 A 이온의 산화수보다 크다.

(나)의 수용액에서 용액 속 양이온 수가 증가하므로 C^{2+}의 산화수가 A 이온의 산화수보다 크다. 따라서 A 이온의 산화수는 +1, B 이온의 산화수는 +2 또는 +3이다.

ㄷ. B 이온의 산화수는 +2 또는 +3이다. B 이온의 산화수를 +2라고 할 때는 다음과 같은 반응이 일어난다.

$B + C^{2+} \longrightarrow B^{2+} + C$

이 반응에서 전체 이온 수는 변하지 않고 일정하다.

B 이온의 산화수가 +3이라고 할 때는 다음과 같은 반응이 일어난다.

$2B + 3C^{2+} \longrightarrow 2B^{3+} + 3C$

이 반응에서 전체 이온 수는 감소한다.

두 경우 모두 반응이 일어나더라도 전체 이온 수는 증가하지 않는다.

집중 분석 095쪽

유제 ㄴ

유제 표준 환원 전위가 더 작은 전극이 산화 반응이 일어나는 (−)극, 표준 환원 전위가 더 큰 전극이 환원 반응이 일어나는 (+)극이다. A의 표준 환원 전위가 B의 표준 환원 전위보다 크므로 A 전극은 환원 반응이 일어나는 (+)극이고, B 전극은 산화 반응이 일어나는 (−)극이다.

(+)극: $A^{2+}(aq) + 2e^- \longrightarrow A(s)$

(−)극: $B(s) \longrightarrow B^{2+}(aq) + 2e^-$

ㄴ. A 전극에서 A^{2+}이 환원되어 금속 A가 석출되므로 A 전극의 질량이 증가한다.

바로 알기 ㄱ. 표준 전지 전위는 $E°_{전지} = E°_{(+)극} - E°_{(-)극}$이므로 $(-0.13\ V)-(-1.03\ V)=+0.90\ V$이다.

ㄷ. 전류가 흐르면 A 전극에서는 A^{2+}의 환원이 일어나 $[A^{2+}]$가 감소하고, B 전극에서는 금속 B의 산화가 일어나 $[B^{2+}]$가 증가한다. 따라서 전류가 흐르면 $\frac{[A^{2+}]}{[B^{2+}]} < 1$이 된다.

개념 모아 정리하기 098~099쪽

❶ 쉽 ❷ 크 ❸ 산화 ❹ 환원
❺ (−) ❻ (+) ❼ 분극 ❽ 염다리
❾ 쉽 ❿ 물

개념 기본 문제 100~101쪽

01 ㄱ, ㄴ **02** (1) B>Cu>A (2) 감소한다. **03** ㄷ **04** ㄷ
05 ㄱ, ㄴ, ㄹ **06** ㄷ **07** (1) A (2) ㄴ, ㄷ (3) 1.37 V **08** ㄱ, ㄴ **09** (1) 3 (2) $Zn(s) + 2Ag^+(aq) \longrightarrow Zn^{2+}(aq) + 2Ag(s)$
10 ㄱ, ㄴ, ㄷ

01 질산 은($AgNO_3$) 수용액에 구리(Cu) 선을 넣어 두면 다음과 같은 반응이 일어난다.

$Cu(s) + 2Ag^+(aq) \longrightarrow Cu^{2+}(aq) + 2Ag(s)$

Cu는 산화되어 Cu^{2+}이 되고, Ag^+은 환원되어 Ag으로 석출된다.

ㄱ. Cu^{2+}이 생성되면서 수용액의 색깔이 푸른색으로 변하는 것이므로, Cu는 Ag보다 산화되기 쉽다는 것을 알 수 있다.

ㄴ. Cu가 산화되면서 내놓은 전자가 Ag^+으로 이동한다.

바로 알기 ㄷ. 2개의 Ag^+이 석출되어 Ag으로 될 때 1개의 Cu^{2+}이 생성되므로 용액 속 전체 양이온 수는 감소한다.

02 (가)에서 반응이 일어난다. ➡ 반응성: Cu>A

(나)에서 반응이 일어난다. ➡ 반응성: B>Cu

(1) 반응성의 크기는 B>Cu>A이다.

(2) (가)에서는 2개의 A^+이 반응하여 1개의 Cu^{2+}이 생성되므로 수용액 속 전체 양이온 수는 감소한다.

03 ㄷ. 묽은 황산은 전해질 수용액 역할을 하면서 환원 반응을 일으킬 수 있는 H^+을 제공한다. 묽은 염산도 묽은 황산과 같이 전해질 수용액이면서 H^+을 제공할 수 있으므로 묽은 황산 대신 묽은 염산을 사용하여도 화학 전지를 만들 수 있다.

바로 알기 ㄱ. 두 금속이 같으면 전위차가 생기지 않으므로 전자가 이동할 수 없어 전지가 형성되지 않는다.

ㄴ. 두 금속 A와 B가 수소(H)보다 반응성이 큰지 작은지에 관계없이 두 금속의 종류가 달라 전위차가 생기는 경우 전지를 구성할 수 있다. 따라서 주어진 자료로는 금속 A와 B가 모두 수소보다 반응성이 큰지, 작은지는 알 수 없다.

04 볼타 전지의 각 전극에서 다음과 같은 반응이 일어난다.

Zn 전극((−)극): $Zn(s) \longrightarrow Zn^{2+}(aq) + 2e^-$

Cu 전극((+)극): $2H^+(aq) + 2e^- \longrightarrow H_2(g)$

ㄷ. 전류가 흐를수록 용액 속 H^+이 환원되어 H_2 기체로 되므로 H^+의 농도가 감소하여 pH가 점차 증가한다.

바로 알기 ㄱ. Zn이 Cu보다 반응성이 크므로 Zn이 산화되고, Cu 전극에서는 용액 속의 H^+이 환원된다.

ㄴ. 볼타 전지에서 일어나는 산화 환원 반응식은 다음과 같다.

$Zn(s) + 2H^+(aq) \longrightarrow Zn^{2+}(aq) + H_2(g)$

2개의 H^+이 반응하여 1개의 Zn^{2+}이 생성되므로 용액 속 전체 이온 수는 감소한다.

05 ㄱ. 다니엘 전지에 전류가 흐르기 시작하면 (−)극이 담긴 비커의 용액에서 Zn^{2+}의 농도가 증가하고, (+)극이 담긴 비커의 용액에서는 Cu^{2+}의 농도가 감소하여 전하의 불균형이 생긴다. 이때 염다리 속 양이온이 (+)극 쪽 비커의 용액으로, 염다리 속 음이온이 (−)극 쪽 비커의 용액으로 이동하여 전하의 균형을 맞추는데, 염다리를 제거하면 전하의 균형을 맞출 수 없어 전류가 흐르지 않는다.

ㄴ. (−)극인 Zn이 산화되면서 내놓은 전자가 (+)극인 Cu로 이동하면서 전류가 흐른다.

ㄹ. (−)극이 담긴 비커의 용액에서는 Zn이 산화되어 Zn^{2+}이 생성되므로 전하의 균형을 맞추기 위해 염다리로부터 Cl^-이 (−)극이 담긴 비커의 용액으로 이동한다. 따라서 (−)극 쪽 용액의 전체 이온 수는 증가한다.

(+)극이 담긴 비커의 용액에서는 Cu^{2+}이 Cu로 환원되어 용액 속 Cu^{2+}의 수가 감소하고, 전하의 균형을 맞추기 위해 염다리로부터 K^+이 (+)극이 담긴 비커의 용액으로 이동한다. 이때 Cu^{2+}과 K^+의 전하가 다르므로 Cu^{2+} 1개가 감소될 때 전하의 균형을 맞추기 위해 2개의 K^+이 이동하므로 전체 이온 수는 증가한다.

바로 알기 ㄷ. 전압계를 연결할 때 전압계의 단자와 전지의 전극은 같은 극끼리 연결해야 하므로 (+)극인 Cu 전극에는 (+)단자를, (−)극인 Zn 전극에는 (−)단자를 연결해야 한다.

06 볼타 전지의 각 전극에서는 다음과 같은 반응이 일어난다.

Zn 전극((−)극): $Zn(s) \longrightarrow Zn^{2+}(aq) + 2e^-$

Cu 전극((+)극): $2H^+(aq) + 2e^- \longrightarrow H_2(g)$

다니엘 전지의 각 전극에서는 다음과 같은 반응이 일어난다.

Zn 전극((−)극): $Zn(s) \longrightarrow Zn^{2+}(aq) + 2e^-$

Cu 전극((+)극): $Cu^{2+}(aq) + 2e^- \longrightarrow Cu(s)$

ㄷ. 두 전지 모두 Zn 전극((−)극)에서 Zn의 산화가 일어난다.

바로 알기 ㄱ. 볼타 전지에서는 Cu 전극에서 H_2 기체가 발생하여 분극 현상이 나타나지만, 다니엘 전지의 Cu 전극에서는 기체가 발생하지 않아 분극 현상이 나타나지 않는다.

ㄴ. 다니엘 전지의 Cu 전극에서는 Cu가 석출되는 반응이 일어나므로 Cu판의 질량이 증가하지만, 볼타 전지의 Cu 전극에서는 H_2 기체가 발생하는 반응이 일어나므로 Cu판의 질량이 변하지 않는다.

07 (1) 표준 환원 전위가 클수록 환원되기 쉬운 금속이고, 표준 환원 전위가 작을수록 산화되기 쉬운 금속이므로 표준 환원 전위가 가장 작은 금속 A가 가장 산화되기 쉽다.

(2) ㄴ. C^{2+}의 환원, B의 산화가 일어나는 반응이므로 C는 환원 전극인 (+)극이 되고, B는 산화 전극인 (−)극이 된다.

$E°_{전지} = E°_{(+)극} - E°_{(-)극} = (-0.44\ V) - (-0.76\ V)$
$= +0.32\ V$

$E°_{전지}$가 (+)값이므로 전류가 흐른다.

ㄷ. E^{2+}의 환원, C의 산화가 일어나는 반응이므로 E는 환원 전극인 (+)극이 되고, C는 산화 전극인 (−)극이 된다.

$E°_{전지} = E°_{(+)극} - E°_{(-)극} = (+0.34\ V) - (-0.44\ V)$
$= +0.78\ V$

$E°_{전지}$가 (+)값이므로 전류가 흐른다.

바로 알기 ㄱ. A^{2+}의 환원, D의 산화가 일어나는 반응이다. A는 환원 전극인 (+)극이 되고, D는 산화 전극인 (−)극이 된다.

$E°_{전지} = E°_{(+)극} - E°_{(-)극} = (-1.03\ V) - (-0.13\ V) = -0.90\ V$

$E°_{전지}$ 값이 (−)값이므로 전류가 흐르지 않는다.

(3) A와 E로 전지를 만들면 표준 환원 전위가 큰 E는 환원 전극인 (+)극이 되고, A는 산화 전극인 (−)극이 된다.

$E°_{전지} = E°_{(+)극} - E°_{(-)극} = (+0.34\ V) - (-1.03\ V)$
$= +1.37\ V$

08 ㄱ. 표준 환원 전위가 더 큰 Cu가 환원 전극인 (+)극이 되고, 표준 환원 전위가 더 작은 Zn이 산화 전극인 (−)극이 된다.

ㄴ. 이 전지의 표준 전지 전위($E°_{전지}$)는 $E°_{전지} = E°_{(+)극} - E°_{(-)극}$ $= (+0.34\ V) - (-0.76\ V) = +1.1\ V$이다.

바로 알기 ㄷ. (−)극과 (+)극에서는 다음과 같은 반응이 일어난다.

(−)극: $Zn(s) \longrightarrow Zn^{2+}(aq) + 2e^-$

(+)극: $Cu^{2+}(aq) + 2e^- \longrightarrow Cu(s)$

전체 반응식: $Zn(s) + Cu^{2+}(aq) \longrightarrow Zn^{2+}(aq) + Cu(s)$

09 (1) 표준 환원 전위는 표준 수소 전극과 연결하여 측정한 반쪽 전지의 전위를 환원 반응의 형태로 나타냈을 때의 전위로, 기준이 되는 수소의 표준 환원 전위($E°$)는 0이다. 수소보다 산화되기 쉬운 금속은 $E° < 0$이므로 수소보다 산화되기 쉬운 금속은 Zn, Fe, Pb 3종류이다.

(2) 두 전극의 표준 환원 전위 차가 클수록 표준 전지 전위($E°_{전지}$)가 크다. 따라서 5개의 금속 중 Zn과 Ag을 연결한 전지가 표준 전지 전위($E°_{전지}$)가 가장 크다.

Zn은 산화 반응이 일어나는 (−)극이고, Ag은 환원 반응이 일어나는 (+)극이다.

(−)극: $Zn(s) \longrightarrow Zn^{2+}(aq) + 2e^-$

(+)극: $2Ag^+(aq) + 2e^- \longrightarrow 2Ag(s)$

전체 반응: $Zn(s) + 2Ag^+(aq) \longrightarrow Zn^{2+}(aq) + 2Ag(s)$

10 ㄱ. A 전극에서는 산화 반응이 일어나므로 (−)극이다.

ㄴ. 이 전지의 전체 반응식은 다음과 같다.

$2H_2 + O_2 \longrightarrow 2H_2O$

생성물이 물이므로 환경오염 물질이 배출되지 않는다.

ㄷ. (−)극인 A 전극에서는 OH^-이 반응하므로 OH^-의 농도가 감소하여 주변 용액의 pH가 감소하는 반면, (+)극인 B 전극에서는 OH^-이 생성되므로 OH^-의 농도가 증가하여 주변 용액의 pH가 증가한다. 따라서 용액의 pH는 (+)극 쪽이 (−)극 쪽보다 크다.

개념 적용 문제 102~105쪽

01 ③ **02** ① **03** ① **04** ⑤ **05** ⑤ **06** ③
07 ② **08** ①

01 ●은 X 이온, ▲은 Y 이온, ■은 Z 이온이다.

ㄱ. 금속 Y를 $XNO_3(aq)$에 넣으면 X^+ 3개가 반응하여 Y 이온 1개가 생성된다.

$Y + 3X^+ \longrightarrow Y^{3+} + 3X$

Y 이온의 산화수는 +3이다.

ㄷ. (가) → (나)에서 X^+ 4개가 반응하여 없어지고, Z^{2+} 2개가 생성된다.

$Z + 2X^+ \longrightarrow Z^{2+} + 2X$

(나) 용액에 Z보다 반응성이 큰 Y를 넣으면 다음과 같은 반응이 일어나는데, 3개의 Z^{2+}이 반응하여 2개의 Y^{3+}이 생성되므로 용액 속 전체 이온 수는 감소한다.

$2Y + 3Z^{2+} \longrightarrow 2Y^{3+} + 3Z$

바로 알기 ㄴ. (가) → (나)에서 금속 Z를 넣으면 X^+ 4개가 반응하여 Z^{2+} 2개가 생성된다. 하지만 Y^{3+}의 수는 변하지 않으므로 Y^{3+}은 Z와 반응하지 않음을 알 수 있다. 이로부터 금속의 반응성은 Z가 X보다 크고 Y보다 작음을 알 수 있다. 따라서 X~Z 중 반응성이 가장 큰 금속은 Y이다.

02 구리(Cu) 전극에서 은(Ag) 전극으로 전자가 이동하므로 Cu 전극에서는 산화 반응이 일어나고, Ag 전극에서는 환원 반응이 일어난다.

Cu 전극((−)극): $Cu(s) \longrightarrow Cu^{2+}(aq) + 2e^-$

Ag 전극((+)극): $Ag^+(aq) + e^- \longrightarrow Ag(s)$

ㄱ. 표준 환원 전위가 클수록 환원되기 쉬우므로 Ag^+의 표준 환원 전위가 Cu^{2+}의 표준 환원 전위보다 크다.

바로 알기 ㄴ. Ag 전극에서는 Ag^+이 환원되어 Ag이 석출되므로 용액 속 Ag^+의 수가 감소하지만, 전하의 균형을 맞추기 위해 염다리에서 같은 수의 K^+이 공급되므로 용액 속 전체 이온 수는 변하지 않는다.

ㄷ. 표준 전지 전위는 두 반쪽 전지에서 일어나는 반응의 표준 환원 전위 차이며, 전극 물질을 Ag 대신 Pt으로 바꾸어도 (+)극에서는 Ag^+이 환원되는 반응이 일어나므로 표준 전지 전위는 변하지 않는다.

03 ㄱ. (가)에서 ㉠은 $HCl(aq)$과 반응하지 않으므로 H보다 반응성이 작은 금속으로, H보다 환원되기 쉽다. 따라서 ㉠의 표준 환원 전위는 H의 표준 환원 전위인 0 V보다 크다. (나)에서 ㉠은 $HNO_3(aq)$과 반응하지 않으므로 ㉠의 표준 환원 전위는 +0.96 V보다 크다. 반면, (나)에서 ㉡과 ㉢은 $HNO_3(aq)$과 반응하여 산화되므로 표준 환원 전위는 +0.96 V보다 작다.

즉, ㉠은 표준 환원 전위가 가장 크고, 세 금속의 표준 환원 전위는 $a<b<c$이므로 ㉠은 C에 해당한다.

바로 알기 ㄴ. (나)에서 ㉡과 ㉢은 $HNO_3(aq)$과 반응하여 산화되고, NO_3^-은 환원되어 NO 기체가 발생하므로 ㉡과 ㉢의 표준 환원 전위는 +0.96 V보다 작다.(➡ $a, b<+0.96<c$) 또한 (가)에서 ㉠과 ㉡은 $HCl(aq)$과 반응하지 않으므로 표준 환원 전위가 0 V보다 크고, ㉢은 $HCl(aq)$과 반응하여 H_2 기체가 발생하므로 H보다 산화되기 쉬운 금속으로 표준 환원 전위는 0 V보다 작다. 따라서 표준 환원 전위가 0 V보다 작은 금속은 1가지이므로 $a<0<b$이다.

ㄷ. (가)에서는 H_2 기체가 발생하고 (나)에서는 H^+보다 NO_3^-의 표준 환원 전위가 크기 때문에 NO_3^-이 환원되어 $NO(g)$가 발생한다.

04 ㄱ. $E°_{전지}=E°_{(+)극}-E°_{(-)극}$이므로 A와 B로 구성된 전지에서는 A의 표준 환원 전위가 B의 표준 환원 전위보다 +0.80 V 더 크다. 또, A와 C로 구성된 전지에서는 A의 표준 환원 전위가 C의 표준 환원 전위보다 +0.30 V 더 크다. 따라서 표준 환원 전위가 가장 큰 금속은 A이고, C의 표준 환원 전위는 B의 표준 환원 전위보다 +0.50 V 더 크다.

ㄴ, ㄷ. B와 C를 이용한 전지는 표준 환원 전위가 큰 C가 (+)극, 표준 환원 전위가 작은 B가 (−)극으로 두 금속의 표준 환원 전위 차가 0.50 V이므로 표준 전지 전위는 +0.50 V이다.

05 ㄱ. 두 전지에서 모두 A가 산화되므로 A가 가장 산화되기 쉬운 금속이다.

ㄴ. 첫 번째 전지에서 A는 산화되고 B^{2+}은 환원되므로 A 전극은 (−)극, B 전극은 (+)극이다.

표준 전지 전위는 $E°_{전지}=E°_{(+)극}-E°_{(-)극}=a\ V-(-0.76\ V)=1.10\ V$이므로 a는 +0.34이다. 또한 두 번째 전지에서 A는 (−)극, C는 (+)극이므로 $E°_{전지}=E°_{(+)극}-E°_{(-)극}=b\ V-(-0.76\ V)=+1.56\ V$가 되어 b는 +0.80이다. 따라서 a와 b는 모두 0보다 크다.

ㄷ. B의 표준 환원 전위(a)는 +0.34 V이고, C의 표준 환원 전위(b)는 +0.80 V이므로 B와 C로 만든 전지에서 B는 (−)극, C는 (+)극으로 작용한다. 따라서 금속 B와 C로 만든 전지의 표준 전지 전위는 $E°_{전지}=E°_{(+)극}-E°_{(-)극}=(b-a)$ V이다.

06 표 Ⅱ에서 B, C로 만든 전지 (다)의 표준 전지 전위가 가장 크므로 C의 표준 환원 전위가 B의 표준 환원 전위보다 크다고 가정하면 각 금속의 표준 환원 전위는 다음과 같은 관계가 성립한다.

문제에서 주어진 조건인 $c>d$를 만족한다.
반면, 표준 환원 전위가 B>C라고 가정하면 다음과 같은 관계가 성립한다.

이 경우 $c>d$인 조건에 위배된다.
따라서 금속의 표준 환원 전위를 비교하면 $c>e>a>b>d$이다.
ㄱ. $e>b$이므로 B가 E보다 반응성이 크다. 따라서 B를 E^{2+}과 반응시키면 B는 산화되고, E^{2+}은 환원되어 금속 E로 석출된다.
ㄴ. B와 E의 표준 환원 전위의 차는 0.63 V이므로 B와 E로 구성된 전지의 표준 전지 전위는 +0.63 V이다.
바로 알기 ㄷ. c가 +0.50라면 나머지 a, b, d, e는 모두 (−) 값이므로 수소보다 산화되기 쉬운 금속이다. 따라서 1 M $HCl(aq)$에 넣었을 때 $H_2(g)$가 발생하는 금속은 A, B, D, E의 4가지이다.

07 ㄴ. Cr의 표준 산화 전위는 +0.91 V로 Pb의 표준 산화 전위인 +0.13 V보다 크기 때문에 Cr 전극에서는 Cr의 산화가 일어난다.
➡ $Cr(s) \longrightarrow Cr^{2+}(aq) + 2e^-$
Pb 전극에서는 Pb^{2+}의 환원이 일어난다.
➡ $Pb^{2+}(aq) + 2e^- \longrightarrow Pb(s)$
따라서 전류가 흐르면 Cr^{2+}의 농도는 증가하고 Cr^{3+}의 농도는 변화가 없으므로 $\frac{[Cr^{2+}]}{[Cr^{3+}]}$는 증가한다.
바로 알기 ㄱ. Pb 전극에서는 Pb^{2+}이 환원된다.
ㄷ. $E°_{전지}=E°_{(+)극}-E°_{(-)극}=(-0.13\text{ V})-(-0.91\text{ V})$
$=+0.78\text{ V}$

08 ㄱ. 표준 환원 전위가 상대적으로 작은 쪽이 (−)극이 된다. 따라서 수소 기체가 투입되는 (가) 전극에서 산화 반응이 일어난다.
바로 알기 ㄴ. 표준 전지 전위는 $E°_{전지}=E°_{(+)극}-E°_{(-)극}=(+0.40\text{ V})-(-0.83\text{ V})=+1.23\text{ V}$이다.
ㄷ. (가) 전극에서 소모되는 OH^-의 수와 (나) 전극에서 생성되는 OH^-의 수는 같으므로 전해질 용액 속 OH^-의 수는 일정하게 유지된다. 따라서 전류가 흘러도 KOH 수용액의 pH는 변화가 없다.

02 전기 분해

탐구 확인 문제 113쪽

01 ③ **02** K_2SO_4, $NaNO_3$, KNO_3 등 **03** (−)극은 파란색, (+)극은 변하지 않는다.

01 ① 전기 분해가 진행되면 (−)극에서 OH^-이 생성되는 반응이 일어나므로 전하의 균형을 맞추기 위해 Na^+이 (−)극 쪽으로 이동하여 (−)극 주변 Na^+의 농도가 커진다.
② (−)극에서 수소 기체가 발생하고, (+)극에서 산소 기체가 발생한다. 따라서 발생하는 기체의 부피비는 (−)극 : (+)극=2 : 1이다.
④ (+)극에서는 조연성을 지닌 산소 기체가 발생하므로 꺼져가는 불씨를 가져다 대면 불씨가 살아난다.
⑤ (−)극 주변은 생성되는 OH^- 때문에 염기성을 나타내므로 페놀프탈레인 용액을 가하면 용액이 붉은색으로 변한다.
바로 알기 ③ 황산 나트륨 대신 황산 구리(Ⅱ)를 사용하면 (−)극에서는 물 대신 Cu^{2+}이 환원되므로 수소가 아닌 구리가 석출된다.

02 물을 전기 분해할 때 사용할 수 있는 전해질은 물보다 산화되기 어려운 이온과 물보다 환원되기 어려운 이온을 포함하는 물질이어야 한다. Li^+, K^+, Ca^{2+}, Na^+, Mg^{2+}, Al^{3+} 등에서 하나의 양이온을 포함하고, F^-, NO_3^-, CO_3^{2-}, SO_4^{2-}, PO_4^{3-} 등에서 하나의 음이온을 포함하는 화합물이 황산 나트륨 대신 사용될 수 있다.

03 황산 나트륨 대신 염화 나트륨을 전해질로 사용하여 물을 전기 분해하면 Na^+은 물보다 환원되기 어려우므로 (−)극에서는 물이 환원된다.

$2H_2O(l) + 2e^- \longrightarrow H_2(g) + 2OH^-(aq)$

하지만 (+)극에서는 Cl^-이 물보다 산화되기 쉬우므로 (+)극에서는 물 대신 Cl^-이 산화된다.

$2Cl^-(aq) \longrightarrow Cl_2(g) + 2e^-$

따라서 (−)극 주변 용액이 파란색으로 변하고, (+)극 주변 용액은 색이 변하지 않는다.

개념 모아 정리하기 115쪽

❶양이온 ❷음이온 ❸물 ❹물
❺물 ❻물 ❼(−) ❽(+)
❾(+) ❿(−)

개념 기본 문제 116~117쪽

01 ㄴ **02** $Cu^{2+}>H_2O>Na^+$ **03** ㄱ, ㄹ **04** ㄱ **05** ㄱ **06** ㄱ **07** ㄱ, ㄷ **08** ㄴ, ㄹ **09** (1) C, D (2) $Cu^{2+}(aq) + 2e^- \longrightarrow Cu(s)$ (3) (가)에서는 Cu^{2+}이 Cu로 환원되고, (나)에서는 Cu가 Cu^{2+}으로 산화된다 **10** ㄱ, ㄴ

01 염화 나트륨 수용액을 전기 분해하면 각 전극에서 다음과 같은 반응이 일어난다.

(+)극: $2Cl^-(aq) \longrightarrow Cl_2(g) + 2e^-$

(−)극: $2H_2O(l) + 2e^- \longrightarrow H_2(g) + 2OH^-(aq)$

ㄴ. (−)극에서는 반응 결과 OH^-이 생성되므로 (−)극 주변 용액의 pH가 증가한다.

바로 알기 ㄱ. (−)극에서는 $H_2(g)$가 발생하므로 전극의 질량은 변하지 않는다.

ㄷ. (+)극에서는 Cl^-이 산화되어 $Cl_2(g)$가 발생한다.

02 $NaNO_3$ 수용액을 전기 분해할 때 (−)극에서 Na^+과 H_2O이 경쟁을 하는데, H_2O이 환원되어 H_2 기체가 발생하므로 표준 환원 전위는 $H_2O>Na^+$이다. 또한 $Cu(NO_3)_2$ 수용액을 전기 분해할 때 (−)극에서 Cu^{2+}과 H_2O이 경쟁을 하는데, Cu^{2+}이 환원되어 Cu가 생성되므로 표준 환원 전위는 $Cu^{2+}>H_2O$이다. 따라서 표준 환원 전위는 $Cu^{2+}>H_2O>Na^+$이다.

03 표준 환원 전위는 $Ag^+>Cu^{2+}>H_2O>Na^+>Ca^{2+}$이므로 각 물질을 녹인 수용액을 전기 분해하면 각 전극에서는 다음과 같은 반응이 일어난다.

ㄱ. $NaCl(aq)$의 전기 분해

(+)극: $2Cl^-(aq) \longrightarrow Cl_2(g) + 2e^-$

(−)극: $2H_2O(l) + 2e^- \longrightarrow H_2(g) + 2OH^-(aq)$

ㄹ. $Ca(OH)_2(aq)$의 전기 분해

(+)극: $4OH^-(aq) \longrightarrow O_2(g) + 2H_2O(l) + 4e^-$

(−)극: $2H_2O(l) + 2e^- \longrightarrow H_2(g) + 2OH^-(aq)$

ㄱ과 ㄹ의 수용액을 전기 분해하면 (−)극에서 수소 기체가 발생한다.

바로 알기 ㄴ. $CuCl_2(aq)$의 전기 분해

(+)극: $2Cl^-(aq) \longrightarrow Cl_2(g) + 2e^-$

(−)극: $Cu^{2+}(aq) + 2e^- \longrightarrow Cu(s)$

ㄷ. $AgNO_3(aq)$의 전기 분해

(+)극: $2H_2O(l) \longrightarrow O_2(g) + 4H^+(aq) + 4e^-$

(−)극: $Ag^+(aq) + e^- \longrightarrow Ag(s)$

ㄴ과 ㄷ의 수용액을 전기 분해하면 (−)극에서는 각각 구리와 은이 석출된다.

04 염화 나트륨 용융액에는 Na^+과 Cl^-만 존재하므로 (−)극에서는 Na^+이 환원되고 (+)극에서는 Cl^-이 산화된다.

(−)극: $Na^+(l) + e^- \longrightarrow Na(l)$

(+)극: $2Cl^-(l) \longrightarrow Cl_2(g) + 2e^-$

염화 나트륨 수용액에는 Na^+, Cl^-, H_2O이 존재하므로 (−)극에서는 H_2O이 환원되고 (+)극에서는 Cl^-이 산화된다.

(−)극: $2H_2O(l) + 2e^- \longrightarrow H_2(g) + 2OH^-(aq)$

(+)극: $2Cl^-(aq) \longrightarrow Cl_2(g) + 2e^-$

ㄱ. 염화 나트륨 용융액과 염화 나트륨 수용액을 전기 분해하면 (+)극에서는 모두 염소 기체가 발생한다.

바로 알기 ㄴ. 염화 나트륨 용융액을 전기 분해하면 (−)극에서 나트륨이 생성되고, 염화 나트륨 수용액을 전기 분해하면 (−)극에서 수소 기체가 발생한다.

ㄷ. 용융액에서는 두 전극에서 모두 이온이 산화 또는 환원되므로 용액 속 전체 이온 수가 감소하지만, 수용액에서는 (+)극에서 2개의 Cl^-이 산화되어 염소 기체를 생성할 때 (−)극에서는 2개의 OH^-이 생성되므로 용액 속 전체 이온 수는 변하지 않는다.

05 용융액에서는 전해질을 구성하는 양이온과 음이온이 각 전극에서 환원 또는 산화된다. 따라서 수용액을 전기 분해할 때 용융액과 같은 생성물이 생성되기 위해서는 양이온은 물보다 환원되기 쉬운 물질이어야 하고, 음이온은 물보다 산화되기 쉬운 물질이어야 한다.

ㄱ. $CuCl_2$는 Cu^{2+}과 Cl^-으로 이루어져 있다. Cu^{2+}은 물보다 환원되기 쉬운 양이온이고, Cl^-은 물보다 산화되기 쉬운 음이온이므로 $CuCl_2(aq)$을 전기 분해하면 $CuCl_2(l)$을 전기 분해할 때와 같은 물질이 생성된다.

바로 알기 ㄴ. $NaCl(aq)$을 전기 분해하면 (−)극에서 물이 환원되어 수소 기체가 발생하고, $NaCl(l)$을 전기 분해하면 (−)극에서 나트륨이 생성된다.

ㄷ. $CuSO_4$의 SO_4^{2-}은 물보다 산화되기 어렵다. 따라서 $CuSO_4(aq)$을 전기 분해하면 (+)극에서 물이 산화되어 산소 기체가 발생하므로 $CuSO_4(l)$을 전기 분해할 때와 다른 물질이 생성된다.

ㄹ. KNO_3의 K^+과 NO_3^- 모두 물보다 환원되거나 산화되기 어렵다. 따라서 $KNO_3(aq)$을 전기 분해하면 (−)극에서는 물이 환원되어 수소 기체가 발생하고, (+)극에서는 물이 산화되어 산소 기체가 발생하므로 $KNO_3(l)$을 전기 분해할 때와 다른 물질이 생성된다.

06 물을 전기 분해하면 각 전극에서는 다음과 같은 반응이 일어난다.

(−)극: $2H_2O(l) + 2e^- \longrightarrow H_2(g) + 2OH^-(aq)$

(+)극: $H_2O(l) \longrightarrow \frac{1}{2}O_2(g) + 2H^+(aq) + 2e^-$

ㄱ. 물을 전기 분해할 때 (−)극에서 발생하는 수소 기체와 (+)극에서 발생하는 산소 기체의 부피비는 2 : 1이므로 (−)극에서 발생하는 기체가 (+)극에서 발생하는 기체보다 부피가 크다. 따라서 시험관 안 기체가 더 많이 모인 B 전극 쪽 기체가 수소 기체이며, B 전극이 (−)극, A 전극이 (+)극이다.

바로 알기 ㄴ. $CuCl_2$를 전해질로 사용하면 (−)극에서는 구리가, (+)극에서는 염소 기체가 생성된다. 따라서 물이 전기 분해되지 않고 $CuCl_2$가 전기 분해된다.

ㄷ. 물을 전기 분해할 때 (−)극에서는 OH^-이 생성되고, (+)극에서는 H^+이 생성되는데, 이때 OH^-과 H^+은 같은 양(mol)으로 생성되므로 전체 수용액의 액성은 중성이다.

07 ㄱ, ㄷ. 도금 장치의 각 전극에서는 다음과 같은 반응이 일어난다.

(−)극: $Ag^+(aq) + e^- \longrightarrow Ag(s)$

(+)극: $Ag(s) \longrightarrow Ag^+(aq) + e^-$

(−)극에서 환원되는 Ag^+의 수만큼 (+)극에서 Ag이 산화되어 Ag^+으로 수용액에 녹아 들어가므로 수용액 속의 Ag^+의 수는 변하지 않는다.

바로 알기 ㄴ. 금속 M은 반응에 참여하지 않으며, 환원 반응이 일어나는 전극으로서의 역할을 하므로 Ag과의 반응성 크기와는 무관하다.

08 (가)와 (나)에서 일어나는 반응은 다음과 같다.

(가) $Cu(s) + 2Ag^+(aq) \longrightarrow Cu^{2+}(aq) + 2Ag(s)$

(나) 구리 전극((−)극): $Ag^+(aq) + e^- \longrightarrow Ag(s)$

은 전극((+)극): $Ag(s) \longrightarrow Ag^+(aq) + e^-$

ㄴ. 은판에서는 은이 산화되어 은 이온이 된다.

ㄹ. (가)와 (나) 모두 구리판 표면에서 Ag^+이 Ag으로 환원되어 석출된다.

바로 알기 ㄱ. (나)에서 구리판 표면에서 Ag^+이 Ag으로 환원되어 구리 표면이 도금이 되는 것이므로 구리판은 환원 반응이 일어나는 (−)극에 연결해야 한다.

ㄷ. (가)에서는 Cu가 산화되어 푸른색을 띠는 Cu^{2+}이 생성되어 용액이 푸른색으로 변하지만, (나)에서는 구리 자체는 반응하지 않으므로 용액의 색은 변하지 않는다.

09 (1) (+)극인 (가) 전극에서는 구리와 구리보다 산화되기 쉬운, 즉 구리보다 표준 환원 전위가 작은 금속이 산화되고, 구리보다 표준 환원 전위가 큰 금속은 산화되지 못하고 금속 찌꺼기를 형성한다. 따라서 찌꺼기에 해당하는 금속은 구리보다 표준 환원 전위가 큰 C와 D이다.

(2) 순수한 구리 표면에서는 용액 중 가장 환원되기 쉬운 Cu^{2+}의 환원이 일어난다.

(3) 전극을 바꾸어 연결하면 (가)가 (−)극, (나)가 (+)극이 된다. (가)에서는 환원 반응이 일어나므로 용액 중의 Cu^{2+}이 Cu로 환원되어 전극 표면에 석출되고, (나)에서는 산화 반응이 일어나고 전극 물질은 순수한 구리이므로 Cu가 Cu^{2+}으로 산화된다.

10 ㄱ. 전자가 광촉매 전극에서 나와 백금 전극으로 이동하므로 광촉매 전극은 산화 전극에 해당한다.
ㄴ. 물의 광분해는 수소 기체를 얻기 위해 사용한다.
바로 알기 ㄷ. 물의 광분해는 식물의 광합성 과정 중 명반응 과정을 모방한 방법이다.

개념 적용 문제 118~121쪽

01 ⑤ **02** ② **03** ⑤ **04** ③ **05** ⑤ **06** ①
07 ① **08** ④

01 ㄱ. ACl_2 수용액을 전기 분해할 때 (+)극에서는 Cl^-이 산화되므로 Cl^-은 물보다 산화되기 쉬움을 알 수 있다. BSO_4 수용액을 전기 분해할 때 (+)극에서는 물이 산화되므로 물이 SO_4^{2-}보다 산화되기 쉬움을 알 수 있다. 따라서 Cl^-은 SO_4^{2-}보다 산화되기 쉽다.
ㄴ. ACl_2 수용액을 전기 분해할 때 (−)극에서 A^{2+} 대신 물이 환원되고, BSO_4 수용액을 전기 분해할 때 (−)극에서 B^{2+}이 환원되므로 환원되기 쉬운 순서는 $B^{2+}>H_2O>A^{2+}$이다. 따라서 산화되기 쉬운 순서는 환원되기 쉬운 순서와 반대이므로 A는 B보다 산화되기 쉽고, 반응성이 크다.
ㄷ. A^{2+}은 물보다 환원되기 어렵고, SO_4^{2-}은 물보다 산화되기 어려우므로 물의 전기 분해에 영향을 주지 않아 ASO_4를 전해질로 사용할 수 있다.

02 ㄴ. (−)극에서 H_2O이 환원되면서 OH^-이 생성되므로 (−)극 주변의 전하의 균형을 맞추기 위해 A^+이 (−)극 쪽으로 이동한다.
바로 알기 ㄱ. (−)극에서 수소 기체가 생성되는 것으로 보아 A^+ 대신 H_2O이 환원되는 것임을 알 수 있다. 따라서 표준 환원 전위는 $a>c$이므로 a가 가장 작은 것은 아니다.
ㄷ. 전기 분해에서 이동하는 전자 수를 맞추어 두 전극에서 일어나는 반쪽 반응식을 나타내면 다음과 같다.
(−)극: $2H_2O(l) + 2e^- \longrightarrow H_2(g) + 2OH^-(aq)$
(+)극: $H_2O(l) \longrightarrow \frac{1}{2}O_2(g) + 2H^+(aq) + 2e^-$
(−)극에서 2개의 OH^-이 생성될 때, (+)극에서는 2개의 H^+이 생성된다. 두 이온이 반응하면 물($H^+ + OH^- \longrightarrow H_2O$)을 생성하므로 수용액 속 전체 이온 수는 변하지 않는다.

03 (가)는 금속과 산이 반응하는 것을 나타낸 것이다. (나)는 두 금속을 도선으로 연결하여 화학 전지를 만든 것이고, (다)는 전원 장치를 연결하여 전기 분해를 하는 것이다.
(가): A에서는 A가 산화되면서 수소 기체가 발생한다. 하지만 B에서는 B가 산화되지 않아 수소 기체가 발생하지 않는다. 따라서 금속 A, B, 수소의 이온화 경향을 비교하면 A>H>B이다.
(나): 이온화 경향이 A>B이므로 A는 (−)극, B는 (+)극이 된다. 따라서 A가 산화되고 B에서는 $H_2SO_4(aq)$의 H^+이 환원되어 수소 기체가 발생한다.
(다): 산화 반응이 일어나는 (+)극에서 전극 물질인 A, H_2O, 수용액 속 SO_4^{2-}이 산화 반응 경쟁을 하는데, 이중 A가 가장 산화되기 쉬우므로 A가 산화되어 A 이온이 된다. 또한 환원 반응이 일어나는 (−)극에서는 표준 환원 전위가 가장 큰 H^+이 환원되어 수소 기체가 발생한다.
ㄱ. (가)~(다) 모두 A가 산화되어 A 이온이 되는 반응이 일어나므로 A의 질량은 감소한다.
ㄴ. (가)~(다)에서 모두 H^+이 환원되어 수소 기체가 발생하는 반응이 일어나므로 용액 중 H^+의 농도가 감소하여 pH가 증가한다.
ㄷ. (나)와 (다)의 B 전극에서는 모두 수소 기체가 발생한다.

04 (라)에서 금속 Y가 석출되었으므로 전극 (라)는 Y^{2+}의 환원 반응이 일어나는 (−)극이다.
전극 (라)((−)극): $Y^{2+} + 2e^- \longrightarrow Y$
따라서 (가)와 (다)는 (+)극, (나)는 (−)극이다.
ㄱ. (+)극인 전극 (다)에서는 Cl^-과 H_2O이 경쟁하는데, 이 중 Cl^-이 더 산화되기 쉽다.
전극 (다)((+)극): $2Cl^- \longrightarrow Cl_2 + 2e^-$
ㄴ. 전극 (가)~(다)에서는 서로 다른 기체가 생성되고, 전극 (다)에서는 염소 기체가 생성된다. 따라서 전극 (가)에서는 산소 기체, 전극 (나)에서는 수소 기체가 생성된다. 전극 (나)에서 물이 환원되어 수소 기체가 생성되므로 X^{2+}은 물보다 환원되기 어렵다. 전극 (라)에서는 금속 Y가 석출되므로 Y^{2+}이 물보다 환원되기 쉽다. 따라서 Y^{2+}은 X^{2+}보다 환원되기 쉬우므로 Y^{2+}과 X^{2+}의 표준 환원 전위를 비교하면 $Y^{2+}>X^{2+}$이다.

바로 알기 ㄷ. 전원 장치의 전극을 바꾸어 연결하면 전극 (가)가 (−)극이 되지만 (−)극에서 X^{2+}과 물이 경쟁하는 상황은 바뀌지 않으므로 X^{2+}보다 환원되기 쉬운 물이 환원되어 수소 기체가 발생한다.

05 환원 반응이 일어나는 (−)극에서는 다음 3가지 환원 반응이 경쟁한다.

$A^{2+}(aq) + 2e^- \longrightarrow A(s)$ ······················ ①

$A^{3+}(aq) + 3e^- \longrightarrow A(s)$ ······················ ②

$A^{3+}(aq) + e^- \longrightarrow A^{2+}(aq)$ ···················· ③

이중 표준 환원 전위가 가장 큰 반응 ③이 (−)극에서 일어난다.

한편, 산화 반응이 일어나는 (+)극에서는 다음 2가지 산화 반응이 경쟁한다.

$B(s) \longrightarrow B^{2+}(aq) + 2e^-$ ······················ ④

$A^{2+}(aq) \longrightarrow A^{3+}(aq) + e^-$ ···················· ⑤

B의 산화 반응은 표준 산화 전위가 −0.34 V로 A^{2+}의 표준 산화 전위인 −0.77 V보다 크므로 반응 ④가 (+)극에서 일어난다.

ㄱ. (−)극에서는 반응 ③이 일어나고, (+)극에서는 반응 ④가 일어나므로, A^{2+}의 농도는 증가하고 A^{3+}의 농도는 감소한다. 따라서 $\frac{[A^{2+}]}{[A^{3+}]}$는 증가한다.

ㄴ. (+)극인 B 전극에서는 반응 ④가 일어나므로, B 전극의 질량이 감소한다.

ㄷ. 전원 장치의 전극을 바꾸어 연결하면 A가 (+)극, B가 (−)극이 된다.

그러면 (+)극인 A 전극에서는 다음 3가지 산화 반응이 경쟁한다.

$A(s) \longrightarrow A^{2+}(aq) + 2e^-$ ························ ⑥

$A(s) \longrightarrow A^{3+}(aq) + 3e^-$ ························ ⑦

$A^{2+}(aq) \longrightarrow A^{3+}(aq) + e^-$ ······················ ⑧

이중 표준 산화 전위가 +0.44 V로 가장 큰 반응 ⑥이 A 전극에서 일어나므로 A 전극의 질량은 감소한다.

06 ㄱ. (+)극에서는 A의 표준 산화 전위(−0.34 V)가 H_2O의 표준 산화 전위(−1.23 V)보다 크므로 전극 물질인 A의 산화 반응이 일어난다.

(+)극: $A(s) \longrightarrow A^{2+}(aq) + 2e^-$

(−)극에서는 B^+의 표준 환원 전위가 가장 크므로 B^+의 환원 반응이 일어난다.

(−)극: $B^+(aq) + e^- \longrightarrow B(s)$

따라서 전체 반응은 $A + 2B^+ \longrightarrow A^{2+} + 2B$이 되므로 용액 속 이온 수는 감소한다.

바로 알기 ㄴ. (+)극에 금속 A 대신 금속 B를 연결해도 B의 표준 산화 전위(−0.80 V)가 물의 표준 산화 전위보다 크기 때문에 B의 산화 반응이 일어난다.

ㄷ. (+)극에 금속 A 대신 Pt을 연결하면 물의 산화 반응이 일어난다. (−)극에서는 B^+의 환원 반응이 일어나므로 전체 반응은 다음과 같다.

$2H_2O + 4B^+ \longrightarrow O_2 + 4H^+ + 4B$

따라서 용액 속 전체 이온 수는 변하지 않는다.

07 ㄱ. (가)에서는 산화 반응이 일어나므로 (가)는 (+)극에 연결되어 있다.

바로 알기 ㄴ. A와 B는 구리보다 큰 표준 산화 전위를 갖는 금속이다. 따라서 (가)에서는 Cu, A, B 세 금속이 산화되어 용액 속에는 Cu^{2+}, A^{2+}, B^{2+} 3가지 양이온이 존재한다.

ㄷ. (가)에서는 Cu, A, B 세 금속이 산화되어 이온이 되고, (나)에서는 Cu^{2+}이 환원되어 석출된다. 이때 산화되는 전체 이온의 수와 환원되는 전체 이온의 수가 같아야 하므로 산화에 의해 생성되는 Cu^{2+}의 수보다 환원되어 석출되는 Cu^{2+}의 수가 더 많다. 따라서 용액 속 Cu^{2+}의 수는 감소한다.

08 (가)의 광촉매 전극에서는 물의 산화 반응이 일어나 H^+이 생성되고, 이때 생성된 H^+이 백금 전극으로 이동하여 환원되면서 수소 기체가 발생한다.

광촉매 전극: $H_2O(l) \longrightarrow 2H^+(aq) + \frac{1}{2}O_2(g) + 2e^-$

백금 전극: $2H^+(aq) + 2e^- \longrightarrow H_2(g)$

(나)는 일반적인 물의 전기 분해 반응이므로 다음과 같은 반응이 일어난다.

(−)극: $2H_2O(l) + 2e^- \longrightarrow H_2(g) + 2OH^-(aq)$

(+)극: $H_2O(l) \longrightarrow \frac{1}{2}O_2(g) + 2H^+(aq) + 2e^-$

ㄴ. 순수한 물에서는 전기가 통하지 않으므로 (가), (나)에서 모두 소량의 전해질을 녹여야 분해 반응이 일어날 수 있다.

ㄷ. (가)의 광촉매 전극과 (나)의 (+)극에서는 모두 H^+이 생성되므로 전극 주변은 산성을 띠게 되어 둘 다 노란색으로 변한다.

바로 알기 ㄱ. 광촉매 전극의 H_2O에서 H의 산화수와 H^+에서 H의 산화수는 +1로 같으므로 수소 원자의 산화나 환원이 일어나지 않는다.

통합 실전 문제 122~125쪽

01 ④	02 ④	03 ②	04 ②	05 ⑤	06 ②
07 ③	08 ③				

01 C의 질량이 증가하면 용액 속 양이온 수는 계속 감소한다. 또한, 실험 Ⅰ과 Ⅱ에서 C w g을 넣었을 때 감소한 양이온 수가 다르므로 C는 A^+, B^{2+}과 모두 반응한다. 금속 이온의 전하는 +1, +2, +3 중 하나이며, C 이온의 전하는 A^+과 B^{2+}보다 크므로 C 이온은 C^{3+}이다.

반응 전후 반응물과 생성물의 전체 질량이 보존되는 것과 같이 이온이 존재하는 경우 반응 전후 이온의 총 전하량도 변하지 않는다.

우선 실험 Ⅲ에서 넣어 준 금속 C가 다 반응하지 않고 남아 있으므로 반응 후 용액에는 C^{3+}만 존재한다. 따라서 이온의 전하량의 총합은 $(+3)\times5N=+15N$이다. 한편, 반응 전 전체 이온의 수는 $10.5N$이므로 A^+의 수를 a, B^{2+}의 수를 b라 가정하면 $a+b=10.5N$이다. 또 용액 중 이온의 총 전하량은 $a+2b$이며, 반응 후에도 총 전하량은 변하지 않으므로 $a+2b=15N$이다. 따라서 두 식을 연립하여 풀면 $a=6N$, $b=4.5N$이므로 반응 전 수용액에는 A^+ $6N$개, B^{2+} $4.5N$개가 존재한다.

ㄴ. 실험 Ⅰ에서 반응 후 전체 양이온이 $6.5N$개가 되는 경우는 C $2N$개가 A^+ $6N$개와 반응하는 것으로, 용액 중에 C^{3+} $2N$개와 B^{2+} $4.5N$개가 존재한다. 따라서 C w g은 C $2N$개이다.

실험 Ⅱ는 실험 Ⅰ의 용액에 C $2N$개를 더 넣어 반응시키는 것이므로 B^{2+} $3N$개가 반응하며, 용액 속에는 C^{3+} $4N$개, B^{2+} $1.5N$개가 존재한다.

실험 Ⅲ은 C $2N$개를 더 넣어 반응시키는 것으로, 용액 속에 남아 있는 B^{2+} $1.5N$개와 반응하는 C는 N개이다. 따라서 Ⅲ에서 반응하지 않고 남아 있는 C는 N개로 $0.5w$ g이므로 $x=2.5$이다.

ㄷ. 용액 속 B^{2+}의 수는 Ⅰ에서 $4.5N$, Ⅱ에서 $1.5N$이다. 따라서 용액 속 B^{2+}의 수는 Ⅰ : Ⅱ = 3 : 1이다.

바로 알기 ㄱ. A^+이 B^{2+}보다 먼저 환원되므로 A^+이 B^{2+}보다 환원되기 쉽다. 따라서 환원되기 어려울수록 산화되기 쉬우므로 B는 A보다 산화되기 쉬워 반응성이 크다.

02 ㄴ. A의 표준 산화 전위(+0.76 V)가 C의 표준 산화 전위(−0.34 V)보다 크므로 A가 산화된다.

ㄷ. 표준 산화 전위가 클수록, 즉 표준 환원 전위가 작을수록 금속의 반응성이 크므로 반응성 크기는 A>B>C이다. 따라서 A^{2+}과 C^+의 혼합 용액에 B를 넣으면 A^{2+}은 반응하지 않고 C^+만 반응한다.

$B + 2C^+ \longrightarrow B^{2+} + 2C$

따라서 용액 속 양이온 수는 감소한다.

바로 알기 ㄱ. 염산과 반응하여 수소 기체가 발생하는 금속은 수소보다 반응성이 큰, 즉 수소보다 산화되기 쉬운 금속이어야 한다. 따라서 표준 환원 전위는 수소보다 작아야 하므로 A만 해당된다.

03 (나)와 (라)에서 C는 환원 반응이 일어나는 (+)극이고, $E°_{전지} = E°_{환원\ 전극} - E°_{산화\ 전극}$이므로 C의 표준 환원 전위는 A보다 1.56 V 크고 D보다는 1.25 V 크다. 또, D의 표준 환원 전위는 A보다 0.31 V 크다. 이와 같이 전지 (가), (다)에서 전지 전위 값을 종합하면 다음과 같은 관계가 성립한다.

ㄴ. B와 C의 표준 환원 전위 값의 차는 0.46 V이므로 표준 전지 전위도 +0.46 V이다.

바로 알기 ㄱ. B는 A와 D보다 표준 환원 전위가 크므로 전지 (가)와 (다)에서 모두 B 이온의 환원이 일어난다.

ㄷ. C의 표준 환원 전위가 가장 크지만 0 V보다 큰지는 주어진 자료만으로는 알 수 없다.

04 (가)에서 표준 환원 전위는 A^{2+}이 B^{2+}보다 크므로 A는 (+)극, B는 (−)극이다. (나)에서 B^{2+}과 C^+의 표준 환원 전위가 0 V보다 작으므로 표준 전지 전위가 +0.46 V가 되기 위해서는 $b>c$여야 하므로 B는 (+)극, C는 (−)극이다.

ㄴ. (가) 전지에서 일어나는 전체 반응은 다음과 같다.

$B + A^{2+} \longrightarrow B^{2+} + A$

(나) 전지에서 일어나는 전체 반응은 다음과 같다.

$2C + B^{2+} \longrightarrow 2C^+ + B$

같은 양의 전류가 흐를 때 (가)에서는 A^{2+}이 감소하고, (나)에서는 B^{2+}이 감소하는데, 두 이온의 감소량은 서로 같다. 반면 (가)에서는 B^{2+}이 증가하고, (나)에서는 C^+이 증가하는데, C^+의 증가량이 B^{2+}의 증가량보다 더 크므로 $\frac{[B^{2+}]}{[A^{2+}]}$는

$\frac{[C^+]}{[B^{2+}]}$보다 작다.

바로 알기 ㄱ. (가)에서 B 전극은 (−)극이므로 B의 산화가 일어나 B 전극의 질량은 감소한다.

ㄷ. A가 산화, C가 환원되는 반응이므로 A는 (−)극, C는 (+)극이 되며, $E°_{전지}=E°_{환원\ 전극}-E°_{산화\ 전극}=(c-a)$ V인데 $a>0$, $c<0$이므로 표준 전지 전위는 −0.92 V이다.

05 ㄱ. (가)의 화학 전지에서는 (+)극에서 환원 반응이 일어나고, (나)의 전기 분해 장치에서는 (−)극에서 환원 반응이 일어나므로 (가)와 (나) 모두에서 금속 Y가 석출되어 Y 전극의 질량이 증가한다.

ㄴ. (가) 전지의 두 전극에서 일어나는 반응은 다음과 같다.

(−)극: $X \longrightarrow X^{2+} + 2e^-$

(+)극: $Y^+ + e^- \longrightarrow Y$

(나) 장치의 두 전극에서 일어나는 반응은 다음과 같다.

(−)극: $Y^+ + e^- \longrightarrow Y$

(+)극: $X \longrightarrow X^{2+} + 2e^-$

따라서 (가)와 (나)에서 모두 $[X^{2+}]$는 증가한다.

ㄷ. X가 Y보다 반응성이 크므로 전원 장치를 제거하면 금속 X와 용액 중의 Y^+ 사이에 산화 환원 반응이 일어난다.

$X + 2Y^+ \longrightarrow X^{2+} + 2Y$

X 1몰이 산화되어 용액 속으로 녹아 들어갈 때 2몰의 Y^+이 금속 X 표면에 석출되는데, X의 원자량이 Y의 1.5배이므로 X 1.5 g이 녹아 들어갈 때 2 g의 Y가 석출된다. 따라서 (나)에서 전원 장치를 제거하면 X 전극의 질량은 증가한다.

06 ㄷ. 은 도금은 도금하고자 하는 물체, 즉 금속 M의 표면에 은을 석출시키는 작업이다. 따라서 금속 M에서 Ag^+의 환원 반응이 일어나야 하므로 금속 M은 (−)극에 연결해야 한다.

바로 알기 ㄱ. (+)극에서는 전극 물질인 Ag과 물의 산화 반응이 경쟁한다.

$Ag(s) \longrightarrow Ag^+(aq) + e^-$

$H_2O(l) \longrightarrow \frac{1}{2}O_2(g) + 2H^+(aq) + 2e^-$

각 반응의 표준 산화 전위는 각각 $-a$, $-c$이고 (+)극에서는 Ag의 산화가 일어나므로 $-a>-c$이고 $a<c$이다.

ㄴ. (−)극인 금속 M에서는 Ag^+과 물의 환원 반응이 경쟁을 하므로 b는 a보다 크거나 또는 작아야 되는 조건은 없다.

07 ㄱ. $AB_2(aq)$을 전기 분해했을 때 (−)극에서는 A^{2+} 대신 물이 환원되어 수소 기체가 발생하므로 A^{2+}의 표준 환원 전위 a V는 물의 표준 환원 전위인 −0.83 V보다 작다. 또한 (+)극에서는 B^- 대신 물이 산화되어 산소 기체가 발생하므로 B^-의 표준 산화 전위는 물의 표준 산화 전위인 −1.23 V보다 작고, 반대로 B_2의 표준 환원 전위 b V는 +1.23 V보다 크다. 따라서 $b>1.23$이고, $a<-0.83$이므로 $b-2$는 a보다 크다.

ㄴ. $CSO_4(aq)$의 전기 분해에서 (−)극에서 C가 석출되므로 C는 A보다 환원되기 쉽고 반대로 A는 C보다 산화되기 쉽다. 따라서 반응성이 큰 금속 A를 $CSO_4(aq)$에 넣으면 C가 석출된다.

바로 알기 ㄷ. $AB_2(aq)$의 전기 분해에서 (−)극에서는 OH^-이, (+)극에서는 H^+이 같은 양(mol)만큼 생성되므로 수용액의 액성은 중성이다.

$CSO_4(aq)$의 전기 분해에서 (−)극에서는 C가 석출되고 (+)극에서는 H^+이 생성되므로 수용액의 액성은 산성이다. 따라서 수용액의 pH는 $AB_2(aq)>CSO_4(aq)$이다.

08 (가)는 $CuSO_4(aq)$의 전기 분해이고, (나)는 구리의 정련 과정이다. (가)와 (나)의 각 전극에서는 다음과 같은 반응이 일어난다.

(가) (−)극: $Cu^{2+}(aq) + 2e^- \longrightarrow Cu(s)$

(+)극: $H_2O(l) \longrightarrow \frac{1}{2}O_2(g) + 2H^+(aq) + 2e^-$

(나) (−)극: $Cu^{2+}(aq) + 2e^- \longrightarrow Cu(s)$

(+)극: $Cu(s) \longrightarrow Cu^{2+}(aq) + 2e^-$

$Fe(s) \longrightarrow Fe^{2+}(aq) + 2e^-$

ㄱ. (가)에서는 (+)극에서 H^+이 생성되므로 수용액이 산성을 띤다. (나)에서는 수용액이 중성을 띤다. 따라서 수용액의 pH는 (가)<(나)이다.

ㄴ. (가)와 (나)의 (−)극에서는 Cu가 석출되므로 전극의 질량이 증가한다. (가)의 (+)극에서는 기체가 발생하므로 전극의 질량이 변하지 않고, (나)의 (+)극에서는 금속이 산화되어 용해되므로 전극의 질량이 감소한다.

바로 알기 ㄷ. (가)에서는 Cu^{2+}이 환원되어 석출되지만, (나)에서는 Cu^{2+}이 환원되어 석출되는 반응과 (+)극에서 Cu가 산화되어 Cu^{2+}이 생성되는 반응도 함께 일어나므로 Cu^{2+}의 수는 (가)<(나)이다.

사고력 확장 문제

126~127쪽

01 (1) Cu 전극에서는 Cu^{2+}이 환원되는 반응이 일어나 용액 중의 Cu^{2+}의 수가 감소하여 용액에 존재하는 양이온의 양전하와 음이온의 음전하의 균형이 깨지게 되는데, 이때 염다리에 있는 양이온이 이동하여 전하의 균형을 맞추어 준다. 또, Zn 전극에서는 Zn이 산화되어 용액 속 Zn^{2+}의 수가 증가하여 용액에서 전하의 균형이 깨지는데, 이때 염다리에 있는 음이온이 이동하여 전하의 균형을 맞추어 준다. 이와 같이 전하의 균형을 맞추는 역할을 하는 염다리를 제거하면 양쪽 반쪽 전지에서 발생하는 전하의 불균형을 막을 수 없어 전자가 이동할 수 없기 때문에 전류가 흐르지 않게 된다.

(2) 염다리에 $AgNO_3$을 사용하면 Cu 전극 쪽 용액으로는 양이온인 Ag^+이 이동하고, Zn 전극 쪽 용액으로는 음이온인 NO_3^-이 이동한다. Zn 전극 쪽에서는 다른 전해질을 사용했을 때와 같지만, Cu 전극 쪽 용액으로 Ag^+이 이동하면 Ag^+이 Cu^{2+}보다 표준 환원 전위가 크기 때문에 Cu^{2+}이 환원되는 반응 대신 Ag^+이 환원되는 반응이 일어난다. 따라서 전지의 전위는 점차 커진다.

모범 답안 (1) 전류가 흐르면 염다리에 있는 양이온은 (+)극 쪽 용액으로, 염다리에 있는 음이온은 (−)극 쪽 용액으로 이동하여 전하의 균형을 맞춘다. 따라서 염다리를 제거하면 전하의 균형을 맞출 수 없어 전자 이동이 일어날 수 없으므로 전류가 흐르지 않는다.

(2) 구리 전극 쪽 용액으로 양이온인 Ag^+이 이동하는데, Ag^+이 Cu^{2+}보다 환원되기 쉬우므로 Cu^{2+} 대신 Ag^+이 환원되는 반응이 일어난다.

	채점 기준	배점(%)
(1)	염다리에 있는 이온의 이동과 이동한 이온의 역할을 포함하여 옳게 서술한 경우	50
	이온의 이동에 대한 언급 없이 전하의 불균형만을 서술한 경우	30
(2)	질산 은을 사용했을 때 다니엘 전지에서 나타나는 변화를 옳게 서술한 경우	50

02 (1) 아연을 부착한 배가 바다에 떠 있을 때, 아연과 배의 재질인 철은 전극이 되고 바닷물은 전해질 수용액의 역할을 하게 되어 화학 전지가 형성된다. 표준 환원 전위가 큰 Fe은 (+)극, 표준 환원 전위가 작은 Zn은 (−)극이 된다. 따라서 (−)극인 아연에서는 아연이 산화($Zn \longrightarrow Zn^{2+} + 2e^-$)되어 전자를 (+)극으로 보내고, (+)극인 철에서는 (−)극에서 이동해 온 전자를 받아 바닷물 속의 어떤 물질이 환원된다. 철이 부식되는 것은 철이 산화되는 것인데 철 쪽으로 전자가 계속 이동하므로 전극 반응이 지속되는 동안에는 철이 산화되지 않는다.

(2) 철보다 표준 환원 전위가 큰 주석을 부착하면 주석이 (+)극, 철이 (−)극이 되는 화학 전지가 형성된다. (−)극인 철에서는 철이 산화($Fe \longrightarrow Fe^{2+} + 2e^-$)되고, (+)극인 주석에서는 환원 반응이 일어나므로 주석을 부착하기 전보다 철이 빨리 산화된다.

모범 답안 (1) 철로 된 배의 바닥에 Zn을 부착하면 표준 환원 전위가 작은 Zn이 (−)극, 철이 (+)극으로 작용하는 화학 전지가 형성된다. 이때 (+)극인 철에서는 환원 반응이 일어나므로 반응이 지속되는 동안에는 아연 쪽에서 전자가 공급되어 철이 부식되는 것을 방지할 수 있다.

(2) 표준 환원 전위가 작은 Fe이 (−)극, Sn이 (+)극으로 작용하는 화학 전지가 형성된다. (−)극인 철에서 산화 반응($Fe \longrightarrow Fe^{2+} + 2e^-$)이 일어나므로 주석을 부착하기 전보다 철이 빨리 부식된다.

	채점 기준	배점(%)
(1)	화학 전지가 형성되는 것과 철에서 환원 반응이 일어나는 것을 포함하여 옳게 서술한 경우	50
	화학 전지가 형성된다는 것을 포함하지 않고 서술한 경우	20
(2)	화학 전지가 형성되는 것과 철에서 산화 반응이 일어나는 것을 포함하여 옳게 서술한 경우	50
	화학 전지가 형성된다는 것을 포함하지 않고 서술한 경우	20

03 (1) $KNO_3(aq)$을 전기 분해하면 K^+은 물보다 환원되기 어렵고, NO_3^-은 물보다 산화되기 어려우므로 물의 산화와 환원이 일어난다.

(−)극: $2H_2O(l) + 2e^- \longrightarrow H_2(g) + 2OH^-(aq)$

(+)극: $H_2O(l) \longrightarrow \frac{1}{2}O_2(g) + 2H^+(aq) + 2e^-$

따라서 KNO_3의 양은 변하지 않고 물은 전기 분해되어 그 양이 감소하므로 KNO_3의 농도가 커진다.

반면 $HNO_3(aq)$을 전기 분해하면 용액 속에 H^+이 존재하므로 (−)극에서는 NO_3^-의 환원이 일어나고, (+)극에서는 물의 산화가 일어난다.

(−)극: $NO_3^-(aq) + 4H^+(aq) + 3e^- \longrightarrow NO(g) + 2H_2O(l)$

(+)극: $H_2O(l) \longrightarrow \frac{1}{2}O_2(g) + 2H^+(aq) + 2e^-$

전체 반응: $2NO_3^-(aq) + 2H^+(aq) \longrightarrow 2NO(g) + \frac{3}{2}O_2(g) + H_2O(l)$

HNO_3의 양은 감소하고 물의 양은 증가하므로 HNO_3의 농도는 감소한다. KNO_3의 농도는 증가하고, HNO_3의 농도는 감소하므로 $\frac{[HNO_3]}{[KNO_3]}$의 값은 감소한다.

모범 답안 KNO_3 수용액에서는 물의 산화와 환원이 일어난다. 따라서 KNO_3의 양은 변하지 않고 물의 양은 감소하므로 KNO_3의 농도는 증가한다.
HNO_3 수용액에서는 H^+의 존재 때문에 (−)극에서는 NO_3^-의 환원 반응이, (+)극에서는 물의 산화가 일어난다. 이때 전체 반응식은 다음과 같다.

$$2NO_3^- + 2H^+ \longrightarrow 2NO + \frac{3}{2}O_2 + H_2O$$

HNO_3의 양은 감소하고, 물의 양은 증가하므로 HNO_3의 농도는 감소한다. 따라서 KNO_3의 농도는 증가하고, HNO_3의 농도는 감소하므로 $\frac{[HNO_3]}{[KNO_3]}$의 값은 감소한다.

채점 기준	배점(%)
KNO_3과 HNO_3의 농도 변화와 $\frac{[HNO_3]}{[KNO_3]}$ 값의 변화를 모두 옳게 서술한 경우	100
KNO_3과 HNO_3의 농도 변화를 옳게 서술한 경우	50
KNO_3과 HNO_3 중 하나의 농도 변화만 옳게 서술한 경우	25

04 (가)와 (나)는 화학 전지를 형성하고, 이 전지에서 발생하는 전류에 의해 (다), (라)에서 전기 분해가 일어난다.

(1) Zn의 표준 환원 전위가 Cu보다 작으므로 (가)에서는 Zn의 산화가 일어나고, (나)에서는 Cu^{2+}의 환원이 일어난다.

(가): $Zn \longrightarrow Zn^{2+} + 2e^-$

(나): $Cu^{2+} + 2e^- \longrightarrow Cu$

한편, 전지의 (+)극에 연결된 (다)에서는 I^-의 표준 산화 전위(−0.54 V)가 물의 표준 산화 전위(−1.23 V)보다 크므로 I^-의 산화가 일어나고, (−)극인 (가)와 연결된 (라)에서는 H^+의 환원이 일어난다.

(다): $2I^- \longrightarrow I_2 + 2e^-$

(라): $2H^+ + 2e^- \longrightarrow H_2$

(2) 다공성 막을 통해 이온이 이동할 수 있다. 이러한 다공성 막은 다니엘 전지에서 염다리와 같이 전하의 균형을 맞추어 주는 역할을 한다.

(3) Cu의 표준 산화 전위(−0.34 V)가 I^-의 표준 산화 전위(−0.54 V)보다 크므로 구리의 산화가 일어난다. 따라서 반응성이 작은 백금 전극을 사용하였을 때는 I^-이 산화되지만, 구리 전극을 사용하면 I^-이 아닌 구리가 산화된다.

$Cu \longrightarrow Cu^{2+} + 2e^-$

모범 답안 (1) (가) $Zn \longrightarrow Zn^{2+} + 2e^-$
(나) $Cu^{2+} + 2e^- \longrightarrow Cu$
(다) $2I^- \longrightarrow I_2 + 2e^-$
(라) $2H^+ + 2e^- \longrightarrow H_2$
(2) 이온의 이동을 통해 전하의 균형을 맞추어 준다.
(3) 반응성이 작은 백금 전극을 사용하였을 때는 I^-이 산화되지만, 구리 전극을 사용하면 I^-이 아닌 구리가 산화된다.

채점 기준		배점(%)
(1)	(가)~(라)에서 일어나는 반쪽 반응식을 모두 옳게 쓴 경우	60
	(가)~(라)에서 일어나는 반쪽 반응식 중 하나만 옳게 쓴 경우 각각	15
(2)	이온의 이동과 전하의 균형을 포함하여 옳게 서술한 경우	20
	전하의 균형만 포함하여 서술한 경우	10
(3)	구리가 산화된다고 옳게 서술한 경우	20

논구술 대비 문제

Ⅳ 전기 화학과 이용

실전 문제 1 130쪽

예시 답안 (1) 용기 1과 2의 각 전극에서 일어나는 반응은 다음과 같다.

[용기 1] (−)극: $2H_2O(l) + 2e^- \longrightarrow H_2(g) + 2OH^-(aq)$

(+)극: $2Cl^-(aq) \longrightarrow Cl_2(g) + 2e^-$

[용기 2] (−)극: $Cu^{2+}(aq) + 2e^- \longrightarrow Cu(s)$

(+)극: $H_2O(l) \longrightarrow \frac{1}{2}O_2(g) + 2H^+(aq) + 2e^-$

0.1몰의 전자가 이동할 때 용기 1의 (−)극에서는 0.1몰의 OH^-이, 용기 2의 (+)극에서는 0.1몰의 H^+이 생성된다.
따라서 용기 1의 수용액 속 $[OH^-]=0.1$ M이므로 pH는 13이고, 용기 2의 수용액 속 $[H^+]=0.1$ M이므로 pH는 1이다.
(2) 0.1몰의 전자가 이동할 때 용기 1의 (−)극에서는 0.05몰의 H_2가, (+)극에서는 0.05몰의 Cl_2가 생성되어 총 0.1몰의 기체가 생성되며, 용기 2의 (+)극에서는 0.025몰의 O_2가 생성된다.
용기 1에서 생성된 기체의 압력은 $P=\frac{nRT}{V}=\frac{0.1\times0.08\times300}{1}=2.4$ 기압이고, 용기 2에서 생성된 기체의 양(mol)은 용기 1의 $\frac{1}{4}$이므로 기체의 압력은 0.6기압이다. 압력 차가 1.8기압이므로 수은 기둥의 높이 차는 $1.8\times760=1368$ mm로 용기 2 쪽이 용기 1 쪽보다 1368 mm 높다.

실전 문제 2 131쪽

예시 답안 (1) 역삼투 방식을 이용한 정수기의 물은 정수 과정에서 대부분의 이온이 제거되기 때문에 전기가 잘 통하지 않아 전기 분해가 일어나지 않으므로 아무 변화도 나타나지 않는다. 반면 수돗물에는 미네랄이라 불리는 이온들이 존재하므로 전기 분해가 일어날 수 있는데, 이들 이온은 대부분이 물보다 환원되기 어렵다. 따라서 (−)극에서는 물이 환원되어 수소 기체가 발생한다. (+)극에서는 물이나 물에 존재하는 음이온(Cl^- 등)보다 (+) 전극을 구성하는 철이나 알루미늄이 산화되기 쉽기 때문에 이들이 산화되어 생성된 Fe^{2+}, Al^{3+} 등이 색깔을 띠게 되고, 물속에 존재하는 음이온과 결합하여 앙금을 생성하므로 갈색 침전물이 생성되었을 것이다.
(2) 수돗물에서 앙금이 생성되는 것은 전극으로 사용된 물질이 산화되기 쉬운 철과 알루미늄이기 때문으로 전극을 반응성이 작은 백금이나 탄소 전극으로 교체하면 앙금이 생성되는 것을 방지할 수 있다. 한편, 전극 물질을 백금이나 탄소 전극으로 교체하여도 수돗물에는 이온이 존재하므로 앙금이 생성되지는 않지만 물이 전기 분해되어 (−)극에서 수소 기체, (+)극에서 산소 기체가 발생한다.

국제 표준 단위계(SI 단위계)

1. SI 기본 단위

물리량	명칭	기호
길이	미터	m
질량	킬로그램	kg
시간	초	s
전류	암페어	A
온도	켈빈	K
광도	칸델라	cd
물질량	몰	mol

2. 유도 단위의 예

물리량	명칭	기호	정의
힘	뉴턴	N	$kg \cdot m \cdot s^{-2}$
압력	파스칼	Pa	$kg \cdot m^{-1} \cdot s^{-2}$
에너지	줄	J	$kg \cdot m^2 \cdot s^{-2}$
일률	와트	W	$kg \cdot m^2 \cdot s^{-3}$
전하량	쿨롬	C	$A \cdot s$
전위차	볼트	V	$kg \cdot m^2 \cdot s^{-3} \cdot A^{-1}$
전기 저항	옴	Ω	$kg \cdot m^2 \cdot s^{-3} \cdot A^{-2}$

3. SI 단위와 다른 단위와의 관계

물리량	관계
길이	$1\ Å = 10^{-10}\ m$, $1\ \mu m = 10^{-6}\ m$
넓이	$1\ a = 10^2\ m^2$, $1\ ha = 10^4\ m^2$
부피	$1\ L = 1\ dm^3 = 10^{-3}\ m^3$
질량	$1\ t = 10^3\ kg$
시간	1 min(분)=60 s, 1 h(시간)=3600 s
온도	t(℃)$=T$(K)-273.15
힘	1 kgf(킬로그램힘)=9.8 N
압력	1 atm=101325 Pa, 1 bar=10^5 Pa, 1 mmHg=133.322 Pa
에너지	1 cal=4.184 J, 1 L·atm=1.01×10^2 J, 1 kWh=3.6×10^6 J

4. 기본 상수

기본 상수	기호	정의
아보가드로수	N_A	$6.02214199(47) \times 10^{23}\ mol^{-1}$
기체 상수	R	$0.082058\ atm \cdot L \cdot mol^{-1} \cdot K^{-1}$
		$8.314472(15)\ J \cdot mol^{-1} \cdot K^{-1}$
		$8.3145\ kPa \cdot L \cdot mol^{-1} \cdot K^{-1}$
패러데이 상수	F	$9.64853415(39) \times 10^4\ C \cdot mol^{-1}$

표준 환원 전위($E°$)

(25 ℃, 1기압)

반쪽 반응	$E°$(V)
$F_2(g) + 2e^- \longrightarrow 2F^-(aq)$	+2.87
$H_2O_2(aq) + 2H^+(aq) + 2e^- \longrightarrow 2H_2O(l)$	+1.78
$MnO_4^-(aq) + 8H^+(aq) + 5e^- \longrightarrow Mn^{2+}(aq) + 4H_2O(l)$	+1.51
$Cl_2(g) + 2e^- \longrightarrow 2Cl^-(aq)$	+1.36
$O_2(g) + 4H^+(aq) + 4e^- \longrightarrow 2H_2O(l)$	+1.23
$Br_2(l) + 2e^- \longrightarrow 2Br^-(aq)$	+1.09
$NO_3^-(aq) + 4H^+(aq) + 3e^- \longrightarrow NO(g) + 2H_2O(l)$	+0.96
$2H^{2+}(g) + 2e^- \longrightarrow Hg_2^{2+}(aq)$	+0.91
$Ag^+(aq) + e^- \longrightarrow Ag(s)$	+0.80
$Fe^{3+}(aq) + e^- \longrightarrow Fe^{2+}(aq)$	+0.54
$I_2(s) + 2e^- \longrightarrow 2I^-(aq)$	+0.54
$Cu^+(aq) + e^- \longrightarrow Cu(s)$	+0.34
$AgCl(s) + e^- \longrightarrow Ag(s) + Cl^-(aq)$	+0.22
$Cu^{2+}(aq) + e^- \longrightarrow Cu^+(aq)$	+0.16
$Sn^{4+}(aq) + 2e^- \longrightarrow Sn^{2+}(aq)$	+0.15
$2H^+(aq) + 2e^- \longrightarrow H_2(g)$	+0.00
$Fe^{3+}(aq) + 3e^- \longrightarrow Fe(s)$	−0.04
$Pb^{2+}(aq) + 2e^- \longrightarrow Pb(s)$	−0.13
$Sn^{2+}(aq) + 2e^- \longrightarrow Sn(s)$	−0.14
$Cd^{2+}(aq) + 2e^- \longrightarrow Cd(s)$	−0.40
$Fe^{2+}(aq) + 2e^- \longrightarrow Fe(s)$	−0.44
$Cr^{3+}(aq) + 3e^- \longrightarrow Cr(s)$	−0.73
$Zn^{2+}(aq) + 2e^- \longrightarrow Zn(s)$	−0.76
$2H_2O(l) + 2e^- \longrightarrow H_2(g) + 2OH^-(aq)$	−0.83
$Al^{3+}(aq) + 3e^- \longrightarrow Al(s)$	−1.66
$H_2(g) + 2e^- \longrightarrow 2H^-(aq)$	−2.23
$Mg^{2+}(aq) + 2e^- \longrightarrow Mg(s)$	−2.37
$Na^+(aq) + e^- \longrightarrow Na(s)$	−2.71
$Ca^{2+}(aq) + 2e^- \longrightarrow Ca(s)$	−2.76
$K^+(aq) + e^- \longrightarrow K(s)$	−2.92
$Li^+(aq) + e^- \longrightarrow Li(s)$	−3.05

화학 | 용어 찾아보기

memo

memo

과학 고수들의 필독서